S'aimer sans se *fuir*

Conception graphique de la couverture: Christiane Houle
Illustration: Andy Zito/The Image Bank

DISTRIBUTEURS EXCLUSIFS:

- Pour le Canada et les États-Unis:
  LES MESSAGERIES ADP*
  955, rue Amherst, Montréal H2L 3K4
  Tél.: (514) 523-1182
  Télécopieur: (514) 939-0406
  * Filiale de Sogides ltée

- Pour la Belgique et le Luxembourg:
  PRESSES DE BELGIQUE S.A.
  Boulevard de l'Europe 117
  B-1301 Wavre
  Tél.: (10) 41-59-66
  (10) 41-78-50
  Télécopieur: (10) 41-20-24

- Pour la Suisse:
  TRANSAT S.A.
  Route des Jeunes, 4 Ter
  C.P. 125
  1211 Genève 26
  Tél.: (41-22) 342-77-40
  Télécopieur: (41-22) 343-46-46

- Pour la France et les autres pays:
  INTER FORUM
  Immeuble ORSUD, 3-5, avenue Galliéni, 94251 Gentilly Cédex
  Tél.: (1) 47.40.66.07
  Télécopieur: (1) 47.40.63.66
  Commandes: Tél.: (16) 38.32.71.00
  Télécopieur: (16) 38.32.71.28
  Télex: 780372

Roy F. Baumeister

S'aimer sans se *fuir*

Comprendre notre insoutenable besoin d'évasion

Traduit de l'américain par Rosemarie Bélisle

Données de catalogage avant publication (Canada)

Baumeister, Roy F.

S'aimer sans se fuir: comprendre notre insoutenable besoin d'évasion

Traduction de: Escaping the self.
Comprend des réf. bibliogr. et un index.

1. Évasion (Psychologie). 2. Moi (Psychologie).
3. Comportement autodestructeur. I. Titre.

BF575.E83B3814 1994 155.2 C94-940879-4

L'ouvrage original américain a été publié par BasicBooks,
une division de HarperCollins*Publishers* Inc.,
sous le titre *Escaping the Self*
(ISBN: 0-465-02053-4 et 0-465-02054-2)

Dépôt légal: 3e trimestre 1994
Bibliothèque nationale du Québec

ISBN 2-8904-4518-6

Avant-propos

Pendant plusieurs années, j'ai cherché à comprendre la fascination absolue que voue notre culture moderne à l'individualité et à l'identité personnelle. Cette fascination imprègne la société et la recherche universitaire n'y a pas échappé. Dès la fin des années soixante-dix, l'individualité et le soi sont devenus des sujets d'étude très en vogue en sciences sociales et ont eu une forte influence sur les sciences humaines. Mon propre intérêt pour l'individualité et le soi a d'ailleurs pris naissance dans ce contexte.

Toutefois, s'il est vrai que je me suis laissé emporter par ce courant, je ne l'ai pas fait sans une mesure de scepticisme. Il y a quelque chose d'un peu malsain dans cette fascination de notre culture pour l'individualité, quelque chose de vaguement indécent, de problématique, peut-être même de dangereux. Même lorsqu'elles sont bénéfiques dans l'ensemble, la plupart des grandes transformations sociales finissent par nous faire payer un tribut. Et les problèmes ne se manifestent en général que peu à peu, bien après que nous avons profité des avantages.

Je crois qu'il en est ainsi de l'individualité et de l'identité personnelle. Notre culture a placé l'individualité au cœur de ses préoccupations et a élaboré tout un vocabulaire constitutif d'un discours élogieux et complexe sur les nuances et les virtualités du soi. Pendant ce temps, le prix à payer pour cette fascination continuait de passer inaperçu. Mais aujourd'hui, ce sont les coûts, les dangers et les problèmes qui sont devenus le sujet d'étude des universitaires.

À l'heure actuelle, tout le monde ou presque s'entend sur l'importance de l'estime de soi. Des centaines d'études, des douzaines de thérapies et même une commission officielle de notables californiens se sont penchés sur les avantages que présente une bonne estime de soi. Il est clair qu'une piètre estime de soi est une expérience désagréable dont découle toute une variété de pathologies. Mais une très forte estime de soi n'est peut-être pas une absolue panacée, et un effort généralisé visant à améliorer l'estime de soi de la population ne serait peut-être pas la solution à tous les maux de notre société. Après tout, l'arrogance et le mépris ne sont-ils pas des manifestations de forte estime de soi, tout comme la suffisance qui entraîne à sa suite les erreurs de jugement et tout leur cortège de conséquences désastreuses. N'est-ce pas l'arrogance et la confiance aveugle qui ont poussé les États-Unis à s'ingérer dans les affaires du Viêt-nam? C'est donc l'intérêt massif pour l'individualité et son ressac qui forment la trame de ce livre. Dans un ouvrage précédent (*Identity: Cultural Change and the Struggle for Self*), j'ai entrepris d'explorer comment l'individualité dans sa forme moderne en est venue à tant faire problème et, dans un autre ouvrage (*Meanings of Life*), j'ai montré comment la société moderne avait commencé à utiliser l'individualité d'une nouvelle façon afin de rendre la vie personnelle plus riche et plus satisfaisante. Dans le présent ouvrage, je tente d'expliquer quels dangers et problèmes découlent de l'importance exagérée que l'on accorde aujourd'hui à l'individualité, puis de démontrer comment ces dangers et problèmes nous conduisent à chercher des moyens de nous fuir.

La fuite est une réaction compréhensible devant la surévaluation de l'individualité ou les problèmes personnels. La fuite n'est ni bonne ni mauvaise en soi, bien qu'il soit possible de porter des jugements de valeur sur certaines formes de fuite. On aura du mal à envisager le suicide ou l'abus d'alcool dans une perspective favorable, mais non l'expansion de la conscience individuelle au moyen d'exercices religieux ou spirituels — nécessitant aussi le renoncement à l'individualité — qui constitue peut-être l'une des plus grandes réalisations de l'esprit humain.

Je me suis toujours efforcé de me laisser guider par les données plutôt que de m'entêter à prouver un point de vue ou une hypothèse, mais il arrive ainsi que je me laisse souvent entraîner bien loin de mon point de départ. Le présent livre est le résultat d'une série de projets dont les objectifs étaient tout autres. Depuis des années, je cherche à réunir quelques éléments de réflexion tirés des sciences sociales sur la façon de donner un sens à sa vie et, à cette fin, j'ai fait des recherches dans toutes sortes de domaines. Il y a quelque temps, j'en étais même venu à penser que mes théories sur le sujet du sens de la vie pourraient jeter un peu de lumière sur le mystère opaque du masochisme sexuel. J'avais prévu de passer quelques heures à la bibliothèque pour me renseigner sur la question du masochisme, mais j'en suis rapidement venu à la conclusion que le masochisme, s'il avait peu à voir avec la recherche du sens de la vie, entrait en contradiction si flagrante avec les principes et les généralisations de la psychologie du soi que j'ai senti le besoin de le comprendre pour lui-même. J'ai alors laissé de côté mon projet sur le sens de la vie et je me suis mis à lire et à approfondir les textes traitant du masochisme, à recueillir des données pour, peu à peu, en venir à mieux comprendre cette profonde énigme. La contradiction entre les théories de la psychologie du soi et le masochisme n'est ni accidentelle ni illusoire — elle tient à l'essence même du masochisme: les pratiques masochistes visent à mettre en échec, à déjouer et à anéantir le soi, du moins temporairement. J'en suis arrivé à la conclusion que le masochisme est dans son essence même un moyen d'échapper à la conscience de soi.

Ma recherche sur le suicide m'a conduit sur une voie très semblable. Comme dans le cas du masochisme, j'ai commencé par croire que la question du suicide pourrait sans doute m'éclairer sur le sens de la vie. En lisant l'immense quantité de textes sur le suicide, il m'est vite apparu que la plupart des suicides ne sont pas l'aboutissement d'une vie entière, mais plutôt une réaction immédiate à des problèmes actuels ou très récents. Qui plus est, le suicide semble lié à un certain type de problèmes — les problèmes relatifs au soi. Le désir de perdre la conscience de soi semble être la caractéristique principale des processus mentaux pré-suicidaires.

En ce qui me concerne, le masochisme s'est révélé un sujet d'étude très frustrant parce qu'il existe très peu de textes sur ce thème. Je n'ai trouvé aucune réponse à bon nombre de mes questions et hypothèses parce qu'il semble très difficile de recueillir des données sur les masochistes. Par contre, il y a plus d'un siècle que l'on publie des textes sur le suicide et les textes sur ce sujet ne manquent pas. En fait, le chercheur qui s'intéresse à la question du suicide se trouve en présence d'une telle masse de renseignements qu'il lui est difficile de tout assimiler. Mais cette difficulté est largement compensée par la richesse intellectuelle qu'offre une telle abondance de textes: le chercheur est assuré de trouver réponse à la moindre de ses questions. Le plaisir que j'ai eu à travailler avec une masse d'informations aussi imposante s'inscrira sans doute dans ma mémoire comme l'un des points culminants de ma carrière de psychologue. Je suis conscient que pour la plupart des gens, l'idée du suicide éveille des souvenirs intimes et souvent traumatiques, mais pour moi elle est associée au souvenir heureux d'une extraordinaire aventure intellectuelle.

En approfondissant la question du suicide, j'ai pu en arriver à une compréhension beaucoup plus nuancée du processus de fuite que dans le cas du masochisme. Après ma recherche sur le suicide, l'essentiel de ma théorie était au point. Puis j'ai eu une autre révélation lorsque j'ai compris la différence entre le masochisme et le suicide. Je me suis rendu compte que la motivation initiale qui nous pousse à fuir la conscience de soi pouvait prendre plusieurs formes. Mon hypothèse s'est confirmée lorsque je me suis intéressé à la question de l'expérience religieuse et spirituelle — car là aussi il s'agit de se dépouiller de son identité personnelle. Il serait ridicule de prétendre que l'aspirant à la maîtrise du zen, le masochiste sexuel et le suicidaire sont mus par des motifs et des états d'esprit identiques, bien qu'ils aient tous en commun le désir de fuir leur identité personnelle. Ce livre contient mon premier exposé sur la multiplicité des motifs qui poussent les gens à vouloir se fuir.

À l'intention des professionnels, j'ai exposé les fondements théoriques de ce travail dans divers articles parus dans des revues savantes. Mon travail sur le masochisme a été publié en 1988 dans le *Journal of Sex Research* et sous forme de livre l'année suivante. Aussi en 1988, la revue *Psychological Bulletin* a publié mon article sur les comportements autopunitifs. Comme j'en témoignais dans cet ouvrage, mon collaborateur Steve Scher et moi-même avons constaté que les gens normaux présentent des comportements autodestructeurs que les théories actuelles ne parviennent pas à expliquer. Nous avons conclu que le désir d'échapper à une perception négative de soi était un motif commun à bon nombre de ces comportements.

J'ai publié dans *Psychological Review*, en 1990, un texte sur le suicide, et un aperçu général de ma théorie sur le désir de se fuir soi-même est paru dans les actes du Symposium de l'Ontario. Au cours de ce symposium, Todd Atherton m'a signalé que la recherche sur les accès de boulimie offrait quelques études pertinentes. Nous avons passé en revue ensemble ces textes et avons rendu compte de ce travail en 1991 dans le *Psychological Bulletin*. Les résultats d'une expérimentation réalisée par Tom Dixon et moi-même sur les moyens d'échapper à la conscience de soi ont également été publiés en 1991.

Je suis personnellement et intellectuellement obligé envers plusieurs personnes qui m'ont aidé à réaliser cet ouvrage. Todd Atherton, aujourd'hui professeur à Harvard, est sans doute celui qui m'a le plus aidé et à qui je dois l'essentiel de ma compréhension des accès de boulimie. Jay Hull (de Dartmouth), Claude Steel (de l'université du Michigan) et Bob Josephs (de l'université du Texas) ont généreusement partagé avec moi leurs travaux et leurs réflexions sur l'alcoolisme. Tom Dixon, aujourd'hui psychothérapeute à Chicago, m'a aidé à l'étape de la collecte des données. Je suis très reconnaissant à Dianne Tice, ma collègue de l'université Case Western Reserve, devenue mon épouse, pour la sensibilité de ses critiques et la pertinence de ses suggestions à toutes les étapes de ce travail. Je remercie Bill Swann et Dan Gilbert de m'avoir chaleureusement accueilli au cours d'une année sabbatique à l'université du Texas où j'ai pu élaborer mes premières idées et rédiger l'essentiel de mon livre sur le masochisme. Je suis également reconnaissant aux nombreuses personnes qui, au fil des ans, m'ont fait des observations utiles, notamment Swann et Gilbert, Janet Polivy, Peter Herman, Roxie Silver, Dan Wegner et Jimmy Pennebaker.

I

L'identité personnelle: un paradis ou une prison?

[L'homme] s'était fait depuis longtemps un idéal de la toute-puissance et de l'omniscience et il l'incarnait en ses dieux... Maintenant... il est devenu lui-même presque un dieu... Mais... pour semblable qu'il soit à un dieu, l'homme d'aujourd'hui ne se sent pas heureux.

SIGMUND FREUD, *Malaise dans la civilisation*

Depuis la nuit des temps, l'être humain rêve d'une société idéale et s'entretient dans la vision d'une terre promise où il lui serait possible de vivre en paix, à l'abri de la famine, de la maladie et de la pauvreté; où la nourriture serait abondante et savoureuse et où il pourrait vivre en compagnie de la personne qu'il aime.

Ne pourrait-on pas dire que la vie moderne de la classe moyenne en Amérique du Nord est en quelque sorte la concrétisation de ce rêve? Non seulement jouissons-nous d'une abondante nourriture et d'un confort exceptionnel (très supérieur à celui qu'a connu la royauté d'Europe tout au long de son règne), mais nous vivons dans la paix et la sécurité, bénéficions d'excellents soins médicaux, d'une bonne stabilité sociale et de la liberté individuelle. La technologie nous confère des capacités très supérieures aux pouvoirs magiques des personnages de contes de fées: nous pouvons voler, communiquer avec nos semblables sur de très longues distances, voir en direct des images venues de terres étrangères et lointaines, et guérir des blessures et des maladies qui autrefois entraînaient inexorablement la mort.

Or, malgré ces progrès, on constate l'émergence de tendances inquiétantes. Les taux de suicide sont élevés, surtout chez les jeunes qui semblent avoir en perspective des chances d'épanouissement sans précédent. Le masochisme sexuel est à la hausse, surtout chez les riches et les puissants qui pourraient, semble-t-il, se procurer tous les plaisirs voulus. La consommation de drogues et d'alcool se répand. Des cultes religieux étrangers et bizarres sont en plein essor et attirent les jeunes gens en grand nombre.

Certains croient qu'un besoin d'évasion se trouve à la base de toutes ces tendances, mais une telle explication reste insuffisante. Pourquoi des gens aussi bien nantis voudraient-ils échapper à la réalité? Une telle attitude serait compréhensible dans une société affligée par la guerre, la famine, la pauvreté ou d'autres malheurs. Mais comment justifier qu'un tel besoin se manifeste dans une société moderne de classe moyenne où semblent régner le confort, le bonheur et la sécurité? L'histoire de l'Amérique du Nord est marquée par un mouvement constant d'immigration. Les gens fuient d'autres pays pour venir s'établir ici. Pourquoi diable voudrions-nous fuir? D'autant plus que ce ne sont pas les pauvres, les démunis et les opprimés parmi nous qui cherchent à fuir: le suicide est florissant dans la classe moyenne, les masochistes se recrutent parmi les riches et la consommation d'alcool sévit dans toutes les couches de la société.

Et sur fond de ces comportements autodestructeurs, nous semblons fascinés par nous-mêmes, comme en témoigne la popularité de livres qui traitent de «la société du moi» ou de «la culture du narcissisme». Or voilà qui nous donne peut-être la clé du paradoxe: la société moderne fait tout un plat de l'identité personnelle — elle en fait peut-être trop. L'obligation qui nous est faite de nous constituer une identité personnelle et d'en assurer le maintien est devenue un fardeau de plus en plus lourd. Plus notre vie est centrée sur la nécessité de préserver une certaine image de soi, plus le désir d'échapper à ce fardeau se fait pressant.

QU'EST-CE QUE LE SOI?

Nous utilisons le mot *soi* plusieurs fois par jour, surtout si l'on tient compte de mots composés comme «soi-même» ou «soi-disant». Mais nous ne sommes pas pour autant en mesure d'en donner une définition précise — l'extrême familiarité du mot le rendant même particulièrement difficile à définir. Sans compter que l'usage spécialisé qu'en font des psychanalystes comme Carl Jung et Heinz Kohut complique les choses encore davantage. Dans ces pages, je poserai d'abord le soi comme un réflexe grammatical: le point vers lequel tout converge. Lorsque je pense ou que je dis «je», «moi» ou «mon», j'évoque le soi. Ces mots et les actions qui en nécessitent l'usage font justement intervenir le soi. Nous disons couramment je suis un Canadien, je suis un professeur, je suis un nageur, je suis un collectionneur de timbres, je suis un homme ou je suis une femme, je veux devenir femme d'affaires, je suis père de famille, je suis locataire, je suis honnête, je suis ton amie, je suis chevalier de Colomb, je suis catholique, je suis libéral. Tous ces prédicats servent à définir le soi. Et chacun de nous est une mosaïque de telles définitions.

On pourrait dire que le soi est la somme d'un corps matériel et d'un ensemble de définitions. Il ne fait aucun doute qu'à la base, le soi est un corps. Les analyses philosophiques qui portent sur le soi et l'identité personnelle postulent presque toujours l'existence du corps et posent d'abord la question de savoir si le corps suffit à définir l'identité[1]. Lorsqu'un enfant commence à acquérir la notion de qui il est et à former sa première image de soi, le corps joue un rôle primordial; c'est bien plus tard seulement que viendront s'ajouter des raffinements comme les valeurs morales, les traits de caractère et l'accès privilégié à l'expérience intime[2]. Le soi, dans la culture occidentale, a d'abord été assimilé à l'être matériel et les aspects non matériels ne s'y sont ajoutés que peu à peu. Nous assistons d'ailleurs actuellement à une escalade et à un foisonnement des attributs intimes et non matériels du soi[3]. Le soi intime est aujourd'hui perçu comme quelque chose de vaste, stable, unique, important et difficile à connaître; nous en avons fait le dépositaire des pensées, des sentiments, des intentions, des traits de caractère et des talents cachés; en lui se trouvent les sources de la créativité, les principaux ingrédients de l'épanouissement personnel et la solution à presque tous les problèmes de la vie. La seule idée qu'il soit possible de trouver au fond de soi la solution d'un conflit serait jugée totalement absurde dans toute culture qui ne partagerait pas notre foi absolue dans le soi.

Certes, le soi semble dépasser les limites du seul corps. Nous nous identifions à beaucoup plus qu'à nos attributs physiques. Nous avons nos rôles sociaux, notre place dans la famille et dans d'autres groupes, notre réputation, nos antécédents de carrière, nos comptes en banque, nos projets et nos objectifs, nos valeurs personnelles, nos engagements, nos obligations, nos rapports humains. L'identité est liée à nos droits, nos privilèges, nos devoirs, nos choix, nos buts, nos possibilités passées et futures. Il ne s'agit pas là de propriétés du corps comme la couleur des cheveux ou le poids. L'identité tient davantage à la signification qu'à une configuration d'atomes et de molécules.

Le soi peut être appréhendé comme une entité physique revêtue de significations. À la fois un organisme biologique et un être social. L'être humain est un animal qui bouge, regarde, désire et ressent, mais aussi un être pourvu d'une définition symbolique, qui appartient à un groupe — un animal détenteur d'une carte de crédit et porteur d'un numéro d'assurance sociale. Il faut savoir que le soi est une construction (un sens venu s'ajouter à une entité physique et animale) pour comprendre qu'il soit possible de vouloir le fuir comme il en est question dans ce livre.

Comme le soi est à la base un animal, il a des besoins et des désirs comme la plupart des organismes de la nature. Le soi doit composer avec des besoins naturels: nourriture, sommeil, chaleur, confort et besoins sexuels. L'être humain semble aussi ressentir un *besoin d'appartenance*, c'est-à-dire un besoin de faire partie d'un groupe social ou d'établir des rapports ou des liens interpersonnels[4]. Le besoin d'estime dérive peut-être (au moins en partie) de ce besoin d'appartenance sociale. Si les autres ne nous considèrent pas de façon favorable, nous risquons de nous retrouver seuls. Il faut que quelqu'un nous aime, nous trouve attirant, désirable ou utile. Nous intériorisons ce besoin et il en découle un grand besoin d'estime de soi. Des centaines d'études ont confirmé que les gens tiennent absolument à bien paraître[5], tant à leurs propres yeux qu'aux yeux des autres.

Le soi est aussi doté d'un *besoin de pouvoir*. Le soi veut se *sentir* maître de son environnement, de ses rapports avec les autres et de lui-même. À défaut d'une maîtrise véritable, il peut se donner l'illusion du pouvoir[6]. Les origines de ce désir ne sont pas claires. Certains théoriciens croient qu'il s'agit d'un besoin inné et montrent, à l'appui de leur thèse, comment de nombreuses espèces explorent leur environnement, acquièrent des mécanismes de contrôle et prennent plaisir à dominer. Privés de pouvoir, les sujets manifestent de l'irritation, du ressentiment, donnent des signes pathologiques d'abattement et de détresse qui peuvent aller jusqu'à la maladie et même la mort. D'autres théoriciens parlent plutôt d'un besoin acquis et estiment que le désir de prendre les choses en main et de manifester de l'initiative est le produit de la socialisation. Quoi qu'il en soit, il ne fait aucun doute qu'aujourd'hui, le soi est en quête de pouvoir. Le soi agit sur le monde.

Le soi est étroitement lié au répertoire des émotions. La fierté, la honte, la culpabilité, la colère, la tristesse et bien d'autres émotions témoignent de l'état général du soi et de la façon dont les autres le perçoivent. L'échec peut entraîner une absence d'émotion ou une émotion très intense selon que le soi y est ou non pour quelque chose et surtout selon que l'échec peut ou non servir à déterminer la valeur du soi. Après avoir échoué à une compétition, par exemple, certains seront humiliés et malheureux s'ils croient que les spectateurs les considèrent comme des concurrents indignes; fiers s'ils se sentent perçus comme ayant réussi mieux que prévu en face d'obstacles insurmontables; et légèrement frustrés s'ils sont perçus comme victimes d'un mauvais sort[7].

Le soi est assujetti à de nombreuses normes. La plupart des gens se forment une image idéalisée de ce qu'ils voudraient être[8] et évaluent leurs comportements par rapport à cette image idéale. Nous nous imposons également des obligations et des responsabilités et sommes malheureux lorsqu'il nous arrive de les trahir[9].

UN SOI HYPERTROPHIÉ ET SURÉVALUÉ

La question du soi domine aujourd'hui les principales tendances culturelles. Dans les années quarante, Erik Erikson a lancé l'expression *crise d'identité* qui a acquis une grande popularité au cours des placides années cinquante lorsque divers groupes, dont les femmes et les minorités, ont entrepris de remettre en question leur véritable nature et la place qui devait leur revenir dans la société. Dix ans plus tard, dans les années soixante, la quête du soi nous a entraînés dans des directions très diverses: grande expansion de la psychologie humaniste visant à explorer le potentiel humain, consommation de substances psychotropes afin de repousser les limites de la conscience et d'accéder aux vérités enfouies au plus profond de soi, et intérêt marqué pour les religions orientales et le mysticisme qui préconisent le recours à des techniques très anciennes pour libérer les trésors spirituels que recèle l'esprit.

Dans les années soixante-dix, ces dimensions spirituelles et psychologiques ont cédé le pas à des formes d'autodéveloppement plus terre à terre: cours d'affirmation de soi et intérêt général pour le soi, comme en témoignent des expressions comme «la décennie du moi» ou «la génération du moi». Puis, du moins en ce qui concerne les stéréotypes, l'intérêt pour le soi a dégénéré dans les années quatre-vingt jusqu'à devenir un bête égoïsme, bien qu'on s'intéresse encore aujourd'hui à le découvrir et à le cultiver.

Pour mieux percevoir l'importance accordée au soi, il faut le comparer à d'autres valeurs fondamentales. Plusieurs grandes études ont conclu, par exemple, que l'on reconnaît aujourd'hui plus d'importance au soi qu'au mariage et à la famille, contrairement aux générations qui nous ont précédés. Des universitaires ont comparé les solutions proposées à divers problèmes dans les revues féminines au cours des cinquante dernières années et ont constaté une accentuation marquée du soi[10]. Dans les années quarante, le mariage était le critère en fonction duquel l'individu était évalué. Pour être quelqu'un de bien, il fallait avoir réussi un bon mariage. Dans les années soixante et soixante-dix, on a commencé à évaluer le mariage en fonction de sa capacité de contribuer à la satisfaction personnelle. Si le mariage était contraignant, la personne avait le droit, même le devoir, d'y mettre fin. Autrefois, le soi était mis au service du mariage, mais aujourd'hui, c'est l'inverse[11].

La façon de concevoir le soi varie selon les époques et les lieux, et dépend beaucoup du milieu culturel. Dans les sociétés asiatiques, par exemple, l'individu est indissociable de sa famille et d'autres groupes sociaux[12], et il importe davantage d'appartenir à un groupe que d'être autonome et différent. Dans nos sociétés, par contre, l'accent est mis sur ce qui caractérise chacun et le distingue des autres.

Cette importance accordée à l'individu a quelque chose d'exceptionnel dans l'histoire du monde, bien que de nos jours elle soit en passe de déborder les limites de son territoire d'origine, c'est-à-dire l'Europe et l'Amérique du Nord, pour gagner d'autres contrées. Même dans l'histoire occidentale, le phénomène ne remonte qu'à quelques siècles. Avant la Renaissance, on prêtait peu d'attention aux qualités et aux talents individuels et on tentait plutôt de se conformer à des modèles. Il importait davantage de correspondre à un idéal que de s'en montrer différent. Le Moyen Âge a produit peu d'autobiographies, parce que les détails de la vie individuelle ou de la personnalité étaient alors jugés sans valeur. Les biographes modelaient leurs sujets sur des figures idéales et étaient — selon nos critères actuels — totalement insensibles aux faits réels[13]. Les récits de miracles circulaient très librement et pouvaient donc être mentionnés dans plus d'une biographie de saint. Toutefois, on aurait tort d'en conclure que les biographes étaient mal renseignés, se plagiaient les uns les autres ou étaient des imbéciles; c'est plutôt que la précision des faits avait peu d'importance pour eux parce que l'individualité était à leurs yeux une préoccupation triviale. La biographie avait pour but d'inspirer et d'édifier le lecteur afin qu'il en vienne à une meilleure compréhension de l'idéal chrétien et soit plus fermement résolu à se conformer au modèle proposé.

Ce n'est qu'au lendemain de la Renaissance que l'Europe s'est laissé fasciner par le caractère singulier et unique de chaque être humain. Puis, peu à peu, cet intérêt s'est transformé en une exigence culturelle. Vers 1800, il était devenu incontestable que chacun était dépositaire de qualités personnelles uniques et avait un destin particulier à accomplir. La culture enseignait que chacun disposait d'un immense potentiel[14]. Ce nouveau credo était intimement lié aux mouvements qui plaidaient en faveur de la liberté individuelle. Plusieurs pays ont été créés ou repensés au cours de cette période, comme les États-Unis et la France, en s'appuyant sur de grands principes comme l'individualité, la liberté et l'égalité.

Les siècles qui ont assisté à la croissance de l'individualisme ont également vu surgir de nouvelles formes de fuite. J'ai montré ailleurs les parallèles étonnants qu'il est possible d'établir entre la montée de l'individualité et celle du masochisme sexuel[15], ce qui pourrait laisser croire que le besoin d'échapper au soi évolue au même rythme que la construction du soi. Plus la culture s'est mise à exiger que chacun soit autonome, particulier, unique et qu'il cultive ses talents individuels afin d'accomplir sa destinée, plus le soi est devenu un fardeau — auquel il était de plus en plus tentant d'échapper. Je suis convaincu que plusieurs des comportements étranges que nous observons de nos jours, comme la montée du taux de suicide chez des gens qui, normalement, devraient jouir d'une vie confortable et paisible, sont dus au fait que notre culture nous a appris à nous construire un soi *hypertrophié*. Il y a plein de bonnes raisons pour justifier que notre culture en soit venue là et les avantages de notre préoccupation obsessive pour le soi sont indéniables. Notre notion du soi est indissociable de nos façons de concevoir l'épanouissement personnel, la liberté, l'autonomie, l'adaptation, le bonheur, l'amour et la créativité. Mais il y a un prix à payer.

LE SOI: UN FARDEAU

Pour illustrer, prenons l'exemple des aristocrates d'autrefois. En petit nombre dans la société, ils étaient tenus (surtout les hommes) de cultiver un narcissisme puissant au nom de l'honneur. La défense de l'honneur leur imposait tout un ensemble de comportements prescrits: dans certaines circonstances, la moindre insulte prenait des proportions gigantesques, à tel point qu'il fallait se battre en duel pour s'en laver[16]. Beaucoup de gens semblent ainsi avoir accepté volontiers de subir de graves blessures et même la mort pour des incidents tout à fait banals.

Il serait peut-être utile de proposer aussi une analogie avec quelque chose d'un tout autre ordre. Supposons que la société nous donne à tous une maison très grande, très belle et très coûteuse, dont l'entretien nous serait présenté comme la responsabilité première de notre vie. Supposons aussi que nous n'ayons accès à aucune forme d'assurance de sorte qu'en cas de problème, il nous faudrait trouver une solution ou essuyer la perte nous-mêmes.

Au début, nous serions sans doute ravis de posséder un bien aussi précieux et nous en ressentirions beaucoup de joie et de satisfaction. Mais au bout d'un moment, nous verrions tout ce qu'un tel bien exige de temps et d'énergie. Une maison demande beaucoup d'entretien, et plus elle est grande, plus il y a à faire. Par ailleurs, comme tout le monde disposerait d'une maison semblable, les comparaisons deviendraient inévitables et porteraient sur les moindres détails et imperfections. Il s'ensuivrait une véritable obsession du détail et nous aurions sans cesse peur qu'un malheur ne se produise. Nous aurions alors tendance à oublier que cette préoccupation constante nous empêche de voyager, ou de profiter d'autres plaisirs auxquels nous aurions accès s'il n'y avait pas à entretenir cette maison.

Au bout d'un certain temps, nous en viendrions à nous sentir prisonniers de notre maison, nous aurions l'impression d'en être les serviteurs plutôt que les propriétaires. Bien entendu, nous ne perdrions pas de vue les avantages découlant de la possession d'une si belle demeure, car nous pourrions en tirer des moments de plaisir et de satisfaction. Mais il y aurait aussi beaucoup d'inquiétude, de préoccupation et même le sentiment d'être pris au piège. Nous aurions envie de prendre des vacances, d'être libres ne serait-ce qu'un moment. Et si un malheur survenait et qu'il soit impossible d'y remédier facilement, nous serions condamnés à l'abjection car tous les passants verraient notre ignominie du premier coup d'œil.

Il en est ainsi du soi moderne. Chacun de nous a reçu en partage un soi hypertrophié. Nous en apprécions les avantages, mais nous ne voyons pas toujours le prix qu'il nous en coûte. L'entretien du soi moderne est plus exigeant qu'il n'y paraît et consomme énormément de temps et d'énergie.

Chacun de nous reproduit, bien que sur une plus petite échelle, le destin de Donald Trump, cet Américain devenu une sorte de symbole des années quatre-vingt. Homme d'affaires très dynamique et très riche, dévoré par l'ambition, Trump voulait à tout prix le pouvoir, la fortune et la notoriété. Il conclut donc des affaires spectaculaires et donna son nom à tout ce qu'il touchait: lignes aériennes, hôtels, etc.

Il écrivit un livre pour vanter ses mérites et fit même créer un jeu de société qui portait son nom. Finalement, il réussit à se doter du soi le plus hypertrophié du monde et devint le point de mire de l'univers.

Puis sa femme le surprit en flagrant délit d'adultère et ce détail venant s'ajouter à divers autres griefs, elle demanda le divorce. Malheureusement pour Trump, ses affaires se mirent alors à péricliter et il fut acculé à la faillite. Forcé de vendre une partie de ses entreprises et de ses biens personnels, il dut mettre un frein à ses extravagances. Pendant ce temps, les journalistes faisaient des gorges chaudes de son humiliation. Ses déboires conjugaux et financiers défrayaient la chronique et le bruit courait qu'il était devenu suicidaire.

On peut tirer de nombreuses leçons de la saga de Donald Trump, mais surtout, on peut voir quels risques fait courir un soi hypertrophié. Après avoir tant travaillé pour imposer son narcissisme personnel à l'attention du monde, Trump dut supporter d'être la risée de tous quand le ciel lui tomba sur la tête. Des millions de gens subissent des revers financiers et conjugaux sans pour autant faire l'objet des médisances des journalistes. Mais après avoir attiré le regard de la nation sur les meilleurs aspects de son moi, Trump ne put échapper à ce regard implacable quand le malheur s'est abattu sur lui. C'est alors que l'image hypertrophiée de lui-même qu'il avait si soigneusement construite a cessé d'être une source de satisfaction pour lui et s'est muée en un lourd et pénible fardeau.

Songeons à toute la gamme des choses que nous faisons afin que notre image soit favorable à nos propres yeux et aux yeux du monde. Nous nous efforçons d'obtenir des diplômes prestigieux. Nous lisons et nous suivons des cours sur la façon de faire bonne impression. Nous jetons des vêtements à peine usés pour acheter le dernier cri de la mode. Nous trouvons toutes sortes d'excuses pour justifier nos échecs ou nos erreurs et jeter le blâme sur les autres. Nous nous laissons mourir de faim pour correspondre aux idéaux de minceur que la mode nous impose. Nous préparons d'avance nos conversations et nos interventions publiques et nous les revoyons mentalement par la suite pour essayer de comprendre où nous avons fait fausse route. Nous nous soumettons à la chirurgie plastique. Nous cherchons sans cesse à obtenir des renseignements sur les autres afin de pouvoir nous comparer à eux. Nous allons jusqu'à nous battre avec ceux qui attaquent notre respectabilité ou notre suprématie. Nous cherchons désespérément à tout rationaliser. Nous rougissons et nous broyons du noir lorsqu'il nous arrive de perdre la face. Nous achetons un nombre incalculable de revues qui promettent de nous dire comment améliorer notre apparence, mieux faire l'amour, réussir au travail ou dans notre vie privée, comment maigrir, comment faire bonne figure en société. Quel travail! Et tout cela pour un peu d'estime de soi!

L'époque moderne est si éprise du soi qu'elle en a fait une superstructure sans égard au prix à payer et sans se demander si une telle préoccupation ne risque pas d'avoir des inconvénients. Tout comme l'amour et la drogue, le soi fait l'objet d'une véritable obsession. Un toxicomane ne songe plus à tout le temps, à l'effort et à l'argent que mobilise sa dépendance. La manie du soi a quelque chose d'analogue. Nous y trouvons du plaisir et cela suffit à structurer notre vie. Nous en venons à oublier ce qu'il nous en coûte.

Le désir de fuir le soi est la conséquence directe de cette surdétermination. Notre culture n'est pas la seule qui se soit intéressée à l'individualité et le besoin de fuir le soi s'est déjà manifesté dans d'autres cultures. Mais il est particulièrement intense dans des cultures comme la nôtre qui accordent autant d'importance à la personne individuelle.

LA FUITE: UN BIEN, UN MAL, OU NI L'UN NI L'AUTRE?

Fuir le soi consiste à se libérer des efforts nécessaires au maintien d'une certaine image. C'est renoncer à ce qui motive la plupart des comportements humains: la recherche de l'estime et du pouvoir. C'est se soustraire aux pressions, aux exigences, aux obligations, aux responsabilités, bref à tout ce qui accable le soi moderne et nous rend la vie difficile. C'est mettre fin aux fluctuations émotives auxquelles nous sommes sans cesse sujets en tentant de préserver notre image de soi. C'est mettre de côté les notions grandioses, complexes et abstraites servant à définir le soi et n'être plus rien d'autre qu'un corps. On peut vouloir échapper ainsi à des sentiments de tristesse, s'offrir une pause au milieu des luttes quotidiennes ou amorcer la création d'un soi entièrement nouveau, mais dans tous les cas, il faut pouvoir manipuler son esprit d'une façon bien précise afin d'en éliminer la pleine conscience de l'identité personnelle. Pour échapper au soi, il faut oublier qui l'on est — du moins pour un temps.

Dans ce livre, nous allons nous intéresser à ce que font les gens pour échapper à eux-mêmes. Comme nous le verrons, il y a toutes sortes de façons de procéder qui souvent donnent lieu à beaucoup d'incompréhension: on pense qu'il s'agit d'incidents isolés, de réactions à des événements ponctuels, ou encore d'une vaste tendance à l'autodestruction. Pour bien comprendre ces comportements, il faut voir quel est leur rapport au soi et comment ils nous permettent d'échapper à la conscience de qui nous sommes.

On tente souvent d'expliquer la toxicomanie, le suicide ou d'autres comportements semblables en invoquant la faible estime de soi. Les moyens d'accroître l'estime de soi peuvent alors être perçus comme une panacée. La télévision consacre des émissions entières à la question de l'estime de soi comme s'il s'agissait d'en explorer toute l'étendue des pouvoirs. La Californie est même allée jusqu'à créer une commission chargée de proposer des moyens de promouvoir l'estime de soi dans la population. Un éventail de livres, de cassettes et de programmes de toutes sortes enseignent comment accroître son estime de soi pour accéder à la fortune et au bonheur.

Si chacun de nous avait une meilleure opinion de lui-même, les problèmes disparaîtraient, semble-t-il. Étrangement, l'estime de soi semble reposer lourdement sur la capacité de se sentir supérieur aux autres[17]. La plupart des évaluations sont de l'ordre de la comparaison: les mesures de QI, par exemple, ne prennent toute leur signification que par comparaison avec les résultats des autres. Il y a bien sûr des limites à ce que *chacun* se sente supérieur au reste de l'humanité. Sans compter que l'estime de soi n'est pas toujours une bonne chose. Prenons par exemple une personne qui se sentirait inférieure par incapacité à comprendre les questions financières. Nous pourrions nous contenter d'accroître son estime de soi en la persuadant qu'elle est un génie de la finance. Mais cela servirait-il ses intérêts à long terme? Quand elle aura joué et perdu toutes ses économies, toute l'estime de soi du monde lui semblera de bien peu de valeur.

Il ne s'agit pas là d'un exemple gratuit. À la fin des années quatre-vingt, nous avons vu bien des hommes riches et influents faire des investissements pour le moins bizarres sous le coup de la passion. Nous avons déjà parlé de Donald Trump, mais songeons aussi à Robert Campeau, l'investisseur canadien qui a acheté Bloomingdale's et toute une collection d'autres magasins américains dans l'intention d'ériger un empire de commerce au détail. Sa vision de lui-même l'obligeait à poursuivre des rêves grandioses de richesse et de pouvoir et il s'est laissé aveugler par ses illusions. Au premier hoquet de l'économie, il s'est trouvé englouti: très endetté, incapable d'honorer ses engagements, il a vu toutes ses prévisions de succès s'effondrer et il est retourné dans l'ombre, assagi, appauvri et humilié.

La notion de fuite, bien qu'elle ait été abordée dans divers contextes, dont celui de la consommation de drogue, est en général mal comprise. Deux malentendus sont particulièrement tenaces. Le premier consiste à grouper toutes les formes de fuite comme s'il s'agissait d'un phénomène unique. Dans cette perspective, les gens auraient tendance à fuir tout simplement parce que la vie leur est une source d'inquiétude et de stress. Mais le besoin d'échapper à soi-même n'est *pas* analogue au besoin de fuir ses problèmes. C'est une façon de réagir à des difficultés qui a trait à la façon dont on se perçoit soi-même.

Une vie routinière et sans intérêt peut conduire à chercher la fuite dans l'héroïne, la promiscuité sexuelle ou les longues heures passées devant la télévision. Mais ces comportements ne mettent pas nécessairement le soi en cause. Le sujet peut avoir une assez bonne opinion de lui-même et ne pas sentir le besoin d'échapper au soi. Songeons à la forte consommation d'héroïne, à l'importante activité sexuelle et à la grande popularité de la télévision dans les quartiers défavorisés de l'Amérique du Nord aujourd'hui. Or des études ont montré qu'on ne manque pas d'estime de soi dans ces populations — l'estime de soi s'y porterait même mieux que dans les groupes sociaux mieux nantis[18]. Mais les formes d'évasion les plus simples y sont monnaie courante tandis que les activités qui favorisent la fuite de soi, comme le masochisme sexuel et les accès de boulimie, y sont presque inconnues. En milieu défavorisé, on cherche à fuir des conditions de vie difficiles, une ambiance pénible et les angoisses liées à l'insécurité. Mais on ne semble pas avoir besoin d'oublier qui on est. Et l'augmentation du taux de suicide des jeunes Noirs aux États-Unis ne contredit pas cet argument: l'obligation qui leur est faite de conserver une bonne réputation contribue à créer une forme de narcissisme très lourd à porter qui peut très bien justifier qu'ils aient de plus en plus besoin de se fuir eux-mêmes.

Le deuxième malentendu consiste à croire que la fuite est un mal en soi. Lorsque la société débusque un désir de fuite, elle est prompte à condamner. On peut le constater en partie dans les attitudes qui entourent la consommation d'héroïne, de LSD ou d'autres substances psychotropes. Le désir de fuite, qu'on leur associe généralement, a été terni par leur aura sulfureuse. La société nord-américaine a une longue tradition de réalisme et d'esprit pratique, et tout ce qui éloigne de la réalité est vu d'un mauvais œil. Le débat actuel sur la question de la télévision et des longues heures qu'on y consacre se focalise souvent sur le caractère fantasmatique des émissions qu'on y diffuse et leur pouvoir de favoriser l'évasion.

Mais le besoin d'échapper au soi n'est pas nécessairement mauvais. Il serait temps d'en venir à une meilleure compréhension de ce besoin et de ses manifestations. Il est vrai que certains ont recours à des activités dangereuses pour eux-mêmes et pour les autres dans leurs tentatives pour échapper au soi. Mais la fuite peut aussi être parfaitement inoffensive — voire bénéfique. Au chapitre IX, je montrerai que la capacité d'échapper au soi est nécessaire à la réalisation des plus nobles idéaux de l'humanité, tels qu'ils s'incarnent dans la religion et la spiritualité.

Mais disons pour le moment que si les gens font preuve d'autant d'imagination pour échapper à eux-mêmes, c'est sans doute qu'ils en ressentent un réel besoin. Si la société devait nous fermer toutes ces avenues, il en résulterait peut-être quelque chose de catastrophique. Manifestement, les gens *veulent* fuir et ils ont peut-être périodiquement *besoin* de le faire. En leur barrant la route, on risque d'accroître l'anxiété et de provoquer une recrudescence de la souffrance et de la pathologie.

Je ne dis pas que la société doive favoriser la fuite à tout prix. Mais si nous comprenions mieux en quoi consiste ce désir, nous apprendrions peut-être à vivre plus en harmonie avec nous-mêmes et peut-être aussi à mieux servir nos besoins afin de réduire les effets imprévisibles et parfois nocifs de nos tentatives de fuite.

Le suicide et la réalisation spirituelle de soi sont des extrêmes, mais songeons à quelques formes intermédiaires de fuite: la consommation d'alcool et le masochisme sexuel. Le masochisme sexuel, en dépit de son odeur de soufre et de son caractère assurément bizarre, semble n'être ni utile ni nuisible. Dans la plupart des cas, il n'en résulte ni blessure ni maladie. Ni non plus d'amélioration particulière de la personnalité. Il s'agit tout simplement d'un moyen de fuite efficace qu'un petit nombre de gens apprécient énormément. C'est un jeu sexuel un peu inusité, sans plus.

L'alcool, toutefois, produit des effets de toutes sortes dont certains sont bénéfiques et d'autres non. Des gens en deviennent esclaves, ce qui peut, avec le temps, avoir des effets dévastateurs sur leur santé, leur famille et leur carrière. D'autres trouvent dans la consommation modérée d'alcool une source de plaisir et un moyen de détente. Il semble même qu'en quantité modérée, l'alcool ait des effets bénéfiques sur la santé. L'alcool est-il donc bon ou mauvais? La réponse est sûrement aussi complexe que le soi moderne.

LA FUITE: UN PARADOXE

La difficulté d'échapper au soi tient au caractère paradoxal de l'entreprise: le soi doit lui-même prendre la décision de se fuir et doit ensuite s'exécuter. Mais comment peut-on se débarrasser de soi-même? On ne peut pas éliminer le corps sans perdre la vie, mais on peut l'oublier pour un temps. On peut, par exemple, centrer son attention sur quelque chose afin d'oublier sa dimension corporelle. Mais, dans la pratique, la plupart des mouvements de fuite semblent au contraire faire porter l'attention sur le corps. La consommation d'alcool ou les accès de boulimie centrent l'attention sur les sensations physiques. Le sujet se laisse complètement absorber par les sensations de son corps. De même, le masochisme sexuel accentue la conscience du corps — l'intrication complexe de la douleur et du plaisir sexuel fixe l'attention sur l'être physique, sans échappatoire possible.

Pour résoudre le paradoxe, il faut comprendre que le mouvement de fuite oriente l'attention sur le corps afin justement de la détourner des autres aspects plus significatifs du soi. Comme nous l'avons vu, le soi est formé d'un corps physique et d'un ensemble de significations. Échapper au soi consiste donc à se dépouiller de ces significations — c'est-à-dire à les exclure du champ de la conscience. Or il faut parfois accentuer le soi physique pour parvenir à échapper à l'autre aspect du soi: celui sur lequel convergent toutes les significations.

Échapper au soi, par conséquent, ne veut pas dire éliminer le soi complètement, mais plutôt le ramener à sa plus simple expression. Plus particulièrement, il s'agit d'éliminer les définitions du soi qui font problème. Dans sa plus simple expression, le soi n'est plus qu'un corps. On ne peut pas éviter d'avoir un corps. Mais si on arrive à n'être rien d'autre qu'un corps, on peut être assez fier de soi et parvenir à échapper à bien des sources de détresse, d'inquiétude et de malheur. Échapper au soi consiste donc, plus précisément, à fuir l'identité pour trouver refuge dans le corps.

Disons, par exemple, que vous êtes un adulte de taille et de poids moyens, ingénieur de votre état, diplômé d'université, que vous êtes écolo, père de famille, ancien président du conseil de classe au collège, catholique non pratiquant, employé de Lavalin, vaguement parent avec un acteur célèbre, propriétaire de votre maison, et (du moins l'espérez-vous) futur cadre supérieur de votre entreprise. Toutes ces situations vous relient au passé et à l'avenir, de même qu'à des lieux, à des événements et à des gens très éloignés de vous dans le moment présent. Des significations de toutes sortes relient donc votre être physique à un grand nombre de personnes, de lieux, d'époques et d'événements. Échapper à soi-même consiste à perdre la conscience de tous ces liens. Pendant la fuite, votre perception de vous-même se ramène au présent immédiat. Vous n'êtes rien d'autre qu'un corps assis bien au chaud dans un fauteuil, un livre à la main, qui ressent certaines sensations provenant de l'environnement immédiat. Votre conscience est réduite au moment présent et au lieu où vous vous trouvez (la pièce dans laquelle vous êtes assis ici et maintenant) ainsi qu'aux mouvements et aux sensations immédiates de votre corps.

Échapper au soi, c'est échapper aux aspects *significatifs* du soi. Comme je l'ai déjà écrit, le masochisme sexuel permet d'échapper à l'identité en mettant l'accent sur le corps[19]. Le masochiste oublie son identité symbolique: rôle professionnel, ambitions, obligations, réputation, autant d'éléments qui ont un passé et un avenir. Il ne reste conscient de lui-même qu'en tant que corps inscrit dans le moment présent et qui ressent à la fois de la douleur et du plaisir. Toutes les significations qui déterminent le soi sont oubliées.

La signification joue un rôle important dans les mouvements de fuite hors de soi. S'il est possible de cesser de réfléchir, le soi se trouve presque automatiquement réduit à son expression physique la plus élémentaire. En temps normal, nous pensons constamment de façon significative. Nous analysons, nous élaborons des idées, nous nous rappelons certaines choses, nous faisons des associations, nous tirons des conclusions, nous racontons des histoires. Tout ce qui nous arrive est saturé de significations — nous pouvons l'interpréter, le comparer à des événements passés de nature semblable, l'évaluer par rapport à des normes ou à des idéaux, le replacer dans un contexte, le rationaliser, le décrire, le mettre en doute. Toute cette réflexion fait appel au soi. Nous analysons tout ce qui nous arrive en fonction de ce que cela signifie pour nos objectifs, notre réputation, nos possibilités d'avenir, nos vulnérabilités, nos obligations. Nous ne nous demandons pas ce que cela signifie, mais plutôt ce que cela signifie pour *nous*. Tant que nous analysons notre expérience de cette façon, le soi est profondément engagé dans des activités porteuses de sens.

Pour échapper au soi il faut trouver un moyen de suspendre la pensée significative. Il faut enjoindre à l'esprit de s'arrêter au seul niveau des sensations et des impressions, ou d'observer la réalité sans en analyser toutes les répercussions sur le soi. Bien entendu, il arrive que ce soit précisément cela qui motive le besoin de fuir. Si votre amant vous quitte, il devient pénible de ruminer toutes les répercussions que cet événement peut avoir sur vous. Dorénavant, vous serez seule. Vous devrez donner des explications aux autres. Peut-être cela signifie-t-il que vous n'êtes pas aimable, que vous êtes indésirable, que vous manquez de pouvoir de séduction (d'ailleurs, votre ex-amant ne vous a-t-il pas dit quelque chose du genre, juste avant de claquer la porte?). Vous devrez trouver un autre amant, construire une nouvelle relation, mais si vous êtes vous-même chargée de défauts, peut-être devrez-vous évoluer. Quelles sont donc vos principales insuffisances et comment pouvez-vous les corriger? Il peut être extrêmement difficile de réfléchir à tous ses défauts quand on est encore sous l'effet d'une rupture cruelle. Si l'on arrive alors à suspendre cette forme de réflexion, on y trouvera un grand soulagement. Une bonne dose d'alcool: voilà peut-être juste ce qu'il faut pour écarter toutes ces pensées douloureuses.

Échapper au soi exige de l'esprit et du corps un effort considérable et parfois périlleux qui vise à nous faire oublier qui nous sommes. Voyons maintenant quels événements conduisent les gens à souhaiter entreprendre cette tâche à la fois difficile et paradoxale.

II

Pourquoi fuir?
Le soi comme fardeau

Mais lorsque j'ai regardé dans le miroir, j'ai poussé un cri et mon cœur s'est ému car ce n'était pas moi que j'y avais vu, c'était la face grimaçante et le rire moqueur d'un démon.

FRIEDRICH NIETZSCHE, *Ainsi parlait Zarathoustra*

En règle générale, il y a trois raisons pour lesquelles on cherche à échapper au soi: pour éviter d'entretenir des pensées désagréables à son propre sujet, surtout à la suite d'une catastrophe; pour se soustraire temporairement à l'obligation de maintenir sans cesse une image hypertrophiée de soi; ou pour accéder à une forme de transcendance en se dépouillant du soi. Ces formes de fuite exercent leur attrait sur des gens de tempérament différent placés dans des situations différentes. Nous verrons qu'elles ont bien des choses en commun, mais que chaque motivation entraîne des modes de fuite différents.

LA CATASTROPHE: OUBLIER UN SOI INACCEPTABLE

Pour la plupart d'entre nous, la conscience de soi a un caractère fortement évaluateur. Il nous est presque impossible de rester neutres lorsque nous pensons à nous-mêmes, et nous nous mesurons sans cesse par rapport à des normes[1]. Suis-je assez intelligent pour mener cette tâche à bien? Suis-je assez mince et bien proportionné pour attirer l'autre sexe? Si je m'habille de telle façon, va-t-on se moquer de moi et trouver que je manque de goût? Est-ce que je travaille bien, du moins assez bien pour conserver mon emploi? Est-ce que j'ai fait la bonne chose? Si nous ne trouvons que des réponses négatives à toutes ces questions, il en résultera des sentiments pénibles comme la colère, l'anxiété ou la dépression[2]. Or les sentiments pénibles auraient tendance à s'agglutiner ou, du moins, il est clair qu'en général nous cherchons à les fuir le plus vite possible.

On chercherait donc à fuir la conscience de soi lorsque celle-ci devient extrêmement pénible, par exemple lorsque le soi se trouve placé sous un jour fortement défavorable et paraît incompétent, repoussant ou immoral. Lorsqu'on se sent stupide, maladroit, incapable ou indigne d'amour, on cherche à ne plus penser à soi-même. De nombreuses données confirment qu'en général les gens veulent se percevoir et être perçus favorablement. Nous cherchons à entretenir une image favorable et à l'améliorer de toutes sortes de façons[3]. Nous repoussons les opinions négatives. Il est toujours pénible de s'entendre dire que l'on n'est pas aussi beau, intelligent ou compétent qu'on le croyait. La perte d'estime est une expérience douloureuse pour presque tout le monde.

Mais alors, qu'en est-il des gens qui ont peu d'estime de soi? Ne veulent-ils pas s'entendre confirmer qu'ils n'ont aucune valeur, aucune compétence, aucun attrait? En réalité, les gens qui ont peu d'estime de soi ne se perçoivent pas d'une façon entièrement négative. Une «faible» estime de soi n'est que relativement faible (elle est plutôt de niveau moyen[4]). Les gens qui ont une piètre estime de soi veulent être perçus de façon favorable, veulent réussir, être acceptés et admirés, comme tout le monde[5]. Même les gens qui font l'objet de discrimination et sont mis au ban de la société se considèrent eux-mêmes relativement bien. Ils auraient même tendance à avoir plus d'estime de soi que les gens issus des classes privilégiées[6]!

Hélas, la vie ne va pas toujours dans le sens de nos désirs. Nous faisons des erreurs, décevons les autres, sommes rejetés ou agissons de façon fautive ou inacceptable (que nous nous en rendions compte sur-le-champ ou plus tard). Il nous arrive de subir les critiques des autres même si nous arrivons à rationaliser nos comportements à nos propres yeux. Malgré notre désir d'éviter la perte d'estime, les événements ont parfois tendance à se liguer contre nous et à rendre la conscience de soi pénible du fait que le soi est généralement perçu comme doté de propriétés stables. La vie nous semble en effet toujours nous révéler des aspects immuables du soi. Rater un examen ne veut pas simplement dire que vous avez eu une mauvaise journée, mais que vous êtes stupide et ignorant. On peut bien sûr éviter d'en arriver à cette conclusion en songeant à d'autres examens que l'on a réussis. Mais le seul fait de devoir y songer est en soi révélateur. L'échec indique bien que vous êtes stupide et c'est à vous de vous convaincre — et de convaincre les autres — du contraire. Il en est de même sur le plan moral. Un seul mensonge fait de vous un menteur, et il n'est pas facile de rétablir votre crédibilité, même si vous avez toujours dit la vérité jusque-là. Les écarts moraux ont d'ailleurs des conséquences particulièrement impitoyables, on le sait.

Un échec isolé peut ne pas entraîner une forte perte d'estime de soi, mais il n'en est pas toujours ainsi. Quand j'étais à l'université, un de mes compagnons de classe s'est rebellé contre un cours la dernière année. Il n'est plus venu en classe, a cessé de faire les travaux et ne s'est pas présenté à l'examen final. Bien entendu, il a eu un échec. Mais son estime de soi n'en a pas été touchée. C'était sa dernière année, il avait eu d'excellentes notes tout au long de ses études et a obtenu son diplôme avec grande distinction en dépit de l'échec. Et, fait non négligeable, l'échec était consécutif à sa propre décision de ne plus suivre le cours.

Mais imaginons qu'un autre étudiant subisse le même échec: un étudiant de première année, peu sûr de réussir dans une université prestigieuse, qui s'efforce de bien travailler et n'a pas encore accumulé suffisamment de bonnes notes pour affirmer sa compétence. Le même échec aurait peut-être pour lui des conséquences beaucoup plus désastreuses et pourrait l'amener à croire qu'il est un propre à rien. Il lui deviendrait peut-être alors bien pénible de penser à lui-même, de se regarder dans le miroir et d'y voir un perdant, un nul.

Des expériences menées avec des miroirs et des caméras — outils couramment utilisés aujourd'hui par les chercheurs qui veulent mesurer la conscience de soi — ont permis de confirmer cet effet. Quand les circonstances placent le soi sous un mauvais jour, les gens ont tendance à éviter tout ce qui leur fera penser à eux-mêmes, et notamment les miroirs. Après avoir reçu une mauvaise évaluation, par exemple, on a constaté que les gens avaient tendance à quitter plus rapidement une pièce dans laquelle ils se trouvaient face à un miroir que ceux qui avaient reçu une bonne évaluation. D'autres sujets, ayant reçu la même mauvaise évaluation, mais dans une pièce sans miroir, ne montraient pas la même précipitation à quitter les lieux: c'est la réunion du miroir et de la mauvaise évaluation qui semblait pousser les gens à fuir[7].

Au cours d'une autre étude, des sujets masculins étaient mis en présence d'une jolie femme qui devait leur faire part de sa «première impression[8]». À leur insu, cette femme avait reçu la consigne de donner à la moitié des hommes, pris au hasard, une évaluation peu flatteuse. Elle les traitait d'imbéciles et leur disait qu'elle n'avait aucune intention de les revoir. On a pu constater que ces hommes manifestaient alors le désir d'éviter tout ce qui aurait pu leur rappeler leur propre existence. La conscience de soi leur semblait extrêmement pénible, contrairement aux hommes à qui la femme avait fait un commentaire favorable. On a pu constater des comportements semblables au cours d'une autre expérience où les sujets devaient agir d'une façon contraire à leurs convictions: lire à haute voix, par exemple, des énoncés parfaitement contraires à leurs opinions personnelles[9]. Le sentiment d'avoir trahi leurs convictions leur rendait alors bien pénible toute forme de conscience de soi.

Le caractère immuable des propriétés du soi a été mis en lumière par une autre étude[10]. Dans cette étude, tous les sujets recevaient une mauvaise évaluation. Mais on laissait entendre à certains qu'il leur était possible de s'améliorer tandis qu'aux autres, on disait que leurs imperfections seraient sans doute permanentes. Ces derniers semblaient beaucoup plus enclins à fuir toute conscience de soi (dans ce cas, il s'agissait encore une fois de quitter une pièce tapissée de miroirs). S'il peut être désagréable de penser que nous avons des défauts, il l'est encore davantage de penser qu'ils sont permanents.

Certaines personnes réagissent mieux que d'autres à une perception négative d'elles-mêmes. Peut-être parce qu'elles réussissent mieux que d'autres à dissocier les multiples aspects de leur soi, de sorte qu'un échec dans un domaine n'a pas nécessairement de répercussions sur les autres. Une femme, par exemple, qui est chef d'entreprise, mère de famille, qui se juge bonne athlète et bonne épouse et qui parvient à dissocier toutes ces identités trouvera sans doute plus facile de subir un échec sportif puisqu'elle pourra se consoler en songeant aux succès qu'elle remporte dans d'autres domaines. Lorsque tous les aspects du soi sont reliés, l'échec devient plus pénible à supporter et risque de pousser quelqu'un à fuir toute forme de perception de soi[11].

Cette dernière constatation ouvre la voie à une meilleure compréhension du rôle que jouent les divers aspects de la personnalité (comme la complexité du soi) dans le désir d'évasion. Comme il s'agit d'échapper au soi, la constitution du soi peut se révéler décisive. Un soi formé de plusieurs éléments distincts reliés faiblement les uns aux autres saura mieux résister à la menace. On pourrait le comparer à une grande maison où se trouvent de nombreuses pièces. Si une catastrophe s'abat sur une partie de la maison, il est toujours possible de se retirer dans d'autres pièces et d'y vivre à l'aise. Mais si le soi est comparable à une seule grande pièce, si spacieuse et élégante soit-elle, il n'y aura nul endroit où se réfugier en cas de catastrophe et nul autre choix que de quitter les lieux.

Il faut aussi tenir compte de l'estime de soi. Un malheur isolé peut survenir dans la vie de quiconque, sans égard à son degré d'estime de soi, et les études en laboratoire n'ont jamais permis d'établir un rapport constant entre le degré d'estime de soi et le besoin de se fuir soi-même au lendemain d'un échec personnel. Mais il se peut que l'estime de soi se rapporte à la fréquence perçue des événements pénibles ou humiliants. Les gens qui ont une piètre estime de soi ont le sentiment de subir de nombreux échecs, tandis que ceux qui ont une bonne estime de soi ont l'impression de réussir la plupart du temps et d'avoir du talent. Dans une expérience qui avait pour but de vérifier comment les gens réagissent à l'échec, les participants devaient exécuter une tâche et on leur faisait croire par la suite qu'ils ne l'avaient pas réussie[12]. Les sujets qui manquaient d'estime de soi prenaient cet échec à cœur et faisaient des efforts pour améliorer leur compétence afin de réussir la fois suivante. Ceux qui avaient beaucoup d'estime de soi, par contre, ne toléraient pas l'échec et se désintéressaient complètement de la tâche à accomplir. L'un d'eux, à qui on disait qu'il ne semblait pas doué pour la tâche, répondit: «Oui, c'est sans doute une des rares choses que je ne fais pas bien.» (L'expérimentateur dut se tenir à quatre pour ne pas éclater de rire!) Manifestement, cette personne n'avait pas souvent fait l'expérience de l'échec et tenait absolument à nous le faire savoir.

Plus l'estime de soi est faible, plus le besoin d'oublier le soi prend de l'ampleur. Les chercheurs qui s'intéressent au thème de la dépendance en sont venus à la conclusion que bien des formes de dépendance ont en commun d'attirer surtout les gens qui ont peu d'estime de soi[13]. La dépendance n'est, bien entendu, qu'une des formes de la fuite — bien qu'il s'agisse d'une forme particulièrement troublante. Mais ce constat semble indiquer qu'un sentiment constant de piètre estime de soi peut être rattaché au désir fréquent de s'oublier soi-même.

Bien des choses, on s'en doute, peuvent survenir qui placeront le soi sous un mauvais jour. L'incapacité de mener à bien une tâche ou un examen n'en est qu'un exemple parmi bien d'autres. Découvrir que son conjoint ou son amant est amoureux de quelqu'un d'autre est une situation très délicate pour l'estime de soi puisqu'on peut en conclure qu'on n'est pas assez désirable pour conserver l'intérêt du partenaire[14]. Être victime d'un crime peut aussi entraîner une perte d'estime de soi puisqu'on cesse, du moins pour un temps, d'être à ses propres yeux quelqu'un à qui il n'arrive que des bonnes choses[15]. Même souffrir d'une maladie grave comme le cancer peut menacer l'estime de soi[16]. Et dans la vie de tous les jours, un échec ou une mauvaise évaluation peuvent entamer l'estime de soi, que l'évaluation négative ait été faite par une personne en autorité, un ami, un amoureux ou par de purs étrangers.

Bref, les événements qui présentent une menace pour le soi donnent envie de fuir. Nous cherchons à oublier notre identité personnelle si celle-ci devient source d'inquiétude, ce qui le plus souvent se produit en situation de crise. Une catastrophe entraîne des retombées très pénibles ou inacceptables pour le soi d'autant plus qu'elle frappe sans avertir. (S'il avait été possible de la prévoir, l'éventualité de la catastrophe aurait pu être intégrée à la perception de soi et entraîner un choc moins violent pour l'estime de soi.)

En général, les événements s'enchaînent de la façon suivante: il se creuse d'abord un écart entre la réalité et nos désirs ou nos attentes. Nous en attribuons le blâme au soi, qui se trouve ainsi lié à des éléments indésirables. Cette auto-accusation est très significative: non seulement les choses vont-elles mal, mais la situation révèle nos insuffisances. Il en résulte une prise de conscience désagréable: nous ne sommes pas à la hauteur de nos propres attentes — sentiment très pénible qu'il s'agit d'éliminer ou de fuir au plus vite. Un désir intense et soudain s'empare alors de nous: celui d'agir afin de perdre notre conscience de soi. On opte alors pour le moyen le plus immédiatement accessible qui se révélera suffisamment puissant pour engendrer l'effet souhaité. En pareil cas, on ne songe pas toujours aux risques que l'on court de sorte qu'une telle forme de fuite peut avoir des conséquences désastreuses.

En règle générale, les crises qui donnent lieu à de tels désirs d'évasion sont caractérisées par un écart marqué entre la réalité et les attentes du sujet. Il en est ainsi soit parce que les attentes du sujet étaient trop élevées ou parce que la réalité apparaît particulièrement pénible. Une étude portant sur des femmes suicidaires a montré que la plupart d'entre elles étaient profondément déçues par le manque d'intimité dans leur vie de couple[17]. L'écart entre leurs attentes et la réalité était immense. Dans certains cas, les femmes vivaient avec un homme froid et taciturne, incapable de répondre aux attentes normales et raisonnables de leur femme. Suzanne, par exemple, semblait avoir une idée tout à fait acceptable du comportement que devraient avoir des conjoints, mais Donald, son mari, ne lui adressait presque jamais la parole, répondait à ses questions par des monosyllabes, ne lui faisait presque jamais l'amour, ne lui manifestait aucune affection et semblait n'avoir jamais envie d'être avec elle ou de s'intéresser à elle. Totalement isolée et affreusement seule, Suzanne finit par perdre pied et fit une tentative de suicide.

Il arrive par contre que le partenaire masculin soit tout à fait disposé à établir des rapports d'intimité normaux, mais que la femme ait des attentes exagérées. C'était le cas d'Hélène. Guillaume, son mari, ne demandait pas mieux que de passer du temps avec elle, mais il n'en faisait jamais assez. Hélène aurait voulu qu'il vienne au devant de tous ses désirs, devine ses moindres pensées et partage tout avec elle; elle aurait voulu qu'il lui téléphone plusieurs fois par jour, qu'il lui raconte chaque soir tout ce qu'il avait fait dans la journée et veuille entendre le récit de ses moindres faits et gestes. Hélène semblait ne pas pouvoir rester seule une minute et Guillaume en vint à trouver ses exigences envahissantes et exagérées. Hélène aussi fit une tentative de suicide. Guillaume et Donald n'avaient pourtant rien en commun, mais leurs femmes se sentaient toutes deux abandonnées. La déception était aussi profonde dans les deux cas, mais pour Suzanne elle était due à des facteurs externes tandis que pour Hélène elle était due à des attentes excessives.

Quand le malheur frappe, on peut soit accuser la réalité et s'exonérer soi-même de tout blâme ou alors prendre la responsabilité des événements et se sentir coupable. Les mouvements de fuite se manifestent surtout chez les gens qui choisissent cette deuxième voie. Pour peu qu'on puisse attribuer ses problèmes aux autres, blâmer le gouvernement, la nature, la volonté de Dieu ou un ennemi quelconque, on n'a pas à se sentir si mal dans sa peau qu'on ait envie de fuir. En s'accusant soi-même, par contre, on place sur ses propres épaules le fardeau du malheur. Et cela ajoute à la souffrance en laissant supposer qu'il y aura encore d'autres malheurs dans l'avenir. Si votre fiancé vous quitte, vous pouvez décréter qu'il a agi ainsi parce qu'il était névrosé, instable et incapable de véritable intimité, auquel cas vous n'avez plus qu'à vous ressaisir et à trouver quelqu'un d'autre. Mais si vous estimez qu'il vous a quittée parce que vous êtes laide et indigne d'amour, alors d'autres risqueront de vous traiter de la même façon plus tard. Voilà le genre de conclusion qui nous pousse à vouloir nous oublier nous-mêmes.

LE SOI COMME SOURCE DE STRESS: LE LOURD FARDEAU DES ATTENTES

On comprendra sans peine qu'une personne veuille s'oublier elle-même lorsque quelque chose la perturbe, mais le soi peut être une source de stress constant même en l'absence d'un échec ou d'une catastrophe. Il semblerait même qu'il s'agisse là de la situation la plus courante.

La recherche sur le stress a permis de faire des constatations étonnantes et a révélé notamment qu'une personne peut subir un stress énorme *même si rien de mal ne lui arrive jamais*, comme l'ont montré les expériences désormais classiques réalisées sur le «singe savant» par le biologiste behavioriste Joseph Brady et son groupe de recherche dans les années cinquante[18]. Les singes savants devaient exécuter des quarts de travail de six heures pendant lesquels il leur fallait appuyer sur un bouton afin d'éviter de recevoir des chocs électriques. Dans l'ensemble, les singes avaient un comportement très efficace et recevaient peu de chocs. Et pourtant, au bout de trois semaines, les singes mouraient pour cause d'ulcères à l'estomac. Comme on a pu le démontrer plusieurs fois, les chocs eux-mêmes ne suffisaient pas à produire les ulcères, puisque d'autres singes, qui recevaient le même nombre de chocs, ne présentaient aucun ulcère et semblaient même ne subir aucun effet néfaste. Le stress se révélait fatal sans que le moindre malheur ne se produise: c'est la nécessité de rester vigilant et de fournir un effort constant pour écarter la menace du danger qui tuait les singes.

D'autres chercheurs ont par la suite raffiné les travaux de Brady et en ont confirmé la conclusion principale: on peut subir un stress énorme sans jamais être frappé par le malheur. Les échecs, les situations de rejet, les déceptions et autres catastrophes peuvent bien entendu entraîner un stress, mais le stress peut se manifester en l'absence de toute catastrophe[19]. Le stress accompagne *la crainte* qu'un malheur nous frappe. On peut faire des ulcères du seul fait de s'inquiéter de l'avenir de ses enfants ou de craindre de perdre son emploi. Le stress se manifestera même si les enfants vont bien et que vous conserviez votre emploi jusqu'à la retraite. Certaines personnes connaissent une vie de misère, de lutte et d'inquiétude en dépit du fait que, de l'extérieur, leur vie puisse paraître bénie des dieux. Un de mes bons amis vit exactement ce genre de drame depuis quinze ans. Chaque fois qu'il lui arrive un bon coup, il s'en réjouit pendant quelque temps puis se remet à craindre la prochaine catastrophe. Autant que je sache, aucune des catastrophes qu'il a craintes ne s'est jamais produite et la vie semble le traiter remarquablement bien. Mais il a presque toujours été malheureux. Au lieu de se réjouir de ses succès, il passe tout son temps à redouter un échec futur.

Bref, c'est la *crainte* du malheur, et non le malheur lui-même, qui engendre le stress. C'est ce principe essentiel qui permet de comprendre le besoin de se fuir soi-même. Certes, la catastrophe peut nous conduire à vouloir nous oublier nous-mêmes, mais nous devons tous vivre avec le sentiment de notre *vulnérabilité*, même si les catastrophes que nous craignons ne se produisent jamais. Plus le soi est complexe, plus il court le risque de ne pas se montrer à la hauteur de ses propres normes et de ses propres exigences. Chaque geste, chaque évaluation comprend un risque d'échec — et, par conséquent, le risque que l'on subisse une réaction émotive désagréable. Personne ne veut se sentir malheureux et pourtant, plus notre définition de nous-mêmes nous place la coche haute, plus nous courons le risque d'être malheureux.

Cette vulnérabilité constante est particulièrement lourde à porter pour certains groupes. Les athlètes professionnels, par exemple, sont constamment appelés à exécuter leur travail devant un vaste public et doivent porter le lourd fardeau de paraître compétents et efficaces dans des situations très difficiles. De même, les politiciens doivent conserver une image de parfaite intégrité, de compassion et de compétence sous le regard impitoyable des journalistes et les fréquentes mises au défi des candidats de l'opposition chargés de les prendre en défaut.

Plus nous investissons dans le soi, plus nous avons de choses à perdre. Le besoin de fuir peut alors se manifester sans que nous ayons quoi que ce soit à nous reprocher. Plus nous atteignons les apparences extérieures de la perfection, plus nous risquons de vouloir fuir puisque plus nous sommes exigeants pour nous-mêmes, plus nous sommes vulnérables et plus nous en ressentons de stress.

S'il est facile de comprendre qu'une crise ou une catastrophe puisse déclencher le besoin de fuir, quand donc se manifestera le besoin de fuir lorsque le stress résulte d'une menace et d'une vulnérabilité persistantes? La recherche sur le stress propose une réponse simple à cette question: peu importe. De nombreuses études en arrivent à la conclusion qu'il est très utile de s'offrir du répit, mais ce répit peut survenir n'importe quand. Prenons comme exemple les vacances et le stress engendré par le travail: peu importe *quand* vous prenez vos vacances, pourvu que vous en preniez.

Ce principe a été démontré sous la rubrique du «signal de sécurité». Les études ont montré qu'il est néfaste d'être sans cesse exposé au danger. Même si le danger persiste, le stress en sera fortement atténué si on dispose de moments où il nous est possible de relâcher notre vigilance sans courir de risque[20]. Le seul fait de savoir que l'on *peut* échapper au danger est une source de réconfort. Dans une étude devenue classique, des sujets étaient exposés à des bruits imprévisibles. La plupart réussissaient à s'adapter, mais en y mettant le prix: par la suite, leur tolérance à la frustration était réduite et leur capacité à fonctionner, temporairement diminuée. Un seul groupe de sujets n'a semblé subir aucun effet négatif. Or on avait dit à ce groupe qu'en cas de besoin, il suffisait d'appuyer sur un bouton pour mettre fin au bruit. On leur demandait tout de même de faire un effort et de n'appuyer sur le bouton qu'en cas d'absolue nécessité et le fait est qu'*aucun d'eux ne fit la moindre tentative pour échapper au bruit*, mais tous savaient qu'il leur était possible de fuir en cas de besoin et cette certitude a suffi à elle seule à réduire chez eux les effets néfastes du stress[21]. Appliquons maintenant ces résultats au problème qui nous occupe et nous verrons qu'une période occasionnelle au cours de laquelle il est possible d'échapper au fardeau d'être soi peut faire toute la différence.

Que le soi puisse être une source de stress: voilà qui permet de prévoir divers modes de fuite. Une catastrophe déclenchera un besoin de fuir si urgent qu'on cherchera le moyen le plus efficace et le plus rapide sans toujours en mesurer les conséquences, tandis que le stress engendré par le soi fait naître le besoin de s'offrir des épisodes de fuite périodiques qui pourront être prévus et planifiés. Une personne peut inscrire des activités périodiques de fuite dans sa vie de tous les jours un peu comme on le fait d'un passe-temps. Elle ne se dira d'ailleurs pas nécessairement qu'il s'agit de moyens d'échapper au soi, mais plutôt d'activités agréables qui libèrent l'esprit des préoccupations, inquiétudes, problèmes et autres questions qui assaillent normalement le soi.

La régularité des activités en détermine quelque peu la nature. Ceux qui cherchent un répit occasionnel choisiront de préférence des moyens plus sûrs et plus prévisibles que ceux qui, soudain en situation de crise, cherchent désespérément un soulagement rapide et puissant. L'alcool, par exemple, peut servir dans les deux cas. Lorsque le malheur frappe durement (perte d'emploi ou départ d'une personne aimée), certains cherchent l'oubli dans l'alcool sans égard à la sécurité (sans s'assurer que quelqu'un conduira la voiture à leur place), à la santé (sans songer aux effets délétères de la consommation abusive d'alcool) ou à la gueule de bois qu'ils auront le lendemain.

D'autres par contre auront recours à l'alcool de façon régulière pour faire face au stress qu'engendre la nécessité de conserver une image favorable au travail. Ceux-ci prendront tous les soirs une consommation ou deux en rentrant à la maison, pour se détendre et jouir de leur vie familiale sans plus s'inquiéter de leur carrière. Ce type de consommation d'alcool peut très bien devenir une habitude sans pour autant devenir un problème. Si des obligations forcent à la sobriété, ces personnes peuvent s'abstenir de boire ou tout au moins s'en tenir à une seule consommation. Elles sont moins téméraires et ne mettent pas leur santé en jeu. Et s'il leur faut rester tout à fait sobres une soirée ou un week-end, elles y arrivent sans peine. Ces personnes ont besoin de recourir périodiquement à un moyen de fuite, mais elles ont le choix du moment.

On peut tirer des conclusions semblables en comparant deux autres formes de fuite dont il sera question plus loin, le masochisme et le suicide. Les adeptes du masochisme sexuel ont recours à leurs activités pour échapper à leur identité habituelle, mais semblent pouvoir intégrer ces activités à leur vie de façon sûre et planifiée. Leur recherche d'expériences sexuelles inusitées ne fait pas suite à une catastrophe. Il s'agit plutôt de moments privilégiés où s'adonner à un jeu (puisque c'est ainsi qu'ils désignent leurs activités). Ils sont d'ailleurs très soucieux de leur sécurité physique. Le suicide, par contre, est généralement une réaction à la catastrophe. Le candidat au suicide ne prend pas nécessairement la décision délibérée de mourir, mais il se sent si désemparé qu'il cherche l'oubli dans une forte dose de drogue ou s'efforce, en prenant de gros risques, de centrer son attention sur le moment présent. Contrairement aux masochistes, dont les activités de fuite n'entraînent aucun effet néfaste, les suicidaires trouvent souvent la mort ou s'infligent des blessures graves.

L'idée que le soi puisse être une source de stress permet également de prédire quelles personnes seront le plus portées à chercher la fuite. Nous avons déjà vu le cas des politiciens et des athlètes professionnels, mais tout groupe tenu de se mesurer à des normes ou à des attentes très élevées, ou qui risque sans cesse de perdre la face, s'expose à un stress considérable et sentira sans doute plus que d'autres le besoin de fuir périodiquement.

Comme la société exige aujourd'hui plus d'individualité, le soi est devenu une plus grande source de stress et il en résulte un besoin accru de le fuir. On pourrait donc s'attendre à ce que la période moderne soit caractérisée par une plus grande variété d'activités de fuite, surtout celles qui permettent d'échapper temporairement au stress. Rien ne nous permet de présumer que cette évolution culturelle a également entraîné une augmentation des fuites consécutives à la catastrophe, bien qu'une telle éventualité soit plausible.

L'EXTASE: ÉLIMINER UN OBSTACLE

On peut aussi vouloir fuir le soi non pas tant pour échapper à quelque chose que pour *aller vers* quelque chose. Voilà qui s'apparente à la distinction qu'établissait Erich Fromm, dans son ouvrage célèbre *La peur de la liberté*, entre «se libérer de» et «se libérer pour». L'analyse d'Erich Fromm faisait de la fuite une attitude régressive de rejet de la liberté plutôt qu'une réaction à la difficulté d'être soi — ou, comme dans le cas qui nous occupe, un état agréable en soi et porteur d'avantages comme une plus grande mesure de créativité et d'épanouissement spirituel.

Le renoncement à l'individualité est depuis longtemps perçu comme donnant accès à la félicité. Le mot *extase* lui-même, qui dérive de racines grecques, signifie essentiellement «se tenir hors de soi-même». L'expérience religieuse offre sans doute l'une des manifestations les plus claires de cette forme de fuite. Comme nous le verrons au chapitre IX, il faut, pour atteindre les plus hautes sphères de la spiritualité, procéder à la dissolution du moi et à la fusion avec Dieu ou avec la totalité de l'être, opérations qui conduisent à transcender ce que les spécialistes appellent l'illusion d'un soi individuel et séparé. Toutes les religions considèrent le soi comme un obstacle majeur à l'évolution spirituelle. Même la religion chrétienne, dont la tradition mystique n'est pas de toute première importance, a toujours condamné les comportements égoïstes en les considérant comme fautifs. Dans la religion chrétienne, il faut, pour atteindre le salut, surmonter l'intérêt que l'on se porte à soi-même, et il en est ainsi encore davantage dans les religions qui mettent l'accent sur la méditation ou sur d'autres pratiques visant à atteindre le salut avant la mort.

La société occidentale n'a jamais accordé d'importance particulière au mysticisme ni à la méditation, mais les expériences limites y sont souvent associées au phénomène de l'amour. Dans l'amour aussi il faut abattre les murs qui se sont érigés autour du soi. Dans la doctrine chrétienne, l'expérience suprême de l'amour divin entraîne la fusion avec Dieu et la perte de soi dans un état d'euphorie totale[22]. Sur le terrain de l'amour profane, on estime que l'amour permet la fusion avec un autre être humain[23]. Notre culture est fascinée par la possibilité pour deux personnes de se fondre en une seule. L'amour est sans doute la forme d'extase profane la plus populaire de notre société et la plus souvent vécue. Se perdre dans l'union avec un autre est une façon d'échapper au soi qui procure de très grandes satisfactions.

D'autres formes d'oubli de soi procurent aussi d'importants bienfaits. La capacité de se laisser absorber par une activité stimulante et créatrice entraînerait également une perte de la conscience normale de soi, expérience qui s'apparenterait au «sentiment océanique» et donnerait au sujet le sentiment de ne plus faire qu'un avec la tâche à accomplir[24]. Certains auteurs vont même jusqu'à proposer que l'on apprenne à dépasser la conscience de soi afin d'atteindre la perfection dans certains sports comme le tir à l'arc ou le tennis[25]. Des recherches en laboratoire ont également permis de montrer que les gens accomplissent mieux certaines tâches délicates lorsqu'ils arrivent à perdre la conscience de soi tandis qu'une trop forte préoccupation pour soi-même provoquerait la nervosité, l'anxiété et le sentiment d'étouffer sous la pression[26].

L'angoisse ressentie en situation d'examen pourrait elle aussi être reliée à la question du soi. Cette forme d'angoisse conduit souvent les étudiants à échouer à un examen en dépit d'une préparation consciencieuse: l'étudiant connaissait bien sa matière la veille, mais placé devant la feuille d'examen, il se retrouve complètement paralysé. Le problème semblerait résulter d'une trop forte préoccupation pour soi-même. S'il parvient à détourner son attention et à se détacher de lui-même, son rendement s'améliore considérablement et l'étudiant obtient les mêmes résultats que la moyenne des autres[27].

La créativité aussi peut souffrir d'une trop grande préoccupation pour soi-même. Quiconque s'est déjà fait poser une question difficile en public sait quel effort il faut fournir pour penser de façon originale quand tout un groupe de gens vous regarde. La difficulté de créer a souvent conduit des gens à faire l'essai de substances psychotropes dans l'espoir d'être libérés d'eux-mêmes et de produire de grandes œuvres. Songeons par exemple à Baudelaire ou à Aldous Huxley qui ont eu recours à des drogues exotiques pour créer leurs grandes œuvres. Mais on peut aussi penser à nombre d'écrivains modernes comme ceux de la «génération perdue», dont la consommation abusive d'alcool s'est révélée dévastatrice. Les musiciens sont sans doute les plus grands adeptes de la drogue et de l'alcool comme moyens de stimuler la créativité. La brève histoire du rock est jalonnée de tragédies et de triomphes directement liés à la consommation et à l'abus de substances propres à entraîner l'oubli de soi.

Le soi fait aussi obstacle à l'épanouissement sexuel. Lorsque Masters et Johnson ont révolutionné le domaine de la thérapie sexuelle, ils ont découvert que la conscience de soi était un obstacle majeur au rendement sexuel et à la satisfaction[28]. Les hommes et les femmes qui ont des problèmes sexuels donnent souvent l'impression de s'observer de très près pendant l'amour et d'évaluer leur rendement en fonction de normes et d'exigences très précises. Ce «spectateur interne», comme l'appellent Masters et Johnson, est souvent très critique et empêche de se laisser aller et de jouir. Un homme, par exemple, qui s'inquiète de la qualité de son érection sera très attentif pendant l'amour à la tension de sa verge. Au moindre relâchement, il risquera de paniquer et de perdre son érection. Un cercle vicieux s'installe alors, marqué d'abord par la conscience de soi, puis par l'anxiété et enfin par la perte de l'érection, chaque élément engendrant le suivant.

De même, une femme frigide peut, pendant l'amour, se cantonner dans une attitude de doute et craindre de ne pas atteindre l'orgasme. Plus le temps passe et plus son spectateur interne lui fait douloureusement remarquer qu'elle n'a pas encore atteint l'orgasme. Elle commence à se dire qu'il serait temps, qu'il est peut-être même trop tard, que son partenaire est sans doute impatient et doit se demander ce que c'est que cette femme incapable de prendre plaisir à sa sexualité. Elle se dit qu'il se désintéressera d'elle si elle n'atteint pas bientôt l'orgasme et cette attente inquiète est dévastatrice. Ici encore, le cercle vicieux provoque la frustration et nuit à toute satisfaction. Une attitude égocentrique par rapport à la sexualité est une autre forme de conscience de soi qui nuit souvent à la satisfaction sexuelle. Pour certaines personnes, la sexualité est une conquête ou un spectacle, une façon de faire étalage de leur excellente technique ou de leur capacité à plaire à des partenaires multiples. Dans ces cas aussi, le plaisir sexuel est compromis.

Les techniques de thérapie sexuelle mises au point par Masters et Johnson avaient principalement pour but de neutraliser le spectateur interne. La capacité de surmonter la conscience de soi est un facteur important lorsqu'il s'agit de restaurer la capacité normale de réagir à la stimulation sexuelle et de trouver du plaisir et de la satisfaction dans l'amour. Bien entendu, cette technique n'est pas propre aux thérapeutes sexuels. Bien des gens ont recours à des techniques toutes simples pour tromper la conscience de soi et accroître le plaisir sexuel. Certains boivent du vin ou de l'alcool avant de faire l'amour. Un bain chaud ou un massage peuvent aider à centrer l'attention sur le corps et à se détacher de l'identité symbolique. Le seul fait de retirer ses vêtements peut devenir un moyen de se dépouiller de son identité symbolique pour mieux se retrouver à l'état de seul corps, condition préalable au plaisir sexuel.

Dans la culture occidentale moderne, l'individualité occupe le centre de la scène et rien ne semble en voie de changer à cet égard. Ce culte de l'identité personnelle présente de nombreux aspects positifs et il est indispensable, surtout dans notre culture moderne, de se constituer un soi fort et distinctif. Le soi est à l'origine de nombreux idéaux et de grands principes moraux et permet certaines formes de réalisation personnelle, comme la renommée et la célébrité. Nous voulons découvrir, connaître, exprimer et cultiver notre soi et nous en retirons d'importantes satisfactions. Mais même si le soi n'est pas pour nous un fardeau ou une source de stress, il semble que nous ayons tous avantage à pouvoir y échapper, ne serait-ce que temporairement.

III

Le soi contre lui-même

Ce n'est pas l'amour qu'il fallait peindre aveugle, c'est l'amour-propre.

VOLTAIRE, *Correspondance à M. Damilaville, 7 mai 1764*

Les psychologues se laissent fasciner depuis longtemps par le penchant des êtres humains pour l'autodestruction. De la procrastination au suicide, nous semblons faire en sorte que le malheur s'abatte sur nous. Comment des êtres rationnels peuvent-ils se conduire de façon aussi irrationnelle? Qu'y a-t-il de plus fondamental que l'instinct de survie? Et pourtant, beaucoup de gens se comportent de façon totalement opposée à cet instinct: ils se font du tort, trahissent leurs principes, renoncent à leurs aspirations et font rater leurs projets. Après avoir observé le comportement humain pendant des décennies, Freud en a conclu que les êtres humains possédaient un mécanisme inné qui les pousse vers la destruction, le mal et la mort.

Une bonne partie du présent livre est consacrée à des comportements au moins partiellement autodestructeurs, que les psychologues ont souvent qualifiés d'autopunitifs, comme le masochisme, le suicide et la consommation abusive d'alcool. Mais rien ne permet de conclure que nous sommes mus par des désirs autodestructeurs (à moins de souffrir de maladie mentale). C'est la fuite, plutôt que le châtiment, qui semble être recherchée lorsqu'on se fait du tort. Même le suicide, comportement autodestructeur par excellence, semble motivé davantage par un désir de fuite que par un véritable désir de se faire du tort: les suicides ratés sont très courants — et se révèlent souvent des fuites réussies.

Dans ce chapitre, nous jetterons un regard neuf sur toute cette question et sur l'ensemble des tendances à l'autodestruction. Dans quelle mesure sont-elles normales? Quelles en sont les causes? Les chercheurs ont établi un catalogue impressionnant de comportements autopunitifs ou autodestructeurs, mais les motivations qui sous-tendent ces comportements ne confirment pas toujours les théories en vogue. D'une part, le rôle de la culpabilité n'a jamais pu être confirmé. La culpabilité est un sentiment désagréable qui nous pousse à vouloir cesser de nous sentir coupables et nous amène parfois à faire des choses qui compenseront pour ce dont nous nous sentons coupables. Mais personne n'a pu prouver que la culpabilité nous amenait à vouloir souffrir ni que nous nous faisons du tort ou cherchons le châtiment comme moyen de composer avec la culpabilité.

Peut-être ne faudrait-il pas s'en étonner. Lorsqu'on enfreint la loi, par exemple, on veut rarement être puni. Si des accusations sont portées contre nous, nous engageons un avocat et faisons tout ce que nous pouvons pour échapper à la punition. Pour comprendre les motivations d'un comportement autodestructeur, du moins chez les gens qui ne souffrent pas de maladie mentale, il faut songer non pas tant à la culpabilité, à la haine de soi ou à une quelconque pulsion de mort, mais plutôt au désir de se fuir soi-même et d'oublier ses problèmes. On cherche alors un soulagement immédiat et on est prêt à courir des risques et à payer le prix qu'il faut pour y parvenir.

SE FAIRE DU TORT DÉLIBÉRÉMENT

Demandons-nous d'abord s'il arrive que des gens soient guidés principalement par le désir de se faire du tort ou de saborder leurs propres projets. Dans quelles circonstances ces tendances se manifestent-elles?

Chercher l'échec

Malgré une recherche considérable, très peu de cas ont pu être documentés où des gens cherchaient délibérément à échouer, et même ces quelques cas ne sont pas sans équivoque. Une première théorie voulait que certaines personnes s'attendent à échouer et aillent jusqu'à provoquer l'échec pour que leurs attentes se réalisent. Voilà qui s'apparente à la notion de fatalité inexorable: ce à quoi on s'attend aurait tendance à se réaliser *parce qu'on* s'y attend. Dans le cas des comportements autodestructeurs, il faudrait en venir à la conclusion que les gens cherchent la confirmation de leurs craintes plus qu'ils ne cherchent à voir leurs projets se réaliser. Mais les études dont les résultats vont dans ce sens sont peu fiables et des suivis minutieux n'ont pas permis d'en reproduire les conclusions[1].

Une autre théorie avance que les gens dont l'estime de soi est faible tentent de s'autopunir pour confirmer la piètre opinion qu'ils ont d'eux-mêmes. Ces gens ont tendance à «refuser le succès», c'est-à-dire à réagir au succès de façon négative: s'ils se considèrent nuls ou incapables, le succès les met mal à l'aise, de sorte qu'ils sont portés à saboter ce qui leur semble aller bien. Cette hypothèse a rallié peu d'adeptes bien qu'il soit vrai que les gens dont l'estime de soi est faible n'ont pas la même façon que les autres de réagir au succès[2]. La plupart des gens réagissent à un succès initial en s'investissant davantage dans l'activité qui a conduit au succès: si vous gagnez un match de tennis important, vous serez porté à vous consacrer davantage au tennis. Mais les gens qui entretiennent une piètre opinion d'eux-mêmes ne semblent pas réagir de cette façon au succès[3]. Il leur arrive même de quitter tout à fait le secteur dans lequel ils ont connu un succès afin de ne pas risquer l'échec ultérieur ou parce qu'ils préfèrent travailler à corriger leurs défauts plutôt qu'à exploiter leurs talents[4]. Mais il ne s'agit tout de même pas d'une attitude de refus du succès. Les gens dont l'estime de soi est faible aspirent au succès et y prennent autant de plaisir que les autres[5]. Il est possible qu'ils accordent plus d'attention à la critique qu'aux éloges et qu'ils s'attendent davantage aux échecs qu'aux succès, mais sur le plan émotif il leur est quand même plus agréable de recevoir des compliments[6].

Une autre hypothèse veut que les femmes aient «peur du succès». Cette idée a été proposée il y a une vingtaine d'années lorsqu'on a constaté que certaines femmes craignaient que le succès n'ait des conséquences désastreuses pour elles[7]. Dans une étude menée par Matina Horner, à Harvard, on demandait à des sujets d'inventer une histoire autour d'un personnage qui faisait des études de médecine et obtenait d'excellentes notes. Lorsque le personnage était une femme, on constatait que les femmes avaient tendance à conclure leur histoire sur une note défavorable — par exemple, l'étudiante, après avoir remporté tous les honneurs, était abandonnée par ses amis et se retrouvait seule et malheureuse. Les preuves à l'appui de cette peur du succès n'ont jamais été très nombreuses et on pourrait peut-être aujourd'hui sonner définitivement le glas de cette théorie. Un chercheur a récemment repris les données de ces études et n'a trouvé aucune preuve concluante à l'appui de la théorie selon laquelle les femmes (ou les hommes) auraient peur du succès[8]. Les femmes ne donnent peut-être pas leur pleine mesure lorsqu'elles travaillent avec un homme qui entretient des opinions traditionnelles sur la supériorité masculine[9], surtout si cet homme est attirant à d'autres égards, mais il ne s'agit pas là d'une façon de chercher l'échec. La femme tente alors d'arriver à d'autres fins: attirer l'attention de l'homme.

Il arrive toutefois que les gens cherchent l'échec — si cet échec présente des avantages à d'autres égards[10]. Les gens très anxieux peuvent ne pas fournir leur plein effort si le succès risque de leur imposer le fardeau de devoir toujours réussir par la suite[11]. D'autres laisseront le patron gagner un match de racquetball pour éviter de se faire un ennemi influent. Ils laisseront un enfant les battre au jeu pour ne pas le décourager ou pour passer, aux yeux des autres adultes, pour un parent évolué et responsable. Tous ces comportements donnent lieu à des compromis qui permettent de compenser l'échec par un avantage d'une autre nature. Mais si l'on s'en remet à nos connaissances actuelles, rien ne permet d'affirmer que les gens cherchent l'échec ou le châtiment dans quelque circonstance que ce soit.

Choisir de souffrir

Voilà un comportement qui pourrait témoigner du désir de se faire délibérément du tort. Si l'on arrivait à prouver que les gens adoptent certains comportements dans le seul but d'en ressentir de la douleur, nous pourrions affirmer qu'ils sont mus par un désir d'autodestruction. Il faut donc se demander si des gens normaux choisissent parfois de souffrir quand il leur est possible de l'éviter.

Il est très rarement arrivé que des psychologues puissent constater l'existence d'un choix délibéré en faveur de la souffrance[12]. On ne semble opérer un tel choix que dans des situations où le déplaisir est modéré: recevoir quelques chocs électriques ou avaler une chenille, par exemple. Si l'on fait en sorte que le sujet s'attende à accomplir une tâche désagréable, et qu'au bout du compte, on lui laisse le choix, il arrive que le sujet opte pour la tâche désagréable du seul fait de s'être attendu à devoir l'accomplir. Ce comportement résulte de la certitude de n'avoir pas de choix, ce qui amène à choisir de souffrir. Mais il ne s'agit pas pour autant d'un désir absolu de souffrance, mais plutôt de situations où des gens acceptent la nécessité de souffrir, s'y résignent et s'adaptent. Ce n'est qu'au terme d'un certain processus mental que ces gens en viennent à choisir de souffrir.

Il semble, par ailleurs, que certaines personnes croient, de façon un peu superstitieuse, qu'en souffrant aujourd'hui, elles auront la vie plus facile plus tard. Ces gens semblent croire qu'ils sont destinés à subir une certaine quantité de souffrances au cours de leur vie de sorte qu'il s'agit de choisir entre souffrir maintenant et souffrir plus tard[13]. Cette idée se trouve étayée dans certaines doctrines religieuses selon lesquelles Dieu console les affligés ou encore que la vie éternelle sert à compenser les souffrances subies sur terre. Au Moyen Âge, lorsque les conditions de vie étaient extrêmement dures, des sectes itinérantes de flagellants allaient de ville en ville, nus jusqu'à la taille, en se fouettant eux-mêmes ou leurs voisins. Ils espéraient que le spectacle de leurs souffrances convainque Dieu de les soulager des nombreux malheurs dont ils étaient accablés[14]. Mais même ces cas ne peuvent pas être considérés comme des formes délibérées d'autopunition. Aucune de ces personnes ne cherchait la souffrance en soi. Elles s'attendaient plutôt à obtenir des avantages en retour de cette souffrance. Le but visé est bien plus de fuir que de se faire du mal: en choisissant de souffrir aujourd'hui, la personne espère échapper à une plus grande souffrance plus tard. Comme dans les cas où l'on cherche l'échec, la personne choisit de souffrir comme moyen d'atteindre un but souhaitable et désirable. Il existe peut-être des cas isolés où des gens souhaitent la souffrance et l'échec, mais les chercheurs ont été incapables de créer une situation dans laquelle le commun des mortels voudrait échouer ou souffrir. Aucune situation ni aucune expérience mise au point par des chercheurs n'a permis de vérifier l'existence d'authentiques désirs d'autopunition.

LES COMPROMIS

L'autodestruction à l'état pur est peut-être de l'ordre du mythe, mais il est clair que bien des gens ont des comportements autopunitifs. Ils sabotent leurs propres entreprises, mettent leur santé en danger, nuisent à la réalisation de leurs propres objectifs et se condamnent même à vivre des situations émotionnelles pénibles. Rien ne semble prouver que les gens *désirent* ces situations désagréables, mais il est vrai qu'ils les choisissent lorsqu'il s'agit d'éviter une prise de conscience pénible. Lorsque l'image de soi est compromise, bien d'autres considérations passent au second plan. On accepte alors de subir un certain tort pourvu qu'il soit possible d'échapper à l'idée que l'on est incompétent, nul, indigne d'amour, laid ou taré. Voyons quelques exemples.

Se créer soi-même des obstacles

Voici un excellent exemple de compromis autopunitif: en faisant soi-même obstacle à sa réussite, on peut avoir une excuse qui justifiera l'échec éventuel[15]. On dispose ainsi d'une stratégie qui empêche de recevoir une évaluation négative. L'étudiant qui se prive délibérément de sommeil la nuit précédant l'examen pourra attribuer son échec au manque de sommeil et évitera de se faire qualifier de stupide. L'alcoolique dont la vie est sens dessus dessous peut attribuer ses problèmes à l'alcool plutôt qu'à ses insuffisances personnelles. Le cancre peut attribuer ses mauvaises notes au manque d'effort, ce qui vaut mieux qu'un manque de talent.

De tels comportements peuvent se manifester très tôt, surtout s'ils sont encouragés par les parents. Jeanne, ma voisine, m'a déjà parlé des résultats scolaires de son fils. «Il a de mauvaises notes parce qu'il ne s'applique pas. Il se classerait facilement parmi les premiers de classe s'il travaillait plus fort, mais les garçons, tu sais ce que c'est.» Elle disait tout cela avec un sourire indulgent. Il s'agit là de la tolérance bienveillante avec laquelle nous considérons les écoliers intelligents qui ont du mal à s'astreindre au travail scolaire lorsqu'ils subissent l'attrait des grands espaces. Tant que son fils ne donne pas son plein effort, Jeanne peut s'entretenir dans l'illusion de son immense potentiel. Mais qu'arriverait-il s'il faisait de son mieux et n'obtenait encore que des notes médiocres? Elle perdrait peut-être son sourire indulgent au moment de dire: «Mon garçon donne vraiment sa pleine mesure, mais il n'a jamais de bonnes notes... je suppose qu'il n'est pas doué.» Dans un tel contexte, il devient risqué pour le fils de donner sa pleine mesure, parce que si ses notes ne s'amélioraient pas, sa bulle serait crevée. Lorsqu'un enfant apprend ainsi qu'il ne doit jamais courir le risque de faire de son mieux et d'échouer, une longue carrière de médiocrité s'ouvre devant lui.

Il y a toutefois une compensation: dans un tel contexte, si la personne réussit, elle sera félicitée d'avoir surmonté les obstacles. Le succès paraît toujours bien, mais il paraît encore mieux si vous n'avez pas eu à faire d'efforts. De temps à autre, Jean obtient une bonne note qui confirme Jeanne dans la certitude de son riche potentiel — surtout parce qu'elle sait qu'il a obtenu cette bonne note sans faire d'efforts. Certains, qui ne veulent pas prendre de chance, s'exercent ou étudient en secret[16]. Ils ont ainsi l'avantage d'être préparés mais peuvent prétendre n'avoir rien fait et se font accorder le crédit d'avoir réussi en dépit des obstacles!

Cette façon de créer ses propres obstacles est donc une stratégie qui permet de faire bonne figure quoi qu'il arrive: succès ou échec. Les gens se font une meilleure opinion de vous: ils attribuent votre échec aux obstacles, non à vous, et ils vous reconnaissent une habileté supérieure s'il vous arrive de réussir. En revanche, vos chances d'échec sont accrues. Ne pas faire d'effort, ne pas étudier, ne pas dormir, s'enivrer — tout cela nuit effectivement au rendement. En créant ses propres obstacles, on accepte donc de sacrifier ses capacités réelles dans l'espoir d'obtenir des avantages qualitatifs. Le sujet est alors protégé contre les conséquences d'un échec, mais il lui faut à cette fin courir un plus grand risque d'échec. La réalité est sacrifiée au profit de l'illusion, et le jeu n'en vaut pas toujours la chandelle.

Les effets dévastateurs d'un tel compromis peuvent ne se révéler que graduellement, sur une longue période de temps, tandis que les avantages seront immédiatement apparents. Il s'agit en général de ne sacrifier qu'une certaine *probabilité* de succès et de recevoir en échange des avantages qualitatifs sûrs. Une personne qui craint une épreuve à venir estimera peut-être qu'il vaut mieux échouer avec une excuse, de sorte qu'elle provoquera elle-même son échec. Le risque d'échec étant réel, à court terme la personne peut avoir le sentiment de n'avoir rien perdu et même d'avoir été protégée contre une humiliation. À plus long terme, toutefois, une telle attitude donne lieu à des échecs qui auraient pu être des succès étant donné la loi des probabilités. En créant ainsi ses propres obstacles, on pipe les dés à son propre détriment — mais à ce jeu on finit tôt ou tard par se faire attraper.

Prenons un athlète qui arrive au camp d'entraînement précédé d'une excellente réputation — peut-être était-il premier au repêchage ou était-il convoité par plusieurs équipes. Supposons que cet athlète réagisse à la pression qui lui est ainsi imposée en ne donnant pas sa pleine mesure pendant les séances d'entraînement et en cessant tout exercice à la moindre blessure. Son talent exceptionnel ne sera jamais démenti et il pourra conserver le respect des autres sans se fouler la rate. À la longue, toutefois, cette absence d'exploits l'empêchera peut-être de mener sa carrière à son apogée. Il se mettra peut-être à prendre de la drogue ou de l'alcool, ce qui lui nuira davantage. C'est un comportement certes autodestructeur, mais qui permet au sujet d'atteindre un objectif essentiel: celui de préserver l'image de son talent exceptionnel. S'il avait donné sa pleine mesure, son rendement n'aurait peut-être pas été aussi spectaculaire que prévu et alors tout le monde aurait su qu'il était médiocre.

Cette façon de créer ses propres obstacles découle, en général, d'un sentiment d'insécurité quant à sa capacité de réussir. Un scénario particulièrement fréquent consiste à accumuler un nombre appréciable de réussites tout en ayant le sentiment de n'avoir rien fait — ou d'être incapable de les reproduire. Par-devers soi, on se dit alors que c'est une simple question de chance, qu'on a réussi mieux qu'on ne le méritait tandis qu'aux yeux des autres on passe pour brillant. Les autres s'attendent alors à ce qu'on soit toujours brillant. Cette réunion de deux éléments contraires — les attentes des autres et son propre manque de confiance — a quelque chose de lourd et d'oppressant, et des études ont montré qu'il est en effet très difficile, dans ces circonstances, de donner son plein rendement[17]. On ne sera donc pas surpris de constater qu'en pareille situation les gens soient portés à se créer eux-mêmes des obstacles[18]. Après tout, si l'échec semble plus que probable, un obstacle de plus ou de moins ne fera pas de différence tandis qu'une protection sûre contre les conséquences de l'échec peut prendre une importance capitale.

En se créant des obstacles, donc, on sacrifie une partie de ses chances de succès en échange d'une meilleure *apparence* de compétence. Ce n'est pas tout à fait la même chose que de chercher à se fuir soi-même, mais il y a un lien conceptuel important entre ces deux attitudes. Ce qui peut prendre les apparences d'un comportement autodestructeur — ne pas faire d'effort, ne pas préparer un exposé, ne pas prendre suffisamment de repos avant un examen — est motivé par le désir d'éviter de perdre la face. Le but de l'exercice n'est pas de se faire du tort, mais de fuir.

Consommation abusive: alcool ou drogue

La consommation abusive est une autre forme de compromis autodestructeur. L'alcool, le tabac et bien d'autres substances sont reconnus pour avoir des effets néfastes sur la santé. Et pourtant, on continue d'en faire usage, souvent de façon excessive. (Depuis qu'on trouve sur tous les paquets de cigarettes une mise en garde contre les dangers d'une telle habitude, il est difficile de prétendre ignorer que la cigarette fait courir des risques!)

La consommation d'alcool est parfois motivée par le désir de se créer soi-même des obstacles[19], comme j'en ai parlé précédemment, mais il peut y avoir d'autres raisons de boire ou de consommer de la drogue. La raison principale est que ces substances provoquent des sensations agréables[20]. Elles nous font nous sentir bien. Elles nous aident aussi à ne plus nous sentir malheureux, surtout en nous permettant de nous fuir nous-mêmes. L'alcool nous rend moins conscients de nous-mêmes[21]. Et la cigarette en fait parfois autant[22]. Les effets des drogues illégales sont moins connus (leur caractère d'illégalité fait qu'il est plus difficile de s'en servir dans le cadre de travaux de recherche), mais il semble qu'il en soit de même. Nous reviendrons sur la question de l'alcool au chapitre VII lorsque nous étudierons sa capacité à engendrer la fuite. Pour le moment, voyons comment la consommation d'alcool ou de drogue peut constituer un comportement autodestructeur en présentant des avantages, mais en faisant également courir à long terme le risque de conséquences désastreuses pour la santé, les finances, les rapports humains, le travail et d'autres aspects importants de la vie.

La consommation abusive présente également deux autres similitudes avec le fait de créer ses propres obstacles. Premièrement, ses bénéfices sont immédiats tandis que le prix à payer ne se manifeste que beaucoup plus tard. Prendre quelques verres donne tout de suite un sentiment de bien-être tandis que la gueule de bois ne se manifeste que le lendemain matin et les ravages sur la santé, la carrière et le mariage ne deviennent apparents que bien des années plus tard. Deuxièmement, les avantages de la consommation d'alcool ou de drogue sont sûrs tandis que les conséquences sont incertaines. Fumer la cigarette n'entraîne pas *systématiquement* le cancer ou l'emphysème — cela ne fait qu'accroître les probabilités.

Plus important encore, la consommation abusive a pour effet de nous faire échapper à nous-mêmes. Nous consommons de l'alcool pour perdre la conscience de soi, non pour endommager notre foie. Il en est de même de la cigarette; les gens nerveux, par exemple, trouvent que la cigarette leur donne une contenance et que fumer leur permet d'oublier momentanément leur crainte de perdre la face ou de paraître stupide. Ainsi donc, la consommation abusive est une forme de comportement autodestructeur motivé par le désir d'éviter de s'entretenir dans une image négative de soi.

La santé: désobéir au médecin

Les médecins soupçonnent depuis longtemps que leurs patients ne prennent pas toujours les médicaments prescrits, ne se reposent pas autant qu'il leur est conseillé de le faire et ne suivent pas les autres conseils qui leur sont donnés. Des études récentes ont confirmé un étonnant mépris pour les conseils et les prescriptions des professionnels de la santé. Dans une série d'études, on a pu constater que le taux d'obéissance aux conseils du médecin variait de 82 p. cent (soit quatre patients sur cinq) à aussi peu que 20 p. cent[23]. Les patients ne se présentent en général qu'à 75 p. cent des rendez-vous qu'ils prennent chez le médecin et lorsque le rendez-vous a été pris par quelqu'un d'autre (un conjoint ou un parent), le taux d'absentéisme est de 50 p. cent. Le taux d'obéissance dans le cas des traitements à long terme s'établit lui aussi autour de 50 p. cent[24].

Le caractère autodestructeur d'un tel comportement est on ne peut plus clair. Les médecins prescrivent des médicaments ou d'autres formes de traitement pour porter au maximum les chances du patient de survivre et de recouvrer la santé. En ne suivant pas les conseils des spécialistes, on prend le risque de guérir plus lentement, de voir réapparaître les problèmes de santé, de voir s'aggraver la maladie, on court même le risque de mourir. Et pourtant, comme nous l'avons vu, le pourcentage des gens qui ne se plient pas aux ordonnances du médecin se situe autour de 20 à 50 p. cent et même parfois davantage.

Les gens ne veulent pas se reconnaître malades et l'obligation de s'astreindre à un régime de soins peut avoir pour effet de leur rappeler douloureusement l'existence de leur maladie. Lorsqu'une maladie présente des symptômes manifestes et désagréables, les gens sont plus portés à obéir au médecin et à prendre leurs médicaments, mais lorsque les effets de la maladie ne sont pas évidents, les gens offrent plus de résistance. La situation est particulièrement périlleuse lorsque le traitement fait disparaître les symptômes avant que la maladie soit entièrement guérie. En pareil cas, les patients sont très enclins à cesser de prendre le médicament dès la disparition des symptômes. Dès qu'ils peuvent oublier qu'ils ont un problème (après la disparition des symptômes, plus rien ne leur y fait penser), ils mettent fin au traitement. Ils risquent alors une rechute ou des complications. Parfois, les symptômes n'ont rien à voir avec la maladie et pourtant, dès qu'ils disparaissent, les patients interrompent le traitement — ce qui risque de présenter de sérieux dangers si la maladie est grave[25]. Les patients qui trouvent leurs symptômes intolérables demanderont à se faire traiter et observeront les conseils du médecin. Mais lorsque les symptômes sont peu nuisibles, les gens sont moins portés à obéir, quelle que soit la gravité de leur maladie[26]. Tous ces comportements semblent avoir en commun le fait que l'on cherche à échapper au sentiment que le soi puisse être malade. Bien qu'il y ait sans doute d'autres raisons de ne pas suivre les conseils du médecin — personne n'aime se soumettre à un traitement douloureux, très coûteux ou désagréable —, la volonté de fuir un soi malade semble jouer un rôle important.

Vengeance et embarras

En 1668, le duc de Buckingham, personnage en vue du gouvernement britannique, avait une liaison avec la femme du comte de Shrewsbury. Les deux amants n'étaient pas très discrets et un beau jour, le duc aggrava les choses en insultant le comte à sa face. Le comte, à qui la politesse interdisait de faire reproche à sa femme, sentit la nécessité de défendre son honneur (et celui de son épouse) en provoquant le duc en duel. Le défi ayant été relevé, l'affrontement eut lieu et le comte y fut mortellement blessé[27]. Comme c'est le cas dans la plupart des duels, la nécessité d'obtenir vengeance pour une humiliation personnelle fait courir un risque aux conséquences désastreuses.

Il est extrêmement pénible de perdre la face et l'on est souvent disposé à prendre les grands moyens pour éviter une telle éventualité. On acceptera souvent de payer un prix considérable pour en arriver à cette fin, assez considérable pour que la réaction puisse paraître irrationnelle et même autodestructrice. Les gens sont prêts à se couper le nez pour sauver la face[28].

Dans un premier temps, il s'agit de mettre fin à ce qui nous fait risquer de perdre la face. On est alors prêt à accepter des pertes tangibles, même des pertes financières, pour que cesse immédiatement une situation embarrassante[29]. S'il est souvent difficile d'établir la valeur de tel compromis, il est tout de même étonnant de constater que les gens sont prêts à renoncer à des objectifs importants et à sacrifier des gains pécuniaires dans le seul but d'éviter une situation d'embarras temporaire et désagréable.

Si l'embarras est causé par une tierce personne, on cherchera souvent la vengeance. Ici aussi, des études ont montré que les gens sont prêts à prendre les grands moyens et à risquer des pertes tangibles pour se venger[30]. Le facteur déterminant semble être le degré d'humiliation. Si celui-ci est faible, il ne semble pas qu'on se livre à la recherche irrationnelle et autodestructrice de la vengeance. Si quelqu'un vous cause des ennuis ou vous fait perdre de l'argent, vous serez sans doute en colère et vous chercherez peut-être une rétribution, mais vous ne serez probablement pas disposé à risquer de perdre encore davantage dans votre quête de vengeance. Mais si la personne vous a humilié en public, vous serez sans doute plus disposé à accepter des pertes et des sacrifices au nom de la vengeance. Le rôle que joue la perception négative de soi dans ces comportements est manifeste. L'humiliation est un bon exemple d'un état de conscience de soi aigu conjugué à un sentiment désagréable. On choisit alors ce qui promet de mettre immédiatement fin à cette situation désagréable, même si ce choix entraîne un prix considérable.

On peut constater la présence de ces facteurs même hors du laboratoire. L'auteur Calvin Trillin a signalé, dans son ouvrage *Killings*, l'élément de fierté à l'œuvre dans les interminables querelles qui opposent des familles ou des bandes rivales. Comme nous l'indique Trillin, ce n'est pas une simple question de devoir assassiner le frère de celui qui a assassiné le mien, comme s'il s'agissait d'une opération d'affaires; l'enjeu est plutôt le suivant: tu as assassiné mon frère, donc tu te penses plus fort que nous et tu te crois autorisé à nous regarder de haut; alors pour te montrer que tu as tort de te sentir supérieur, je vais assassiner ton frère[31]. Souvent, ces assassinats ne servent même pas de rétribution directe à d'autres meurtres mais se produisent en réaction à des insultes verbales. Un membre d'une famille fait une remarque insultante au membre d'une autre famille, lequel sort immédiatement une arme et tue le premier devant dix ou vingt témoins.

Comme on le voit, le comportement autopunitif découle du désir d'éviter de se percevoir soi-même de façon négative. En l'occurrence, c'est le soi public qui est en cause. Il est pénible de penser que les autres se moquent de nous ou portent sur nous un regard réprobateur. On cherche alors à se venger, même au prix d'une perte matérielle considérable, pour éviter que cela ne se produise. Le prix à payer rend ce comportement autopunitif, mais on accepte souvent de se pénaliser soi-même pour éviter de se percevoir négativement.

La timidité

Il nous arrive tous de nous sentir timides à l'occasion et deux personnes sur cinq estiment être timides[32]. Les timides ne sont pas des solitaires confirmés ou des introvertis heureux; pour la plupart, ce sont des gens qui désirent fortement s'entendre avec les autres, se faire des amis et des amants, vivre des rapports d'intimité, mais qui ont peur de faire mauvaise impression et qui craignent le rejet, l'humiliation, l'ostracisme et l'anxiété[33]. Ils sont douloureusement conscients de la façon dont les autres peuvent les percevoir et redoutent sans cesse d'être perçus sous un mauvais jour[34]. Ils s'efforcent donc d'éviter tout ce qui pourrait se solder par le rejet ou l'embarras[35]. Obligée d'entrer en contact avec les autres, la personne timide sourira et fera des signes de tête mais ne révélera rien de personnel. Si rien ne l'oblige à entrer en contact avec les autres, elle fuira souvent les rencontres sociales et évitera toute interaction[36].

Les personnes timides sont donc souvent très seules[37], vivent peu de rapports d'intimité ou de rapports amoureux[38] et ont relativement peu d'expériences sexuelles[39] par comparaison aux gens non timides. La timidité conduit souvent à l'isolement forcé, et la solitude qui en résulte témoigne du caractère autopunitif de ce cycle. La personne timide en vient à détruire elle-même ses chances d'entrer en rapport intime avec les autres, elle craint de s'approcher des autres, mais il faut s'approcher des autres pour devenir intime — il faut donner accès à soi-même. Il faut donc courir le risque de se faire faire mal.

Il en résulte que les personnes timides ne parviennent souvent pas à acquérir des compétences sociales suffisantes. Elles sont plus maladroites et se comportent souvent de façon inappropriée en situation sociale. Elles ont du mal à amorcer la conversation avec les autres et lorsqu'elles le font, elles parlent moins que les autres, font moins de contact visuel, manifestent moins d'émotion dans leur visage et sourient moins que les autres[40]. Tous ces comportements atténuent le message de chaleur et d'intérêt qui encourage les gens à vouloir faire connaissance et à s'attacher aux autres. La timidité en vient ainsi à se perpétuer elle-même. Lorsqu'une personne a peur du rejet, elle évite les autres et il lui devient peu à peu impossible d'apprendre à se faire des amis et à établir des rapports intimes avec les autres.

Le compromis, dans ce cas, consiste à sacrifier les satisfactions à long terme que pourraient apporter l'intimité et l'amitié au profit d'une protection immédiate contre l'anxiété et le rejet, ce qui permet d'inscrire ce comportement parmi les compromis autodestructeurs dont nous commençons à voir émerger la structure: c'est-à-dire la recherche d'avantages immédiats dont le prix à payer ne devient apparent qu'à long terme. Le rôle causal que joue le soi est clair. L'attitude de retrait est une réaction à un état émotionnel pénible (l'anxiété) causé par l'écart entre la façon dont la personne voudrait être perçue et la façon dont elle s'attend à l'être[41]. Le fossé profond qui se creuse entre le désir d'être acceptée et la crainte du rejet conduit la personne timide à centrer douloureusement son attention sur ses propres insuffisances. Il en découle de l'anxiété, de la timidité et une réaction de retrait. En évitant les autres, le timide peut échapper à ce terrible sentiment qu'est la conscience de soi.

Une dernière catégorie de comportements autopunitifs présente moins de pertinence dans le cadre actuel. Il s'agit des erreurs de jugement qui poussent les gens à surévaluer leurs capacités et à prendre trop de responsabilités, ce qui peut donner lieu à des revers et à des souffrances. Ces comportements sont certes autopunitifs mais ne semblent pas être reliés à l'autodestruction ou à un désir d'évasion. Dans ces cas, les gens optent pour des stratégies qui, croient-ils, les conduiront au succès et se rendent compte — trop tard — qu'ils se sont trompés[42].

LA CONSCIENCE DOULOUREUSE DE SOI

Le fil conducteur qui unit les éléments abordés dans ce chapitre est le sentiment négatif que l'on entretient à son propre sujet. La conscience douloureuse de soi semble, comme je l'ai déjà dit, témoigner des conditions dans lesquelles se déroule la vie moderne. Les notions de soi (notamment l'image publique et la réputation) ont une importance considérable et il existe aujourd'hui peu d'autres valeurs morales auxquelles consacrer sa vie. Lorsque l'image de soi est menacée, nous avons le sentiment d'avoir tout perdu. Il peut en résulter un état de panique ou d'anxiété. Si on perd sa réputation, que reste-t-il? L'anxiété est un état émotif très pénible et ceux qui sont aux prises avec ce sentiment sont prêts à faire n'importe quoi pour qu'il se dissipe — et ne revienne plus. Dans bien des cas, c'est en échappant à la conscience de soi qu'on parvient à ce résultat.

Ainsi donc, notre enquête sur les comportements autopunitifs nous ramène à la notion de la fuite de soi. Il ne semble pas que les gens se fassent du tort en vertu d'un désir de mort, d'un désir de punition fondé sur la culpabilité ou d'un sentiment de haine de soi. L'amoureux délaissé qui noie son chagrin dans l'alcool ne tente pas de concrétiser une pulsion de mort freudienne ni de se punir d'avoir échoué en amour. Il essaie plutôt d'échapper au sentiment qu'il est indésirable et indigne d'amour. Le mauvais élève qui n'étudie pas avant un examen n'essaie pas de gâcher sa vie en rétribution pour des vieux péchés, mais cherche plutôt à éviter de perdre la face en se disant qu'il vaut mieux ne pas avoir donné sa pleine mesure si l'on n'a aucune autre perspective que l'échec. Le timide qui évite les sorties et les soirées entre amis n'essaie pas de prouver qu'il est nul ni d'épargner aux autres le fardeau de sa triste compagnie; il craint qu'en s'approchant des autres il sera rejeté, ce qui lui semble pire que tout puisqu'il lui faudrait en conclure qu'il est totalement inintéressant et sans valeur.

C'est donc l'amour, et non la haine, qui sous-tend les comportements autopunitifs. Notre amour-propre est si grand qu'il nous devient intolérable d'être vus sous un mauvais jour. Lorsque les circonstances jouent néanmoins contre nous, notre premier réflexe est de nous réfugier dans l'ombre — c'est-à-dire d'échapper à la conscience de soi. Nous verrons maintenant par quels mécanismes nous accomplissons ce mouvement de fuite.

IV

La fuite

Je vous le dis avec solennité: j'ai voulu devenir un insecte à de nombreuses reprises. Et, même là, je n'ai pas eu l'honneur. Je vous assure, messieurs, avoir une conscience trop développée, c'est une maladie, une maladie dans le plein sens du terme. La vie quotidienne ne se contenterait que trop d'une conscience normale...

FÉDOR DOSTOÏEVSKI, *Les carnets du sous-sol*

Comment, au juste, réussit-on à détourner son esprit de sa propre identité? On ne peut pas tout simplement faire disparaître le soi comme on éteint une lampe. D'emblée, l'idée d'échapper au soi semble impossible du point de vue logique et, en pratique, la chose reste difficile à réaliser même lorsqu'on a appris à manipuler son esprit de manière à y parvenir.

Il ne faut pas oublier qu'il y a une différence entre fuir quelque chose et fuir *vers* quelque chose. Certains veulent échapper à eux-mêmes parce que leur soi se trouve inextricablement lié à des pensées ou à des émotions pénibles. D'autres veulent échapper à eux-mêmes pour en tirer des bienfaits comme l'extase ou le sentiment océanique. De même qu'il existe plusieurs moyens de fuir, il existe aussi plusieurs raisons de vouloir fuir. Mais dans la plupart des cas, les mécanismes de fuite ont des points en commun.

DÉCONSTRUIRE LE SOI

Il serait facile de s'oublier soi-même s'il suffisait d'obliger l'esprit à penser à autre chose, mais il n'est jamais simple d'écarter de son esprit des pensées indésirables, et le taux de réussite est au mieux marginal[1]. Lorsqu'il s'agit d'éliminer le soi de la conscience, les difficultés sont encore plus nombreuses puisque le soi ne peut à la fois supprimer des pensées sans être présent à lui-même. S'il est impossible d'obliger l'esprit à oublier qui nous sommes, nous pouvons toutefois recourir à des stratégies mentales qui réduiront considérablement les dimensions du soi, ce qui permet d'en faire disparaître plusieurs éléments.

Identité et signification

Comme nous l'avons vu, le soi est une vaste entité aux facettes multiples — beaucoup trop vaste et complexe pour pouvoir tenir tout entier dans la conscience[2]. Lorsque vous pensez à vous-même, vous ne vous concentrez en fait que sur une partie de vous-même. Il peut s'agir de votre corps, d'une partie de votre corps, d'un trait de caractère, de l'impression qu'un autre se fait de vous, de votre rôle professionnel, ou d'un aspect de votre personnalité au travail comme votre capacité de bien dessiner les graphiques qui accompagnent vos rapports. En déplaçant votre attention, vous pouvez prendre conscience de ces différents aspects de vous-même. Vous ne réussirez manifestement pas à éliminer définitivement toute notion de vous-même et rien ne vous oblige à perdre toute conscience de votre identité. Mais c'est un moyen de détourner l'attention de certains aspects de vous-même. Si votre patron vous a dit que les graphiques de votre dernier rapport étaient mal dessinés et mal présentés, vous aurez peut-être envie de ne pas trop penser à vous-même sous cet aspect. Vous pourriez alors choisir de tourner votre attention vers un autre aspect de vous-même. En vous concentrant sur le fait que vous êtes un bon parent ou un musicien doué, vous pourrez échapper aux sentiments négatifs associés à vos dessins maladroits.

Pour bien des gens, les différents aspects du soi sont interreliés[3]. Il ne suffit alors pas de centrer son attention sur un autre rôle ou de se rappeler qu'on réussit bien dans d'autres domaines. Dans ce cas, il faut recourir à des mesures plus radicales. On peut par exemple tenter de *rétrécir* le soi. Au lieu de centrer son attention sur un autre aspect du soi, on se concentre étroitement sur un tout petit aspect qui, de préférence, sera sans lien aucun avec le problème. Le plus utile semble alors de ramener le soi à son aspect le plus fondamental et le moins significatif — le corps — en centrant l'esprit sur des sensations et des mouvements exclusivement corporels comme la douleur, la chaleur, la marche ou même la respiration.

On parvient ainsi à se dépouiller des nombreuses couches de signification qui forment l'identité personnelle. Une fois ce réseau de significations éliminé, il ne reste plus que le corps: les problèmes, les inquiétudes, les émotions et les tensions se rapportent aux *significations* du soi. Que les graphiques qui illustrent vos bilans soient bien ou mal faits ne se rapporte qu'à certains aspects significatifs de vous-même — votre travail, votre avenir, votre carrière, votre compétence, votre capacité à pourvoir aux besoins de votre famille. Tout cet ensemble de préoccupations s'évanouit si vous pouvez en arriver à n'être plus conscient que de votre corps. Si vous partez faire du jogging et concentrez votre esprit sur le mouvement de vos jambes, tout le reste cessera de vous préoccuper. Vous centrez toujours votre esprit sur vous-même puisque vos jambes font partie de vous. Mais elles ne sont qu'une petite partie de vous et n'ont rien à voir avec le réseau complexe de significations qui constitue votre identité. Si vous pouvez centrer votre esprit sur les muscles de vos jambes, vous oublierez complètement les graphiques mal dessinés qui accompagnaient votre dernier rapport.

En échappant au soi, on renverse le processus de constitution du soi. On se dépouille de tout ce qui est venu s'ajouter au corps: rôles, traits de caractère, obligations. Si le soi est une *construction*, en ce sens qu'il est un aggloméré de divers éléments, on peut y échapper en le *déconstruisant*, ce qui signifie essentiellement le défaire, le démembrer. Il ne reste plus alors que la partie absolument fondamentale du soi, le corps. Outre le corps, le reste du soi a été *fabriqué* et pour y échapper il faut parvenir mentalement à le déconstruire.

Si vous pouvez ramener votre perception de vous-même à vos seules fonctions corporelles, vous vous libérerez de la plus grande partie du soi. On peut songer, par exemple, à l'exercice que doivent faire les aspirants à la maîtrise du zen en concentrant leur esprit exclusivement sur leur respiration. La respiration est une activité quotidienne que nous répétons sans cesse sans nous en rendre compte. Ce n'est en aucune façon un moyen de définir notre identité personnelle. On aurait du mal à imaginer une situation dans laquelle on pourrait sérieusement donner à la question «qui êtes-vous?» la réponse «je suis quelqu'un qui respire». Le fait de respirer ne vous distingue d'aucun autre être vivant (même pas des animaux) et ne vous rend ni plus ni moins apte à mener à bien une activité, un projet ou quoi que ce soit d'autre. La respiration, en tant que processus corporel on ne peut plus banal, est peut-être l'aspect le plus fondamental auquel on puisse ramener le soi. En se concentrant uniquement sur sa respiration, on peut donc échapper considérablement au soi. Le passé, le futur, les symboles, les significations, les possibilités: tout s'évanouit. Le soi a été démembré, déconstruit, à tel point qu'il n'en reste presque plus rien.

Rétrécissement mental

Les processus mentaux qu'adopte l'esprit pour échapper à la conscience de soi peuvent être groupés sous les rubriques suivantes: refus de la signification, réduction de l'horizon temporel, concentration sur les détails et les modalités, pensée rigide et banalisation. On entend par refus de la signification le fait d'éviter toute pensée significative, ce en quoi consiste essentiellement le rétrécissement mental. L'identité est formée de significations: pour échapper à l'identité, on peut choisir de suspendre toute forme de pensée significative. Comme la signification sert à construire l'identité en associant au corps matériel tout un ensemble de symboles, d'idées et d'autres entités, on peut parvenir, en suspendant toute forme de pensée significative, à détacher le corps de tous ces éléments. Sans signification, l'univers n'est plus qu'un magma d'objets et d'événements fragmentés, isolés, dissociés et désarticulés.

Ce refus de la signification peut se révéler particulièrement souhaitable lorsque le désir de fuite résulte d'une catastrophe. La catastrophe et ses répercussions sur le soi sont essentiellement une question de signification. Prenons par exemple un étudiant qui rate un examen important. L'échec en soi est une question de signification, car l'échec est relatif et la façon de répondre dépend de la capacité de déchiffrer et de comprendre les questions. L'échec entraînera diverses conséquences: l'élève aura une mauvaise note pour l'ensemble du cours, peut-être l'obtention de son diplôme sera-t-elle compromise, peut-être lui deviendra-t-il plus difficile de s'inscrire aux études supérieures ou dans un centre de formation professionnelle ou encore d'obtenir un bon emploi. Le talent de l'étudiant peut aussi être mis en cause: il se demandera peut-être s'il est assez intelligent pour réussir dans le domaine qu'il a choisi. Il peut en résulter de l'inquiétude, de la peur, de l'anxiété ou d'autres sentiments déplaisants. Mais si l'étudiant parvient à suspendre toute forme de pensée significative, toutes ces réflexions s'évanouiront de son esprit. S'il parvient à ne percevoir rien d'autre que la réalité de son corps assis dans un fauteuil, il pourra éviter de songer à tout ce qui a trait à ses capacités, à ses perspectives d'avenir ou à d'autres sujets anxiogènes.

En cessant de penser en termes significatifs, il est également possible d'éviter d'en venir à des conclusions déplaisantes. Si la mauvaise note à l'examen conduit l'étudiant à déduire qu'il n'est pas assez intelligent pour réussir, il parviendra à échapper à cette réflexion pénible s'il arrive à empêcher son esprit de tirer quelque conclusion que ce soit. Ou encore, si l'échec a pour effet de compromettre les objectifs de carrière et les plans d'avenir de l'étudiant, il lui sera possible d'éviter l'anxiété en suspendant toute forme de réflexion portant sur des généralités.

En fuyant, nous manifestons une tendance à vouloir éviter toute forme de pensée significative. Nous voulons que notre esprit cesse de réfléchir à des questions d'envergure qui nous rappelleront nos problèmes, nos inquiétudes et nos anxiétés. On trouvera acceptable de penser à un sujet bien circonscrit: comment réparer un robinet qui fuit ou toute autre tâche de ce genre qui ne nous rappellera pas l'échec. Il s'agit surtout alors de rompre les liens conceptuels: cesser toute forme d'activité mentale qui permette de relier les événements en cours à d'autres époques, d'autres lieux, d'autres événements ou d'autres idées. Il faut également réduire l'intérêt porté aux grands principes et aux contextes généraux. Il faut que l'esprit cesse de vouloir apprendre, de tirer des conclusions, d'évoquer des attitudes d'ensemble. Le présent doit être isolé de toute autre période ou de tout autre événement et l'expérience en cours doit être laissée à l'état sauvage: non analysée, non interprétée, non élaborée. Les événements se produisent, un point c'est tout, inutile de chercher à comprendre quoi que ce soit. En défaisant ou en *déconstruisant* l'expérience, on peut en chasser de l'esprit les aspects menaçants et désagréables.

C'est dans la réduction de l'horizon temporel que l'expression «rétrécissement mental» s'applique le mieux. Le masochisme sexuel, l'ébriété ou les préparatifs de suicide concentrent très fortement l'esprit sur le *hic et nunc*, ce qui réduit l'horizon temporel au présent immédiat en éliminant le passé et le futur. Tout ce qui ne concerne pas l'environnement sensoriel immédiat semble très, très éloigné. Les événements du passé et de l'avenir sortent complètement du champ de la conscience.

Cette concentration de l'esprit sur le court terme peut modifier le sentiment que l'on a du passage du temps. Il va sans dire que le temps semble passer vite ou lentement selon la situation dans laquelle on se trouve. Lorsque le passé et l'avenir sont exclus de la pensée consciente, on a l'impression que le présent prend de l'expansion. Le temps passe lentement, s'éternise. Lorsqu'on regarde l'heure, on s'étonne du peu de temps qui s'est écoulé. Pour comprendre ce phénomène, il faut songer à quelques variations dans le passage du temps. À un bout du spectre, lorsqu'on est profondément absorbé par une réflexion significative, comme lorsqu'on se prépare pour un événement important, le temps semble passer très vite. Quelqu'un qui s'est laissé absorber par une activité créatrice très accaparante sera souvent surpris de constater que le temps a filé et qu'il est déjà fort tard.

En revanche, une activité sans intérêt aura l'effet contraire. Le temps passe extrêmement lentement et on s'étonne du peu de temps qui s'est écoulé. Attendre en ligne dix ou vingt minutes peut sembler interminable. Le rétrécissement mental associé à la fuite donnera le sentiment que le temps passe très lentement, ce qui peut correspondre dans une certaine mesure à ce que ressentent les jeunes enfants, les héroïnomanes ou les dépressifs pour qui chaque jour paraît interminable.

Cette façon de se concentrer sur le moment présent a quelque chose à voir avec le refus de la signification puisqu'en règle générale, les significations d'ensemble ont un horizon temporel relativement vaste[4]. La signification est d'une importance considérable pour l'adaptation humaine parce qu'elle nous permet d'aller au-delà du stimulus immédiat — de planifier, de prévoir, d'envisager des possibilités. La signification nous permet de réfléchir à des choses qui sont au-delà de ce qui se trouve sous notre nez. Mais la fuite exige que l'on concentre son attention sur les stimuli immédiats. Pour penser à la semaine prochaine ou à l'an prochain, il faut faire appel à la signification: il faut concevoir des idées, envisager des possibilités, faire des choix. Mais pour être conscient du présent immédiat, il n'est pas nécessaire de faire appel à la signification. Les animaux inférieurs, par exemple, peuvent être parfaitement conscients de leur environnement sensoriel immédiat, mais, sans faire appel à la signification, il leur est impossible de penser à l'an prochain.

On peut aussi fuir en optant pour un mécanisme mental qui consiste à centrer son attention sur de petites choses ou de petits événements afin d'éviter la réflexion significative ou à plus longue portée. Les moyens sont, par définition, plus accessibles que la fin, de sorte que plus on fixe son attention sur le présent immédiat, moins on songe aux objectifs et aux résultats futurs et plus on se concentre sur les modalités et les détails. En réfléchissant à des objectifs et à des résultats, on peut se laisser entraîner sur le terrain de la pensée significative en évoquant des évaluations morales ou des normes de rendement. Ces considérations nous rappelleront justement les choses que nous tentons d'oublier. En nous concentrant sur les détails et les modalités, nous pourrons éviter toutes ces questions plus vastes. Une modalité trouve son contexte dans un objectif immédiat, et cela suffit.

Certains éléments de preuve montrent que les gens cherchent effectivement à centrer leur esprit sur les détails et les modalités lorsqu'ils veulent éviter de penser aux significations. Lorsque le contexte significatif risque d'être menaçant, les gens semblent fixer leur attention sur les détails et les aspects techniques des choses. Les criminels, par exemple, n'envisagent généralement pas les dimensions morales ou socio-économiques qui peuvent se rapporter à leur crime. Ils ne se demandent pas comment les gens réagiront au fait d'être leurs victimes et ne réfléchissent pas à toutes les répercussions de l'action de voler des objets qui appartiennent à quelqu'un d'autre; ils se concentrent plutôt sur la façon la plus efficace de faire le travail. Ils pensent à éviter d'attirer l'attention, à ne pas laisser leurs empreintes digitales, aux moyens d'ouvrir la fenêtre et à divers autres détails techniques ponctuels[5].

On a souvent dit la même chose des nazis qui ont pris part au génocide des Juifs[6]. Les travailleurs, les médecins et les gardiens des camps de concentration ne situaient pas leurs actes dans le contexte d'un horrible meurtre collectif. Ils se concentraient plutôt sur les tâches à accomplir dans l'immédiat. Ils envisageaient leurs activités dans la perspective de listes de vérification, de déplacements de file d'attente, d'obéissance aux ordres et d'actionnement de manettes. En se laissant accaparer par des détails techniques et des modalités, ils parvenaient à éviter l'horreur qui aurait normalement dû accompagner la prise de conscience globale de leurs activités.

Le rétrécissement mental nécessaire à la fuite peut rendre étroit d'esprit et rigide. Pressée par les circonstances, la personne en état de rétrécissement mental peut faire appel à ses connaissances et à son expérience, mais laissée à elle-même, elle préférera s'en remettre à des formes de pensée préétablies et stéréotypées. Cette rigidité mentale nuira surtout à l'activité créatrice. La créativité repose sur la *pensée divergente*, c'est-à-dire sur la capacité d'explorer de nouvelles possibilités, de nouvelles significations, d'établir des liens inédits — tout ce que tente d'éviter la personne qui cherche à fuir. Un artiste ou un écrivain doit pouvoir situer les choses dans un contexte différent, les grouper de façon originale. Son esprit doit donc pouvoir jouer, jongler avec les idées, les expérimenter. Une pensée étroite et prédéterminée signe l'arrêt de mort de la créativité, ce qui explique sans doute le déclin de l'art en URSS au cours du régime totalitaire. La liberté de pensée est une condition absolue du grand art.

Le rétrécissement mental empêche d'accueillir de nouvelles idées et de nouvelles possibilités. L'esprit perd de sa souplesse. Il reste encore possible de résoudre des problèmes à court terme ou d'appliquer aux situations en cours des leçons tirées du passé. Le rétrécissement mental n'empêche pas de réussir un examen d'arithmétique puisqu'il s'agit alors surtout d'appliquer des règles bien connues. Mais la pensée créatrice, comme la capacité à imaginer de multiples moyens d'utiliser un objet familier, devient beaucoup plus difficile.

En général, il faut une certaine souplesse mentale pour intégrer de nouvelles idées. On peut avoir à repenser certaines façons de se concevoir soi-même ou de concevoir le monde et il s'agit là d'une activité significative au sens large. Or voilà justement ce que veut éviter la personne qui cherche à fuir. De même, jouer avec des idées, déplacer des contextes ou chercher des aperçus pénétrants sont autant d'activités qui vont à l'encontre du but principal que vise le rétrécissement mental.

La personne qui cherche à fuir se concentre sur les stimuli immédiats et, par conséquent, se laisse envahir par des objets concrets. Son esprit reste en surface des choses plutôt que d'aller à la recherche de significations profondes, de mystères, de conséquences et de contextes. Il tient à rester superficiel. Il en résulte que le déroulement de la pensée reste plutôt banal, vide de tout contenu intéressant. Poussé à sa limite, le rétrécissement mental rend les gens ennuyants et les fait s'ennuyer.

En général, nous traitons les événements qui se produisent dans notre vie de façon hautement significative. Nous situons nos actes dans un contexte d'objectifs et de conséquences à long terme. Nous interprétons nos expériences par rapport à des règles et à des valeurs morales, ou par rapport à d'autres expériences ou leçons préalablement acquises et à des principes généraux. Le rétrécissement mental, par contre, réduit l'action et l'expérience à leur plus simple expression. La prise de conscience la moins significative est sûrement celle qui porte sur le simple mouvement des muscles[7]. Imaginons une biographie du général de Gaulle qui s'en tiendrait à une description du mouvement de ses muscles tout au long de sa vie. Il s'agirait d'un récit très superficiel et ennuyant qui passerait complètement à côté de la signification profonde de son influence sur le cours de l'histoire française[8]. Toutefois, s'il vous devient possible de limiter votre conscience aux seuls mouvements de vos bras et de vos jambes, vous aurez réussi à échapper aux significations complexes. Le soi qui ne fait rien d'autre que bouger ses bras et ses jambes n'est plus qu'un corps et a cessé d'être un être socialement défini.

L'expérience peut, de la même façon, être ramenée à la seule sensation. L'expérience, sous sa forme la plus complète, comprend une opération d'intégration complexe et significative qui interprète les événements et les relie les uns aux autres dans le temps et dans l'espace[9]. Les événements ont une signification et ils sont interreliés, mais le rétrécissement mental s'efforce de réduire l'expérience à l'apparence et aux sensations. Prenons comme exemple l'activité sexuelle. La sexualité peut être une activité très significative si elle se situe dans le contexte de l'amour, du partage, de l'intimité et de l'établissement de rapports interpersonnels. Mais la sexualité peut également être réduite à une suite de gestes (se dévêtir, s'embrasser) et de sensations (contact de la peau, chaleur, inconfort, plaisir, fatigue). Comme on peut le voir en observant des lapins, il est possible d'avoir une activité sexuelle intense sans faire appel au langage, au symbolisme, aux responsabilités ou aux engagements — c'est-à-dire aux significations. Toutes ces significations peuvent transformer l'activité sexuelle pourvu qu'elles soient évoquées. (On pourrait en déduire que la signification améliore l'activité sexuelle, ce qui n'est pas nécessairement le cas puisque la sexualité dépend fondamentalement d'un ensemble de processus corporels et qu'une préoccupation pour le sens peut nuire et même empêcher toute satisfaction — comme les sexologues le reconnaissent depuis longtemps[10].)

LES CONSÉQUENCES DE LA FUITE

Jusqu'à présent, nous nous sommes intéressés à ce qui se déroule dans la pensée consciente au cours du processus de fuite. Mais comment ce processus se répercute-t-il sur les actions et les sentiments du sujet?

Passivité et impulsivité

Premièrement, le sujet devient passif. Prendre le pouvoir, exercer du contrôle sont des manifestations importantes du soi. On peut donc s'attendre à ce que la fuite entraîne une certaine passivité.

Pour faire preuve d'initiative, il faut souvent avoir recours à la signification. Il faut tirer des plans, prendre des décisions, autant d'activités qui mettent en œuvre des significations tout en étant elles-mêmes fondées sur des significations. Pensez à tout l'effort de réflexion nécessaire pour mettre au point un nouveau projet dans le contexte de votre travail: il faut évaluer les perspectives de succès et l'utilité du projet, calculer les échéances, choisir le personnel, faire des liens avec d'autres projets et d'autres objectifs à atteindre, s'assurer que le projet n'entre pas en conflit avec d'autres projets de l'entreprise. La version finale du projet déterminera les comportements des individus pendant plusieurs mois. Une personne qui cherche à éviter la pensée significative ne voudra sûrement pas se donner tout ce mal.

Qui plus est, l'action exige la prise de responsabilités. Prendre une décision, c'est s'exposer à la critique, à l'échec, aux sarcasmes, sans oublier les évaluations morales et les poursuites judiciaires. Nombre de bureaucrates ont appris cette leçon à la dure école: il est toujours plus sûr de ne rien faire. Agir c'est prendre des risques. La passivité nous préserve de ces risques tandis que la prise de responsabilités place le soi en évidence et le rend vulnérable. Lorsqu'on cherche à échapper au soi, les responsabilités supplémentaires sont la dernière chose qu'on souhaite. La fuite a donc tendance à favoriser la passivité, le refus de l'engagement, des responsabilités et de toute autre forme d'action.

Par contre, les actes sans signification, qui ne font pas appel au soi d'une façon durable, n'entrent pas en conflit avec le désir de fuir. Les actes irresponsables ne font pas appel au soi. Les *actes impulsifs* forment une catégorie importante d'actes irresponsables et sans signification puisqu'ils sont accomplis sans réflexion, sans planification et, dans une grande mesure, sans prise de responsabilités. Lorsqu'on est critiqué par les autres pour quelque chose qu'on a fait, une façon de se défendre consiste à dire qu'on a agi de façon impulsive[11]. Même les tribunaux sont plus indulgents dans le cas d'un meurtre impulsif que dans celui d'un meurtre prémédité. Les gestes impulsifs ne font pas appel au soi. Ils peuvent même favoriser la fuite en offrant une forme de distraction. En accomplissant des gestes spontanés, hors de tout contexte significatif, on peut en venir à perdre de vue des considérations plus vastes et plus importantes[12]. Lorsqu'on tente d'oublier une peine de cœur ou un échec, on peut impulsivement faire un tour de voiture, une longue promenade à pied, le ménage du sous-sol ou aller dans les magasins sans but précis et acheter tout ce qui nous fait envie.

Les gestes compulsifs sont un cas extrême d'action sans signification. Un geste peut être dit compulsif lorsque la personne qui le fait n'en comprend pas clairement la signification, comme dans le cas bien connu des gens qui se lavent compulsivement les mains. La personne trouve une certaine satisfaction au fait de se laver les mains de façon répétée et ressent de l'anxiété lorsqu'elle ne le fait pas assez souvent. Elle sait que ses mains ne sont pas vraiment sales et ne comprend généralement pas pourquoi elle a toujours ce désir de les laver. Un thérapeute ou un analyste pourrait découvrir la signification profonde d'un tel geste compulsif, mais pour la personne elle-même, cette signification reste cachée. Souvent, ces gestes permettent à la personne de composer de façon symbolique avec un conflit personnel — tout en évitant la prise de conscience de sa signification troublante.

En général, la fuite donne lieu à la passivité. La plupart des actions font appel au soi de telle sorte qu'en se dépouillant du soi, on favorise l'inaction. L'activité de bas niveau, sans signification, impulsive, sans responsabilité, sans planification pourra faire exception à cette règle. Ce n'est donc pas sans raison que la consommation d'alcool et de drogue est décrite comme un acte irresponsable puisque la responsabilité exige la présence du soi.

Suppression d'émotion

L'émotion est tributaire de la signification. Voilà qui se retrouve dans la plupart des théories sur l'émotion. Le psychologue Stanley Schachter, par exemple, estime que la principale différence entre la pure excitation physique et l'émotion proprement dite tient à l'ajout de signification: l'émotion serait formée d'une excitation à laquelle s'ajoute une interprétation relative au contexte[13]. Un autre chercheur, le psychologue James Averill, a aussi décrit les émotions comme des rôles sociaux transitoires fondés sur l'interprétation culturelle de l'expérience[14]. Les sentiments des bébés humains ou des animaux inférieurs exprimés sans le bénéfice de la signification ne sont que des semblants d'émotion, non des émotions à part entière[15]. Que nous puissions avoir des réactions émotives fortes à la lecture d'un livre montre bien que l'émotion n'est pas une simple réaction naturelle à un stimulus physique mais bien un phénomène culturel[16]. Les gens ressentent des émotions en réaction à des événements définis par des valeurs culturelles et sociales, des attentes, des prescriptions et des choix. La colère, par exemple, dépend d'une évaluation complexe de la situation en fonction de normes et d'attentes très précises[17].

En refusant la signification, par conséquent, on peut arriver à réduire l'émotion. En interrompant toute forme de pensée significative, on peut arriver à désamorcer l'ensemble de son système émotionnel. Prenons l'exemple de l'angoisse en situation d'examen. Si vous estimez que l'examen est un moyen de déterminer votre niveau de compétence et, par conséquent, votre valeur en tant qu'être humain, ou si vous considérez que l'examen déterminera le cours de votre destinée, il est possible que la situation déclenche chez vous un sentiment de panique. Vous risquez de vous affoler à la vue de la première question difficile. Par contre, si l'examen vous paraît un exercice mécanique qui consiste à lire la question et à inscrire une réponse sur une feuille, vous en ressentirez moins d'émotion. C'est facile de s'émouvoir lorsque tout le reste de sa vie est en jeu, tandis qu'il n'y a rien de bien émouvant à l'idée de faire des inscriptions au crayon sur une feuille. Des travaux ont montré que les gens réussissent mieux aux examens s'ils peuvent s'en tenir à un bas niveau de signification puisque ainsi leur investissement émotif et leur degré d'anxiété s'en trouve réduit[18].

Les émotions sont également rattachées au soi. Comme certains auteurs l'ont dit: «Les émotions sont l'étoffe même du soi[19].» C'est-à-dire que les émotions sont rattachées à l'évaluation des événements qui se rapportent au soi. Si votre perception de vous-même est fondée sur le fait d'être un avocat compétent, vous aurez des réactions émotives aux événements qui révèlent votre compétence ou votre manque de compétence en matière de droit. Si vous estimez essentiel d'être un bon parent, vous aurez des réactions émotives chaque fois que quelqu'un vous dira que vos enfants grandissent bien ou mal.

Autrement dit, les émotions sont fondées sur la façon dont le soi perçoit les progrès qu'il fait dans la réalisation de ses objectifs[20]. Les émotions aident le soi à régulariser ses propres activités régulatoires. Le soi est un système qui permet à l'organisme de continuer à progresser vers la réalisation de ses objectifs, et la conscience de soi est en quelque sorte une façon d'évaluer les progrès accomplis à cet égard[21]. Le soi s'autorégularise également et évalue sa façon d'assurer les progrès vers la réalisation de ses objectifs. Les progrès sont source de fierté, de satisfaction et de joie, ce qui va à l'appui du processus. Les échecs entraînent la colère, la frustration et la tristesse, lesquels engendrent l'énergie nécessaire pour procéder à des changements comme fournir un effort supplémentaire ou trouver de nouvelles stratégies.

Le rapport entre le soi et l'émotion a également été traité par le psychologue Tory Higgins qui l'abordait sous l'angle de la vulnérabilité aux émotions négatives. Le soi est associé à tout un ensemble de normes et d'attentes: nous nous mesurons en fonction des attentes des autres, de principes moraux, d'obligations, de niveaux de réalisation, d'objectifs et d'ambitions. Lorsque nous nous révélons inférieurs à ces attentes, il en résulte un état affectif désagréable[22].

Ce lien qui unit l'émotion et le soi explique à son tour pourquoi la fuite permet de réduire l'émotion. En ramenant au minimum la signification ou le sentiment de l'identité, on élimine des causes de réactions émotives. Un soi réduit au seul corps offre moins d'occasions de se mettre en colère (ou de se réjouir). L'un des principaux avantages à fuir le soi est qu'ainsi nous nous libérons de l'émotion. Le désir de fuite est souvent motivé par des émotions désagréables ou par le risque de ressentir des émotions désagréables. Nous cherchons à éviter de nous sentir malheureux. En nous dépouillant du soi, nous nous rendons moins vulnérables à la détresse émotive.

Levée des inhibitions

En échappant au soi, on peut réduire ses inhibitions, c'est-à-dire les barrières internes qui nous interdisent certains comportements. Les inhibitions sont généralement liées à la signification de certains gestes, et plus particulièrement à leur signification par rapport à l'identité personnelle. Les inhibitions sexuelles, par exemple, sont directement liées à la signification subjective de l'activité sexuelle: vais-je pouvoir donner un rendement satisfaisant? Est-ce immoral de prendre du plaisir à ceci? Vais-je me faire insulter si j'ai des activités sexuelles? Il ne s'agit pas alors de craintes engendrées par le contact physique lui-même, mais par la signification que prendra le contact sexuel et la façon dont le soi en sera défini.

Revenons un instant sur la différence entre le mouvement musculaire et l'action significative. Comme nous l'avons déjà dit, les mouvements musculaires sont les comportements les moins significatifs. Les inhibitions ne portent presque jamais sur les mouvements musculaires. Le vol nécessite des activités musculaires qui, en soi, ne suscitent ni réflexion ni émotion. Personne ne craint de s'emparer d'un objet et de le mettre dans sa poche, mais lorsque ces gestes servent à commettre un vol, la plupart des gens ressentent une inhibition au moment d'agir. Dans certaines circonstances, le fait de s'emparer d'un objet et de le mettre dans sa poche constitue un vol et l'inhibition porte sur cette définition significative.

Pour actionner une arme à feu, il faut effectuer des mouvements musculaires qui n'engendrent habituellement aucune inhibition: lever la main, bouger son index. Mais dans certains contextes, ces mouvements peuvent prendre une très lourde signification puisqu'il s'agit de blesser ou de tuer un autre être humain. On ressent alors une forte inhibition au moment d'agir. À l'étape de l'entraînement, les soldats apprennent à manier des armes et s'exercent à tous les mouvements nécessaires à cette fin. Dans le feu de l'action, toutefois, il arrive que de fortes inhibitions se manifestent soudain. Pendant la Deuxième Guerre mondiale, des chercheurs ont été étonnés de constater que les trois quarts des soldats américains étaient incapables de se résoudre à faire feu sur l'ennemi[23]. Non pas que les mouvements comme tels les gênaient: la mise en joue, le fait d'appuyer sur la gâchette étaient là des gestes qu'ils avaient accomplis plusieurs fois sans difficulté. C'était plutôt la signification du geste, dans le contexte général, qui déclenchait les inhibitions.

Les recherches ont montré que les inhibitions disparaissent si l'on peut en arriver à oublier son identité personnelle et à écarter de son esprit toute signification. La conscience de soi nous rend hésitants à commettre des gestes immoraux comme tricher[24], mais si nous pouvons parvenir à nous oublier nous-mêmes, nos hésitations diminuent. Les inhibitions sexuelles sont souvent liées à une conscience de soi très aiguë et l'oubli de soi permet souvent de les surmonter[25]. Échapper au soi ne donne toutefois pas lieu à des comportements totalement libres d'inhibitions. Comme nous l'avons déjà vu, les gens qui cherchent à fuir ne sont pas très portés à explorer des comportements nouveaux ou des activités créatrices; ce sont plutôt des gens ordinaires, étroits d'esprit et rigides. Les seules inhibitions qui sont touchées sont liées à des conflits internes. Lorsqu'une personne désire faire quelque chose et s'en sent empêchée, elle peut avoir recours au rétrécissement de l'horizon mental pour lever l'inhibition. Il serait peut-être plus juste de dire que les barrières internes sont levées de sorte que la personne peut *envisager* de faire plus de choses qu'à l'ordinaire. Dans bien des cas, elle ne passera pas pour autant à l'action pour cause de passivité ou d'inquiétude. Mais les interdictions qui, normalement, seraient à l'œuvre sont mises en échec. Si l'occasion d'agir devait se présenter, la personne constaterait que plus rien ne la retient.

Instabilité des états de rétrécissement mental

Peut-on se maintenir longtemps dans un état de fuite? Autrement dit, peut-on refuser la signification une bonne fois pour toutes ou cela exige-t-il une lutte continuelle? Ces questions concernent les tendances naturelles de l'esprit. S'il est possible de rester concentré sur des objets banals et vides de sens, la fuite pourrait donner lieu à l'élimination pure et simple de toutes les structures significatives. Nous pourrions tout simplement écarter les pensées et les sentiments désagréables et y rester insensibles sans effort. Si l'esprit pouvait rester vide en toute satisfaction, l'état de fuite serait facile à réaliser.

Malheureusement, ce n'est pas le cas. La fuite est un état instable. L'esprit ne parvient pas à se concentrer en toute satisfaction sur des objets vides de sens. L'esprit humain se met immédiatement à la recherche de significations plus vastes et est naturellement porté à réfléchir, à chercher des structures et à analyser. Il n'est pas nécessaire d'obliger les enfants à apprendre à réfléchir ou à tirer des conclusions — ils le font d'eux-mêmes, et après qu'ils ont commencé, il est difficile de les arrêter. Les adeptes de la méditation constatent aussi très rapidement que l'esprit refuse de rester immobile et cherche constamment à vagabonder, à faire des bonds ou à se perdre en divagations. Il semble que l'être humain veuille interpréter ses actes en leur donnant une signification. Lorsqu'ils réfléchissent à leurs actes, les gens semblent naturellement portés à chercher des descriptions globales et significatives[26]. Ils s'écartent de cette tendance générale uniquement s'ils ont une raison précise de s'orienter vers un niveau de pensée inférieur et d'y rester.

L'esprit humain est peut-être naturellement programmé pour l'analyse et la quête de significations. L'esprit a sans doute évolué de façon à devenir un instrument d'adaptation qui nous permet de tirer parti de notre milieu environnant. À cette fin, il doit reconnaître des structures et dégager des principes généraux, ce qui oblige à dépasser le niveau des événements isolés afin de tirer des conclusions globales. C'est à cela que sert l'esprit; il n'y a donc rien d'étonnant à ce qu'il prenne cette direction chaque fois que c'est possible.

Bref, l'esprit tend naturellement vers les significations d'ensemble. En temps ordinaire, cette tendance ne pose aucun problème. Elle est peut-être même aussi utile et aussi nécessaire à l'adaptation qu'elle l'était dans les premiers temps de l'évolution. Lorsque nous devons maîtriser une activité nouvelle, nous nous concentrons d'abord sur les mécanismes de base, mais dès que nous les avons maîtrisés, nous passons à des niveaux de signification plus globaux[27]. Quelqu'un qui apprend à jouer au tennis doit d'abord centrer son esprit sur la façon de tenir la raquette et de positionner son corps. Mais une fois ces éléments acquis, il lui devient possible de se tourner vers des aspects plus significatifs du jeu, comme la façon de compter les points, les tactiques auxquelles recourir en présence de tel ou tel adversaire et les stratégies applicables à l'ensemble d'un match.

Cette tendance de l'esprit à s'élever peut toutefois faire problème lorsque le sujet aspire à la fuite. Pour échapper au soi, il faut rejeter la signification et créer une sorte de vide mental. Mais l'esprit cherche sans cesse à combler ce vide en revenant à une forme de pensée significative. Il est difficile de se maintenir à un niveau de pensée inférieur et il faut à cette fin faire un effort constant ou recourir à un élément externe de distraction. Lorsque l'effet de l'alcool ou de la drogue est dissipé, il en faut une autre dose si l'on veut éviter que les pensées indésirables ne reviennent.

D'autres difficultés empêchent aussi de se maintenir dans un état de rétrécissement mental. Une foule d'événements peuvent nous rappeler les choses mêmes que nous tentons d'oublier. L'amoureuse éconduite peut tenter d'oublier sa tristesse et son compagnon infidèle. Elle peut s'efforcer de chasser ce dernier de son esprit, mais une foule de choses associées au souvenir de l'amant lui rappelleront sans cesse leur vie commune. Une chanson à la radio, quelques mots à la télévision sur un lieu qu'ils ont visité ensemble, la vue d'un appareil qu'ils ont acheté en commun, toutes ces choses feront surgir dans son esprit les significations qu'elle tente d'oublier[28]. Un seul objet peut déclencher un déferlement de souvenirs, de réflexions, d'inquiétudes et d'émotions. Même en faisant preuve d'une vigilance constante, il se révélera impossible de conserver un esprit vide et un horizon mental rétréci.

En revanche, la tendance de l'esprit à réfléchir peut aussi être utile. Lorsque survient un traumatisme ou un malheur particulièrement grave, par exemple, nous pouvons dans un premier temps rejeter la pensée significative comme c'est le cas quand nous recourons au déni. Mais plus tard, nous ferons face à la crise en trouvant de nouveaux moyens d'interpréter ce qui s'est passé et de reconstruire notre univers[29]. De même, le passage à des formes de conscience relativement libres de signification est parfois essentiel à l'évolution et à la croissance personnelles. La psychothérapie conduit souvent à modifier notre façon de nous percevoir et de percevoir le monde. Il faut souvent dans un premier temps se dépouiller des vieilles façons de voir afin de faire place aux nouvelles. La recherche a montré qu'en favorisant le passage à des formes de pensée moins significative, on pouvait amener les gens à accepter de nouvelles façons de se concevoir eux-mêmes[30]. Comme nous le verrons, on peut à cette fin avoir délibérément recours au rétrécissement de l'horizon mental. La méditation, par exemple, amène l'esprit à se centrer sur des éléments de peu d'importance (comme respirer ou compter) comme première étape pouvant mener à une vision du monde radicalement nouvelle et transformée.

Mais que l'esprit avance ou recule, l'état de rétrécissement mental reste instable. Il est très difficile de se maintenir indéfiniment dans un état de pensée non significative. Ou on revient vers les significations auxquelles on tentait d'échapper ou on fait un pas en avant vers de nouvelles formes de pensée — élément qui pourrait permettre de mieux comprendre les motifs de fuite. Le rétrécissement de l'horizon mental n'a pas toujours la même ampleur; tout dépend de la nature de la fuite. L'ivresse réussit à suspendre la pensée significative jusqu'à ce que les effets de l'alcool se dissipent, après quoi il faut une nouvelle dose d'alcool. La méditation, par contre, repose sur la volonté de concentrer son esprit et tous les adeptes de la méditation découvrent vite à quel point l'esprit cherche à vagabonder. Une personne qui vient de vivre une expérience difficile et qui s'efforce d'écarter de son esprit des émotions douloureuses et des pensées dévalorisantes ne trouvera sans doute pas dans la méditation un remède suffisamment puissant.

Ces différences de pouvoir sont sans doute reliées aux diverses motivations qui suscitent le désir de fuir. En situation de crise, il faut recourir à de fortes manipulations de l'esprit. Mais à l'autre bout du spectre se trouvent les gens qui cherchent à se libérer l'esprit temporairement afin d'accéder à des niveaux plus élevés de croissance personnelle ou spirituelle et qui ont plutôt recours à des moyens moins énergiques comme la méditation.

L'irrationnel, le fantaisiste et l'incohérent

Une fois réalisés le rejet de la signification et la déconstruction du soi, les avenues normales de la pensée et de la vie sociale se trouvent perturbées. La socialisation — ce processus qui transforme le petit animal sauvage et démuni qu'est le nouveau-né en une personne capable de s'intégrer à la société humaine — est en quelque sorte l'apprentissage d'une certaine façon de penser. L'intelligence sociale est une connaissance des règles en vigueur: comment se comporter, quelles comparaisons faire, comment interpréter les événements. Il en résulte, entre autres, ce qu'on appelle le bon sens, c'est-à-dire la connaissance des choses qu'une personne ordinaire devrait savoir et une forme de pensée correspondant à ce que la moyenne des gens devraient penser dans une société donnée. En rejetant la signification, on met en échec bon nombre de ces règles et principes. Les règles et principes, somme toute, sont des formes de signification relativement complexes que le rétrécissement mental a tendance à écarter. Dans certains cas de rétrécissement mental, comme l'ivresse ou les états pré-suicidaires, le bon sens est vite éliminé. L'identité moderne s'accompagne de façons bien précises d'envisager la vie. Les valeurs personnelles, par exemple, sont des critères d'évaluation hautement significatifs et se font aussi écarter lorsque la personne choisit de fuir.

Nous avons constaté précédemment que l'esprit ne tend pas naturellement à rester vide et oisif, mais cherche plutôt à revenir vers une forme de pensée significative. Comme les idées et les modes de pensée les plus courants sont suspendus, toutefois, peu de restrictions s'appliquent aux pensées significatives susceptibles de venir combler le vide. Nous devenons soudain vulnérables à l'assaut de pensées bizarres et peu orthodoxes, ou d'idéologies nouvelles ou déviantes. En état de rétrécissement mental, les gens sont plus facilement portés à adhérer à de nouvelles idées. Ils sont aussi moins sensibles aux contradictions qui marquent leurs comportements. Nous verrons plus loin comment les personnes suicidaires ont une pensée irrationnelle et en viennent à des conclusions souvent étranges. Les masochistes sexuels aussi sont amenés à mettre en scène des situations normalement impensables. Sous l'effet de la drogue ou de l'alcool, les gens trouvent parfois très profondes des idées qui, en temps normal, leur paraîtraient ridicules.

La fuite sous-tend ces comportements en partie parce qu'elle atténue le bon sens. Dans l'impossibilité de faire appel au bon sens, bien des idées qui seraient d'ordinaire repoussées semblent soudain plausibles ou attrayantes. Le bon sens nous indique comment penser; mais par la même occasion, il supprime à la fois les idées bizarres et certains aspects de l'inspiration créatrice. Le philosophe Martin Heidegger et d'autres théoriciens se sont élevés contre le bon sens parce qu'ils y voyaient un obstacle à la pensée authentique et créatrice justement pour cette raison[31]. Que cette suppression soit bonne ou mauvaise n'est toutefois pas en cause ici: pour le moment, nous nous contenterons de dire que le bon sens nous permet de continuer à penser selon des modes habituels et fiables et que si la fuite nous écarte de ces sentiers battus, nous risquons de devenir réceptifs à des idées que nous serions normalement portés à rejeter.

La fuite supprime aussi la pensée critique et évaluatrice. Généralement, lorsque nous sommes mis en présence d'une suggestion ou d'une idée nouvelle, nous nous demandons si elle est conforme à la réalité et aux principes acceptés. Une telle pensée critique oblige à utiliser notre esprit d'une façon hautement significative, à assembler des idées multiples et à examiner si elles sont compatibles ou contradictoires — ce qui est impossible à faire lorsqu'on a réussi à écarter toute forme de pensée significative. La fuite par contre peut nous amener à accepter des idées sans faire preuve d'esprit critique, ce qui a pour résultat de nous rendre plus réceptifs à de nouvelles religions, à de nouvelles doctrines politiques, à la pensée créatrice ou à des conclusions bizarres et irrationnelles. Il peut donc en résulter du bon et du moins bon.

La question de la cohérence se pose ici avec une acuité particulière. La cohérence, par définition, oblige à effectuer des opérations nombreuses qui font appel à la signification. Des événements ponctuels doivent être transformés en principes généraux et comparés à d'autres principes (dérivés d'événements du passé). Parce qu'ils évitent ces processus mentaux, les gens qui cherchent à fuir ont des comportements qui entrent en contradiction avec leur façon habituelle de penser et d'agir. Les comportements sans inhibition dont nous avons parlé plus haut peuvent être considérés comme une forme d'incohérence puisqu'ils se traduisent par des actions contraires aux comportements habituels de la personne.

Il semble y avoir contradiction ici. Nous avons indiqué précédemment que la pensée avait tendance à devenir rigide et stéréotypée pendant la fuite; pourtant, il semble y avoir ici la possibilité d'idées nouvelles et créatrices. Comment la pensée pourrait-elle être à la fois rigide et ouverte à de nouvelles idées? Il y a plusieurs façons d'expliquer cette contradiction apparente. Ainsi, la rigidité mentale s'applique à la pensée individuelle et spontanée tandis que l'ouverture d'esprit désigne la capacité d'être sensible aux idées des autres. Les personnes qui optent pour le rétrécissement mental font preuve de rigidité en ce sens qu'elles se récitent des clichés ou des principes très arrêtés lorsqu'elles ont besoin de conseils. Une personne mentalement rigide peut accueillir de nouvelles idées suggérées par quelqu'un d'autre — mais être dans l'impossibilité de concevoir elle-même de nouvelles idées. Il se peut aussi qu'elle devienne rapidement rigide au sujet de ces nouvelles idées, qu'il s'agisse d'idées personnelles ou non.

Une fois l'idée étrange installée dans l'esprit de la personne, elle peut s'y incruster. Par exemple, il est difficile de savoir exactement dans quelles circonstances les masochistes en sont venus à élaborer leurs fantasmes sexuels préférés, mais une fois le scénario établi, il peut leur paraître essentiel de le suivre à la lettre.

Enfin, il est sans doute possible de distinguer deux étapes à la fuite déclenchée par une situation de crise: une étape initiale de déconstruction (au cours de laquelle les significations courantes sont rejetées) et une étape de reconstruction (au cours de laquelle de nouvelles significations sont accueillies ou élaborées). La rigidité accompagne le plus souvent la première étape, puisque la personne cherche alors à ne pas penser, tandis que la deuxième étape permet d'accueillir de nouvelles significations de sorte que la personne peut passer au-delà d'une adhésion rigide à une doctrine. Cette deuxième étape est très différente de la première, surtout s'il s'agit de réagir à une situation de crise personnelle. La première réaction à un événement traumatisant en est souvent une de déni et d'insensibilisation mentale[32]. Ces attitudes entraînent le rejet de toute pensée significative et s'il se révèle impossible d'éliminer toute forme de pensée, on se contentera d'ânonner des clichés ou des idées toutes faites. Pour faire face à la crise, toutefois, il faut procéder à une reconstruction de l'univers significatif et, à cette fin, il faut absolument trouver de nouvelles significations. L'ouverture à de nouvelles significations peut donc accompagner cette deuxième étape[33].

Le principal problème survient lorsque, pour une raison ou une autre, les gens n'arrivent pas à réagir normalement — c'est-à-dire ne parviennent pas à reconstruire leur univers significatif. Ils restent alors coincés dans leur état de rétrécissement mental, craignant de reculer et incapables d'avancer. La tendance de l'esprit à chercher des significations les laisse alors à la merci de pensées bizarres et irrationnelles. Ces pensées peuvent être gardées à l'esprit sans trop de risque puisqu'elles sont suffisamment éloignées des significations auxquelles la personne cherche à échapper, mais elles ne l'aideront pas à reconstruire son univers.

La situation devient alors de plus en plus désespérée. L'esprit cherche spontanément à réfléchir mais ne trouve aucun ensemble acceptable de significations. L'instabilité de cet état de rétrécissement mental entraîne de grandes souffrances. La personne ne peut ni bouger ni rester en place de telle sorte qu'elle se met à la recherche de moyens de fuite de plus en plus puissants comme la drogue, l'alcool ou même, c'est là l'objet du prochain chapitre, le suicide.

V

Le suicide ou l'appel du vide

La pensée du suicide est une consolation puissante, elle aide à passer plus d'une mauvaise nuit.

FRIEDRICH NIETZSCHE, *Par-delà le bien et le mal*

Marie fit une tentative de suicide qui échoua. Après avoir pris du mieux, elle promit à sa famille de ne plus recommencer. Elle fit des efforts pour se reprendre en main: elle cessa de boire, entreprit une thérapie, mais sans résultat. Elle était toujours aussi malheureuse. Son fils commençait à dire qu'elle n'était pas sa mère, qu'elle était une sorcière et Marie ne savait que répondre. Le moindre incident l'ancrait toujours plus profondément dans son sentiment d'échec. Elle se sentait «submergée par un sentiment profond de dégradation et d'impuissance[1]». Elle avait l'impression d'être enfermée dans une souricière, d'être prise au piège, «je tournais en rond sans but en suivant des itinéraires qui ne menaient nulle part, ne menaient à rien[2]», plongée dans un crépuscule de désespoir toujours plus opprimant.

Puis elle se mit à collectionner des objets qui pourraient servir à un éventuel suicide. Elle avait promis de ne plus faire de tentative et n'avait pas pris la ferme décision de manquer à sa parole, mais elle faisait tout de même des préparatifs: qui sait? Elle trouva une lame de rasoir dans un nécessaire à couture et la plaça en lieu sûr. Elle se mit également à accumuler des pilules. Un médecin complaisant lui avait prescrit des calmants et un pharmacien compréhensif renouvelait sa prescription sans poser de questions. Elle put ainsi se constituer une imposante réserve de pilules de toutes sortes.

Puis arriva un jour particulièrement difficile. Atteinte d'une infection rénale, elle avait la certitude que le médecin, malgré les soins qu'il lui prodiguait, ne se préoccupait pas vraiment de son cas. Elle se sentait aussi trahie par son thérapeute. Marie et son mari consultaient un thérapeute familial et elle était convaincue qu'il s'intéressait plus à David qu'à elle. Se sentant rejetée, privée d'amour, isolée et complètement inutile, elle avait le sentiment d'être incomprise, convaincue que personne ne se souciait d'elle. Sa vie était parvenue au bout de l'impasse. Pétrie de désespoir, rongée par la solitude et la haine de soi, elle récupéra la lame de rasoir qu'elle avait cachée et s'ouvrit les veines. Par la suite, elle raconta que toute la scène s'était déroulée au ralenti, dans l'horreur et le dégoût. Elle se voyait gémir, pleurer, étouffer, crier, sombrer dans un univers de laideur et de désespoir. Elle sentait une douleur aux poignets, mais l'acceptait, l'accueillait même avec une certaine reconnaissance et s'obligeait à continuer.

«Je ne crois pas que l'idée du suicide se soit clairement présentée à moi à ce moment-là. Je faisais plutôt une crise de colère», écrivit-elle plus tard[3]. En se tailladant les veines avec la lame de rasoir, elle cherchait à exprimer sa rage et son désespoir.

Son mari entendit du bruit et vint voir. Il lui retira sa lame de rasoir et entreprit de soigner ses blessures qui n'étaient pas profondes. Plus tard, elle raconta qu'elle se sentait alors «étonnamment calme et lointaine[4]», d'autant plus qu'elle voyait dans quel état de tension et de nervosité se trouvait son mari. Elle n'avait pas tenu la promesse qu'elle lui avait faite. Il ne savait plus quoi faire, se demandait si leur mariage pourrait encore tenir le coup. Tandis qu'il arpentait la pièce, Marie cessa de s'intéresser à lui et à la vie. Elle venait de faire une chose impardonnable et avait perdu sa dernière chance d'amour et de sympathie. Il lui serait désormais totalement impossible de continuer à vivre.

Finies les crises de colère! Marie prit alors la ferme résolution de se suicider pour de bon et s'efforça de trouver le moyen d'y arriver. Comme son mari la suivait partout, il lui était impossible d'accéder à sa réserve de pilules. Puis le facteur sonna à la porte et son mari alla ouvrir. Vite, Marie récupéra toutes les pilules qu'elle avait cachées. Pour ne pas éveiller de soupçons, elle les plaça toutes dans une grande bouteille d'aspirine. Quand David vint lui demander ce qu'elle faisait, elle n'avait à la main qu'un flacon d'aspirine et put lui répondre calmement qu'elle avait un peu mal à la tête et allait prendre un cachet.

Puis elle annonça qu'elle irait s'allonger un peu dans sa chambre et son mari acquiesça. Seule, à l'étage, elle se glissa dans la salle de bains et se mit à avaler les pilules rapidement et sans bruit. Elle avait même songé à l'ordre dans lequel elle les prendrait pour obtenir l'effet maximal: d'abord les tranquillisants, puis les pilules diverses et enfin l'aspirine. Malheureusement, elle n'avait qu'un petit gobelet de papier pour l'eau de sorte qu'elle dut le remplir plusieurs fois et n'avaler que quelques pilules à la fois — et elle en avait des centaines. Elle resta donc un long moment absorbée par sa tâche: remplir le petit gobelet, introduire quelques comprimés dans sa bouche, boire le contenu du gobelet pour les avaler, remplir le gobelet de nouveau. Elle répéta ces gestes inlassablement jusqu'à en perdre la notion du temps.

Aux premiers signes de nausée, elle s'arrêta. Ce serait bête de vomir et de tout gâcher, se dit-elle. Elle retourna dans sa chambre et s'allongea, en se demandant s'il ne faudrait pas rédiger un mot. Elle en mit le texte au point dans sa tête. Une seule phrase: «N'oubliez pas de donner à manger aux chats[5].» Dans sa tête, elle dit adieu à son mari, à son fils et à son thérapeute. Elle se leva quelques instants pour répondre à son mari qui l'appelait, puis revint à son lit et perdit conscience. Son mari la trouva un peu plus tard, inconsciente et baignée de sueur. Il comprit et fit venir l'ambulance.

Marie survécut une fois de plus, mais pendant quelques heures, elle avait réellement voulu mettre fin à ses jours. S'agissait-il d'un appel au secours, d'un retour sur soi de l'agressivité ou de l'expression d'un sentiment d'incompatibilité comme le croient plusieurs théoriciens du suicide? Je pense, quant à moi, que le suicide est souvent un ultime effort pour échapper au soi.

Le caractère extrême et mésadapté de cette tentative de fuite est particulièrement manifeste lorsque le sujet réussit à se tuer, mais il n'en est guère mieux pour ceux qui se contentent de faire une tentative de suicide. Plusieurs d'entre eux risquent de mourir ou d'être gravement blessés, et leur survie n'est souvent qu'une question de chance. Il arrive aussi qu'ils s'infligent des dommages permanents au cerveau ou à d'autres organes et réduisent ainsi leurs chances de mener une vie heureuse et épanouie. Le désir de vivre et l'instinct de conservation sont de loin les comportements les plus profondément enracinés chez l'être vivant. Comment un être humain adulte et intelligent peut-il en arriver à faire abstraction de cet instinct et à s'enlever la vie?

Les premières théories sur le suicide ont été formulées par Freud et par le sociologue français Émile Durkheim. Freud estimait que le désir de s'enlever la vie découlait du désir de tuer quelqu'un d'autre: on se sent coupable de vouloir tuer quelqu'un d'où une agressivité qu'on retourne contre soi-même. La recherche a toutefois permis de contester cette théorie. Des découvertes récentes la contredisent et laissent croire que les personnes suicidaires orientent leur agressivité vers les autres plutôt que vers elles-mêmes[6]; elles semblent ne ressentir aucune culpabilité et ne pas avoir le sentiment de mériter un châtiment.

Les taux de suicide diminuent en temps de guerre et pendant longtemps, les freudiens ont évoqué ce détail à l'appui de leur théorie: ils estimaient que la guerre donnait un exutoire à l'agressivité de sorte qu'il n'était plus nécessaire de l'orienter vers soi-même, ce qui réduisait le nombre des suicides. Mais des études récentes ont montré que les taux de suicide diminuent en temps de guerre même dans les pays neutres ou les pays occupés, où les gens n'ont pas la possibilité d'exprimer ouvertement leur agressivité. En territoire occupé, l'expression de l'agressivité est particulièrement inhibée et, si la théorie freudienne était juste, on devrait y voir les taux de suicide monter en flèche. Or il semble que ce soit plutôt l'inverse[7].

Quant à Durkheim, il estimait que le suicide est un phénomène social et que ce sont les individus les moins bien intégrés au groupe social qui sont les plus portés à se suicider. Cette théorie semble valable et bien des données actuelles continuent de la corroborer[8]. Il est vrai que les taux de suicide sont plus élevés dans les groupes sociaux moins bien intégrés et que l'intégration sociale semble être un bon moyen de prévenir le suicide. La théorie de Durkheim permet même d'expliquer le déclin des taux de suicide en temps de guerre puisque la guerre accroît le sentiment d'unité nationale même dans les pays neutres ou occupés. Mais cette théorie ne parvient pas à expliquer pourquoi, dans un même contexte, certaines personnes se suicident et d'autres pas[9].

Certains ont avancé plus récemment que le suicide serait un «appel au secours». On ferait une tentative de suicide afin d'obtenir des autres d'être mieux traité. La stratégie ne serait pas efficace à long terme. Une étude portant sur des femmes ayant tenté de se suicider se penchait sur les rapports qu'entretenaient ces femmes avec leur mari ou leur amant et montrait que la tentative de suicide n'avait pas eu le résultat escompté. Les femmes avaient espéré améliorer la relation, rendre leur partenaire plus sensible à leurs besoins et parvenir à plus d'intimité. Mais tout au contraire, les hommes avaient eu tendance à interpréter leur comportement de façon négative, le qualifiant de névrosé et de manipulateur et, pour la plupart, s'étaient éloignés encore davantage[10].

Une partie de l'énigme tient au double rôle que joue la personne suicidaire, qui se trouve à la fois assassin et victime. Depuis toujours, cette dualité de rôle empêche de comprendre le suicide et de le prévenir. Les instances juridiques et religieuses ont plutôt mis l'accent sur la dimension morale du meurtre: il est mal de tuer, par conséquent il est mal de se tuer soi-même. Plusieurs théoriciens du suicide ont également mis l'accent sur cette dimension. Comme nous l'avons déjà dit, Freud estimait que le sujet suicidaire est avant tout un meurtrier et que le désir de se tuer soi-même provient du désir de tuer quelqu'un d'autre.

Mais à l'encontre de la théorie de Freud, il se peut que le rôle de victime soit la clé qui permette de comprendre le suicide. Les personnes suicidaires semblent vouloir s'approprier le rôle de la victime, se percevoir comme des victimes et convaincre leur famille et leurs parents qu'elles sont des victimes. La famille du sujet suicidaire pourrait, en principe, réagir par la colère et l'hostilité face à quelqu'un qui aurait tenté de tuer un de ses êtres chers. Mais tout au contraire, elle réagit par la pitié et la sympathie, comme si la personne suicidaire avait fait l'objet d'une tentative de meurtre. Il arrive même que la famille se sente elle-même coupable[11]. Certaines sociétés poussent même la chose à son ultime limite en autorisant une femme qui projette de se suicider à désigner officiellement son meurtrier (par exemple, son mari). Les membres de sa famille peuvent alors s'en prendre à lui comme s'il avait assassiné sa femme[12].

Comme nous l'avons vu au chapitre IV, la passivité est une des caractéristiques du processus de fuite. Dans la mesure où le suicide est une forme de fuite, on peut donc s'attendre à ce que les sujets suicidaires s'approprient le rôle passif de la victime plutôt que le rôle actif du meurtrier. Dans leur esprit, ils ne commettent pas un acte de violence, mais plutôt le subissent. S'il leur était possible de mourir dans la passivité, sans avoir à agir (sans avoir à tirer un coup de feu, par exemple), ils le feraient sans doute volontiers.

J'estime, quant à moi, que le suicide n'est ni un exutoire à la violence, ni un appel au secours, ni une vengeance, mais plutôt une façon de céder à l'appel du néant. Le but de la tentative de suicide est d'éliminer le soi — d'échapper à des émotions pénibles et à des pensées douloureuses rattachées au soi.

Cette théorie met l'accent sur les motivations qui poussent les gens à tenter de se suicider. La recherche a fait ressortir d'importantes différences entre les gens qui survivent à une tentative de suicide et ceux qui n'y survivent pas[13]. La survie dépend de plusieurs facteurs. Certaines personnes veulent vivre autant qu'elles veulent mourir et ce désir de vivre peut les amener à reculer au dernier moment et à améliorer leurs chances de survie. Tout dépend aussi du moyen choisi; une arme à feu est un moyen plus radical que les pilules. La chance joue aussi un rôle déterminant. La tentative de suicide prend parfois la forme d'un comportement à très gros risque: conduire à tombeau ouvert, par exemple. Dans ce cas, la survie peut dépendre de facteurs externes. Mais ces distinctions ont peu à voir avec le désir d'échapper au soi puisque la différence entre une tentative de suicide réussie et une tentative ratée a bien peu de rapports avec le besoin de fuir.

Une tentative de suicide *ratée* peut cependant être une tentative de fuite *réussie*. La personne qui survit à une tentative de suicide court la chance d'être hospitalisée, retirée de son milieu de vie habituel avec ses crises et ses problèmes, traitée avec douceur par sa famille et ses amis, dorlotée par un personnel soignant qui mettra tout en œuvre pour lui rendre la vie agréable et supportable.

Une personne qui traverse une période de crise intense peut trouver dans une tentative de suicide le moyen d'échapper — du moins temporairement — à ses malheurs. Rien ne sera vraiment réglé, mais elle pourra s'en donner l'illusion pour un moment. Et dans l'état d'esprit d'une personne suicidaire, l'horizon temporel est suffisamment rétréci pour qu'«un moment» vaille autant que «toujours».

LA CRISE

Parmi les raisons qui motivent la fuite, que nous avons abordées au chapitre II, le suicide entre plus souvent dans la catégorie des fuites consécutives à une catastrophe que dans celle des fuites qui ont pour but de soulager le stress ou de mener à l'extase. Les données montrent bien que les suicidaires chroniques sont très peu nombreux. Les gens songent au suicide dans des moments de crise, lorsque la vie leur paraît soudain plus désespérante et plus intolérable que jamais; la majorité des gens qui font une tentative de suicide et y survivent n'en font pas une deuxième[14]. Voilà qui permet d'établir une distinction nette avec d'autres formes de fuite: la réaction la plus courante à une première expérience de masochisme sexuel est le désir de recommencer[15], et on sait à quel point l'alcool devient vite une habitude. Mais le masochisme et l'alcool sont des formes de fuite auxquelles on a recours de façon périodique pour se soulager du stress inhérent au maintien de son identité. Dans le cas du suicide, comme nous allons le voir, il en est autrement.

La déception: ne pas être à la hauteur de ses attentes

Nous nous intéressons ici aux crises personnelles qui *se terminent* par une tentative de suicide. Mais comment ces crises *débutent*-elles? Comme on pourrait s'y attendre, elles commencent lorsqu'une catastrophe se produit — du point de vue du sujet suicidaire. Ce qu'il y a d'étonnant, toutefois, c'est que la catastrophe n'est pas toujours apparente aux yeux d'un observateur extérieur. Les taux de suicide sont souvent plus élevés chez les bien nantis. Aussi surprenant que cela puisse paraître, il semble que plus on est à l'aise, plus on a de chances de faire une tentative de suicide. Peut-être le confort matériel engendre-t-il des attentes plus élevées, car ce n'est pas tant la nature de la catastrophe qui conduit au suicide que le *contraste* entre les attentes du sujet et la réalité.

Voyons les données. Dans les pays riches, la proportion des gens qui mettent fin à leurs jours est plus élevée que dans les pays pauvres. En Amérique du Nord, les régions où le niveau de vie est le plus élevé ont aussi les taux de suicide les plus élevés. Les pays libres ont également des taux de suicide plus élevés que les pays à régime totalitaire. Le taux de suicide est plus élevé là où le climat est meilleur. Plus de gens se tuent au printemps et en été qu'en automne et en hiver. Dans des endroits comme le sud de la Californie où le climat varie peu, on constate que le taux de suicide est lui aussi très stable[16].

Des travaux ont montré que le taux de suicide est plus élevé parmi les jeunes aux études que parmi les jeunes de même âge qui ont quitté l'école[17]; il est pourtant incontestable que les jeunes qui sont aux études sont en meilleure posture que ceux qui ne fréquentent plus l'école puisqu'ils sont promis à un meilleur avenir et vivent un présent plus stimulant que ce que peut offrir le travail d'un ouvrier non spécialisé. Des chercheurs se sont intéressés aux notes qu'obtenaient les étudiants qui faisaient une tentative de suicide. Contre toute attente, elles se sont révélées supérieures à la moyenne[18]. Les étudiants suicidaires avaient bel et bien de meilleures notes que ceux qui ne songeaient pas au suicide!

Tout un ensemble de facteurs généralement considérés comme bénéfiques semblent encourager le suicide. Or ces facteurs ont en commun d'engendrer aussi de grands espoirs de succès et de bonheur. Certes, les études universitaires incitent les gens à attendre beaucoup de la vie, bien que la vie universitaire soit en réalité beaucoup moins attrayante que les images qu'en donnent la télévision et le cinéma. De même, le fait de vivre dans une région où le climat est agréable et le niveau de vie élevé semble hausser le niveau des attentes. Bref, plus on attend de la vie, plus on risque d'être vulnérable au suicide.

Les taux de suicide augmentent également sous l'effet de facteurs négatifs comme le chômage ou le divorce. D'une façon générale, le suicide résulterait de circonstances favorables à long terme et de circonstances défavorables à court terme[19]. Les conditions de vie favorables engendrent des attentes élevées et les problèmes ou échecs à court terme augmentent la tendance au suicide. Les gens dont la vie est difficile ne se tuent pas. Le suicide survient plutôt lorsque, dans l'ensemble, la vie a été bonne et que soudain tout dérape.

Kathy Love Ormsby donnait l'impression d'être bénie des dieux. Perfectionniste acharnée, elle était championne de course à pied, chrétienne pratiquante et faisait d'excellentes études pré-universitaires en médecine. Elle avait toujours été première de classe et avait remporté plusieurs championnats de course tout au long de ses études secondaires. En avril 1986, au cours de sa troisième année à l'université, elle avait établi un nouveau record au dix mille mètres. Aux championnats de fin d'année, on s'attendait à ce qu'elle se classe première, mais dès le début de la dernière course, elle prit du retard. De peine et de misère, elle parvint à la quatrième place mais ne put jamais rattraper le peloton de tête. À trois kilomètres de la fin de la course, elle quitta la piste et se mit à courir en direction des estrades. À l'insu de la foule qui n'avait d'yeux que pour la lutte farouche qui se livrait au fil d'arrivée, elle quitta le stade, traversa un terrain de baseball, sauta une clôture, longea une autoroute jusqu'à un viaduc du haut duquel elle se laissa tomber. Elle survécut à cette chute mais se fractura la colonne vertébrale; elle est paralysée pour le reste de sa vie[20].

Beaucoup de gens trouveraient tout à fait acceptable de se classer quatrième parmi des champions coureurs. Mais ce n'était pas le cas de Kathy Ormsby. Elle était convaincue que tout le monde s'attendait à ce qu'elle gagne, peut-être même à ce qu'elle établisse un nouveau record. Si elle ne prenait pas la première place, elle décevrait tout le monde en commençant par elle-même. Ainsi, ce qui aurait pu paraître objectivement comme une performance remarquable s'est révélé être un échec décevant à ses yeux. Voilà, poussée à l'extrême, une illustration des conséquences tragiques que peuvent avoir des attentes trop élevées.

Comme dans le cas de Kathy Ormsby, les tentatives de suicide surviennent souvent peu après une catastrophe personnelle. En prison, par exemple, la plupart des tentatives de suicide se produisent au cours du premier mois d'incarcération. Dans les hôpitaux psychiatriques, la première semaine du séjour est la plus dangereuse; les patients qui ne tentent pas de se suicider la première semaine ont peu tendance à le faire plus tard. Le deuil accroît les risques de suicide mais surtout au cours des deux premières années. Bref, les suicides suivent de près les catastrophes ou les dérapages. Ce n'est pas le deuil ou l'emprisonnement qui conduit au suicide, mais plutôt le choc de devoir s'adapter à la nouvelle situation[21].

L'économie joue aussi un rôle à cet égard. Les périodes de grave récession économique ont tendance à faire croître les taux de suicide[22]. La peur de perdre son niveau de vie peut être un élément décisif. Les taux de suicide sont à leur maximum lorsque des gens habitués à la prospérité subissent soudain un revers de fortune: ici encore, c'est l'écart entre les espoirs et la dure réalité qui conduit au suicide. Inutile de préciser que les gens se suicident non pas parce que l'économie nationale est à la dérive, mais parce que la situation se répercute sur leur propre vie et leur fait dégringoler l'échelle sociale. La pauvreté ne mène pas au suicide lorsqu'on y est habitué. C'est la transition de la prospérité à la pauvreté qui suscite le désespoir[23].

On constate un phénomène semblable en ce qui a trait à l'amour et au mariage. Les gens mariés sont en général plus heureux que les célibataires[24], mais dans l'ensemble les taux de suicide sont à peu près les mêmes dans les deux groupes. Par contre, l'obligation de passer de l'état de personne mariée à l'état moins souhaitable de célibataire — comme dans le cas d'un divorce ou d'un décès — augmente considérablement la tendance au suicide. Une étude a montré, par exemple, que les personnes récemment divorcées ou séparées étaient six fois plus susceptibles de faire une tentative de suicide que les autres célibataires[25]!

La tendance au suicide augmente également lorsque les rapports amoureux ou intimes se détériorent. La perte d'amour, les conflits plus nombreux, la séparation ou d'autres signes qui indiquent que la relation tire à sa fin sont associés à une augmentation des taux de suicide[26]. Le problème se manifeste surtout chez les personnes qui ont du mal à se trouver un partenaire amoureux, comme les adolescents timides et isolés ou les homosexuels. Lorsqu'une telle personne trouve enfin quelqu'un, elle a tendance à s'y accrocher désespérément et à souhaiter des niveaux d'intimité très élevés. Souvent, cet investissement total dans une seule relation s'accompagne de la rupture de tout autre contact social. Mais par la suite, si les attentes de la personne ne sont pas comblées, il peut en résulter une tentative de suicide[27].

Deux frères étaient des compagnons inséparables jusqu'à ce qu'ils deviennent amoureux de la même femme. Pour le plus jeune et le moins séduisant, il s'agissait d'un premier grand amour sur lequel il fonda tous ses espoirs. Quand il prit conscience que la femme qu'il aimait préférait son frère, ce fut la catastrophe. Il la mit en demeure de le choisir, sinon il se suiciderait. Bouleversée, elle accepta de l'épouser. Au comble du bonheur, il avait désormais le sentiment d'être devenu un adulte, un homme séduisant capable de vivre avec la femme qu'il aimait. Malheureusement, l'amour n'obéit pas aux plus sincères résolutions ni aux menaces, et la femme s'aperçut bientôt qu'elle aimait toujours le frère aîné. Une liaison secrète s'amorça, mais la femme ne put supporter l'idée de trahir son mari. Elle joua donc cartes sur table et annonça à son mari qu'elle était amoureuse de son frère et ne pourrait plus être sa femme. Il perdit alors la tête, passant tantôt aux menaces, tantôt aux supplications. Pour lui, il n'y aurait jamais d'autre femme; il ne connaîtrait plus jamais le bonheur, il était indigne d'amour. Une nuit, sachant sa femme en compagnie de son frère, il ouvrit le gaz, rédigea une lettre haineuse dans laquelle il attribuait sa mort à l'infidélité de sa femme et à la malice de son frère et se tua[28].

On ne s'étonnera pas de constater que les personnes suicidaires entretiennent souvent des rapports interpersonnels houleux, mais ce ne sont pas des solitaires ni des gens qui s'isolent volontairement. Des travaux ont montré qu'il s'agit au contraire de gens dont les besoins d'intimité sont supérieurs à la normale[29]. Ce serait justement le contraste entre l'intensité de leurs désirs d'intimité et l'échec de leurs rapports interpersonnels — bel exemple de conflit entre les attentes et la réalité — qui les conduirait au suicide.

D'autres éléments de preuve viennent confirmer cette théorie. La détérioration de la santé provoquerait une augmentation des taux de suicide, tout comme la détérioration des conditions de travail[30]. Il n'est pas nécessaire de perdre son emploi: une charge de travail accrue, une perte de prestige ou toute autre forme d'évolution négative peut suffire. Pour certains, le seul fait de ne pas obtenir une promotion peut être à l'origine d'une tentative de suicide: tout dépend des espoirs que l'on fonde sur cette promotion.

On peut tirer les mêmes conclusions en observant les fluctuations du taux de suicide tout au long de l'année. Des travaux de recherche rigoureux ont invalidé le stéréotype qui voulait qu'on se tue à l'approche de Noël ou d'un autre congé important. En réalité, les taux de suicide chutent à l'approche des grands congés et remontent une fois le congé passé[31]. On constate en fait un léger pic dans les taux de suicide *au lendemain* des grandes périodes de fête. On pourrait en déduire qu'à l'approche d'une fête, les gens s'attendent à toutes sortes de bonnes choses: à être réunis avec leur famille, à voir leurs amis, à prendre congé du travail ou de l'école, à échanger des cadeaux et, de manière générale, à se sentir heureux. Ces espoirs font fléchir la courbe des taux de suicide. Mais si la réalité ne se conforme pas aux attentes, il peut en résulter des tentatives de suicide. Par exemple, si une réunion de famille donne lieu à des querelles et à des sarcasmes au lieu de se dérouler dans l'harmonie ou l'amour, ou si les proches ne manifestent pas autant d'affection qu'on l'aurait souhaité, il peut en résulter une intense déception. On peut constater des fluctuations semblables au fil des jours de la semaine: les taux de suicide sont à leur maximum le lundi et à leur minimum le vendredi[32], ce qui peut laisser croire que les gens se réjouissent à l'approche du week-end et font une tentative de suicide une fois leurs espoirs déçus. (Mais il se pourrait aussi que les gens se suicident pendant le week-end et ne soient découverts que le lundi.)

J'ai signalé un peu plus haut que les étudiants suicidaires sont souvent ceux dont les notes sont supérieures à la moyenne. Mais il y a une autre face à cette médaille: dans l'étude citée, les conclusions se fondaient sur l'ensemble des résultats de l'étudiant depuis son entrée à l'université. Le tableau est quelque peu différent si l'on considère les résultats les plus récents de l'étudiant. On constate alors que les notes du semestre qui précède la tentative de suicide sont en général *inférieures* à la moyenne[33]. Le portrait serait le suivant: un étudiant suicidaire serait quelqu'un qui obtient en général de bonnes notes et s'attend à réussir, mais qui soudain récolte un ensemble de notes extrêmement décevantes. Ici encore, c'est le contraste entre les attentes et la réalité qui joue un rôle crucial. D'autres études portant sur les mêmes étudiants confirment ce scénario — les étudiants suicidaires ont souvent des parents très exigeants ou estiment, pour d'autres raisons, qu'il leur faut maintenir sans cesse un rendement impeccable. Lorsque les résultats se révèlent inférieurs à leurs attentes, la situation leur paraît désespérée, ce qui se traduit par une plus forte tendance au suicide.

Tout est ma faute

Les crises et les échecs, toutefois, ne suffisent pas à pousser au suicide. Il faut en outre que la personne se sente entièrement responsable des difficultés qui l'accablent: les gens qui peuvent rejeter la faute sur quelqu'un ou quelque chose d'autre ne sentiront pas la nécessité de fuir la conscience de soi puisqu'ils n'auront pas le sentiment que leurs difficultés sont liées à leurs insuffisances. La recherche confirme que les personnes suicidaires ont tendance à se sentir entièrement responsables de ce qui ne va pas dans leur vie. Une étude a eu recours à une longue liste de symptômes mentaux, émotifs et comportementaux pour distinguer les personnes suicidaires des autres. On a pu ainsi constater que l'auto-accusation était le facteur commun le plus fréquemment présent chez les gens qui faisaient des tentatives de suicide[34].

De manière plus générale, les personnes suicidaires ont souvent une mauvaise opinion d'elles-mêmes. Les rapports de recherche font presque tous état de sentiments de dévalorisation et de piètre estime de soi[35]. Les personnes suicidaires se sentent rejetées par les autres et ce sentiment de rejet façonne la vision qu'elles ont d'elles-mêmes. Un chercheur a interviewé un petit nombre de personnes qui, par miracle, avaient survécu après s'être jetées du haut d'un pont. Cette forme de suicide est généralement fatale, ce qui peut permettre d'affirmer que ces personnes voulaient vraiment mourir. Ici encore, le thème commun qui s'est dégagé de ces entrevues était le sentiment de n'avoir aucune valeur[36].

Une étude portant sur les tentatives de suicide chez les militaires a permis de constater toute une gamme d'attitudes négatives à l'égard de soi[37]. Bon nombre de sujets ont tout simplement dit qu'ils ne s'aimaient pas; d'autres ont dit se sentir incompétents, humiliés, rejetés ou coupables. Dans d'autres cultures, l'autocondamnation est le principal moteur du suicide[38]. La personne se sent coupable ou indigne ou considère avoir fait quelque chose d'irréparable et, conséquemment, s'enlève la vie.

Bien entendu, bon nombre de gens ont une piètre estime de soi mais tous ne vont pas jusqu'à tenter de se suicider. Deux différences importantes distinguent la piètre estime de soi qui conduit au suicide et le manque de confiance plus courant, deux différences qui confirment la théorie selon laquelle le suicide serait une forme de fuite. Premièrement, la tendance au suicide se manifeste au moment où l'opinion que l'on a de soi-même évolue vers le pire. Voilà qui va dans le sens de l'hypothèse que la tendance au suicide serait accrue lorsqu'on se sent responsable d'une catastrophe récente. Or plusieurs études ont montré que la tendance au suicide augmentait quand les gens étaient amenés à se percevoir d'une façon nettement plus péjorative que d'habitude[39].

Deuxièmement, de tous les gens qui ont peu d'estime de soi, seuls les suicidaires se perçoivent de façon plus négative qu'ils ne perçoivent les autres. De nombreuses personnes qui ont peu d'estime de soi sont aussi critiques des autres que d'elles-mêmes[40]; elles se considèrent donc comme étant sur le même pied que le reste de l'humanité. Mais les gens suicidaires ont une haute opinion des autres et ont le sentiment d'être les seuls incompétents[41]. Le contraste entre cette perception favorable des autres et le sentiment de ne rien valoir: voilà ce qui distingue les suicidaires du reste des gens qui ont peu d'estime de soi. En règle générale, donc, le processus suicidaire exige que l'on s'accuse soi-même de ses problèmes récents avec pour résultat une perte d'estime de soi. Pour peu que l'on puisse attribuer ses difficultés à la chance, au sort, à la malice des autres, à des lois injustes, au «système» ou à tout autre facteur externe, il est tout probable que l'on ne sera pas conduit au suicide. La tendance au suicide s'accroît lorsque les gens jettent le blâme sur eux-mêmes.

Une conscience douloureuse de soi

L'auto-accusation ajoute au malheur qui nous frappe. Ce n'est plus seulement le sort qui s'abat sur nous — c'est que nous sommes déçus de *nous-mêmes*. Dans le cas évoqué plus haut des deux frères qui étaient amoureux de la même femme, le rejet subi par le plus jeune signifiait pour lui qu'il ne pourrait jamais être un bon mari, qu'il était incapable de mériter l'amour d'une femme.

Cette façon de centrer son attention sur soi est une caractéristique importante du comportement pré-suicidaire et joue un rôle primordial dans la théorie de la fuite, puisqu'une personne non consciente d'elle-même n'aurait aucune raison de vouloir se fuir. Le prochain point à étudier relatif aux résultats de recherches concernera donc les questions suivantes: les personnes suicidaires sont-elles plus conscientes d'elles-mêmes que la moyenne? Le suicide serait-il la conséquence d'une trop grande préoccupation pour soi?

Il n'est pas facile d'évaluer objectivement l'état mental d'une personne sur le point de se suicider. Même en laboratoire, il est difficile de déterminer si les gens pensent à eux-mêmes — puisque dès qu'on leur demande de le faire, il va de soi qu'ils le font. La difficulté devient donc presque insurmontable lorsqu'on tente de découvrir ce qui se déroule dans l'esprit d'une personne qui, assise seule dans une pièce, vit une expérience sans précédent. Mais les chercheurs ont tout de même réussi à recueillir quelques données. Une façon de procéder consiste à réunir des gens qu'on sait avoir une forte conscience de soi et de se demander s'ils présentent aussi un fort taux de suicide. Il semblerait que oui. La recherche a montré, par exemple, que la conscience de soi est très élevée chez les adolescents; or les taux de suicide (surtout le nombre de tentatives de suicide ratées) sont également très élevés[42]. Au chapitre VII, nous verrons que les alcooliques et autres grands consommateurs d'alcool sont aussi très conscients d'eux-mêmes et que les taux de suicide parmi eux sont aussi plus élevés que dans la population générale[43]. Les gens dépressifs semblent aussi très préoccupés d'eux-mêmes, surtout s'ils viennent de subir un échec[44], et présentent des taux de suicide également élevés (surtout après un échec récent). Si on se tourne maintenant vers les groupes sociaux, on constate les mêmes structures: les sociétés qui accordent une place prépondérante à l'individu[45] ou qui valorisent la préoccupation pour soi[46] enregistrent des taux de suicide plus élevés que les autres.

Ces études autorisent, mais indirectement, à relier la conscience de soi au suicide, mais existe-t-il des données directes? Peut-être pourrions-nous nous pencher sur les lettres d'adieu que rédigent les personnes qui envisagent le suicide. Il faut se garder de tirer des conclusions trop hâtives de ces mots d'adieu puisque seule une minorité de suicidaires en rédigent, ce qui dénote peut-être que ces personnes se démarquent des autres. Il n'en demeure pas moins que ces lettres sont révélatrices de l'état d'esprit des personnes qui les rédigent puisqu'elles sont libres de toutes les interprétations qui transforment inévitablement les comptes rendus rétrospectifs de tentatives ratées.

Une étude des lettres d'adieu révèle que la période qui précède immédiatement une tentative de suicide est en effet une période de forte (et douloureuse) conscience de soi[47]. Pour procéder à une étude quantitative, on pourrait par exemple compter le nombre d'allusions que l'auteur fait à lui-même dans la lettre: une personne qui fait souvent allusion à elle-même montre bien qu'elle occupe une place prépondérante dans son propre champ de conscience[48]. Or ces compilations indiquent que les lettres d'adieu présentent un nombre anormalement élevé d'allusions à soi-même, par comparaison à une variété d'autres documents. Il faut comprendre que ce nombre anormalement élevé de références à soi n'est pas seulement dû à l'éventualité d'une mort prochaine. En effet, un chercheur a constaté que les lettres d'adieu rédigées par des personnes suicidaires contenaient un plus grand nombre de références à soi que les écrits des personnes dont la mort imminente était involontaire[49]. L'approche de la mort n'a pas pour effet de centrer l'attention sur soi, mais l'imminence du suicide semble rendre particulièrement conscient de soi.

Autre aspect digne de mention: la façon dont les lettres d'adieu rédigées par des personnes suicidaires dépeignent l'univers social du sujet. Les gens dont la mort imminente est involontaire parlent des autres en établissant des liens avec eux-mêmes. Dans les lettres d'adieu des personnes suicidaires, par contre, les proches semblent complètement coupés de l'auteur ou en position antagoniste par rapport à lui. Une personne qui se meurt d'une maladie incurable fera allusion, dans une lettre à son conjoint, à «notre vie ensemble», alors que la personne qui envisage le suicide écrira plutôt «ta vie» et «ma vie» comme s'il s'agissait de deux éléments distincts évoluant dans des directions opposées ou divergentes[50].

La conscience de soi désigne beaucoup plus que le simple fait de s'intéresser à soi-même. La vision que l'on a de soi-même n'est pas objective; au contraire, lorsque nous songeons à nous-mêmes, nous nous livrons à des évaluations constantes. Nous nous mesurons par rapport à certaines normes: nos objectifs, nos idéaux, nos attentes. Le simple fait de se regarder dans le miroir est une activité beaucoup plus complexe qu'il n'y paraît. Lorsque nous nous regardons dans un miroir, nous nous mesurons immédiatement par rapport à l'image que nous voulons projeter: suis-je bien coiffé? Suis-je vêtu convenablement? Ai-je belle apparence? En règle générale, la conscience de soi nous porte à comparer notre perception de nous-mêmes à tout cet ensemble de normes[51].

Les personnes suicidaires se trouvent inférieures aux normes qu'elles s'imposent. Ce thème de l'insuffisance, de l'incapacité personnelle revient constamment dans les études qui portent sur le suicide. Le sentiment d'être incapables de répondre aux exigences des parents est un facteur très important dans le suicide des pré-adolescents. Les étudiants qui se suicident ont souvent des parents exceptionnellement exigeants ou qui nourrissent des attentes très élevées en ce qui concerne les résultats scolaires de leurs enfants[52].

Ce sentiment d'insuffisance se révèle peut-être sous son jour le plus tragique dans le suicide des médecins. On a noté chez ces derniers un taux de suicide remarquablement élevé[53], ce qui a incité plusieurs chercheurs à vouloir comprendre pourquoi des gens qui semblent avoir si bien réussi sont tentés de se tuer. Or si les médecins occupent une place très enviable dans la société, il leur faut aussi porter le lourd fardeau des attentes de tous. Il leur faut toujours paraître pleins d'énergie, parfaitement compétents, dignes de confiance, profondément humains, toujours en mesure de trouver des réponses et de résoudre les énigmes les plus complexes. Il s'agit là des attributs d'un être tout-puissant et omniscient, d'un dieu plutôt que d'un être humain normal, et bon nombre de médecins trouvent qu'il s'agit là d'un fardeau très lourd à porter. Plus la pression se fait sentir, plus le médecin a de mal à répondre à toutes ces exigences, et plus le risque de suicide augmente. Les taux de suicide semblent les plus élevés dans les spécialités qui confèrent au médecin un rôle de toute-puissance. Il y a aussi la crainte de perdre sa compétence et de ne plus pouvoir donner le même rendement que par le passé. Ce déclin, presque inévitable lorsqu'on prend de l'âge, est parfois une source de profonde détresse et peut expliquer les taux de suicide particulièrement élevés que l'on constate chez les médecins âgés, malgré qu'ils aient atteint un niveau de vie enviable.

La détresse émotionnelle

Les personnes suicidaires sont-elles plus sujettes que d'autres aux émotions pénibles? On pourrait s'attendre à ce que la chose soit si évidente qu'il soit inutile d'en parler. Et pourtant, on trouve à cet égard très peu de preuves. Il se peut que le rétrécissement de l'horizon mental caractéristique du processus de fuite, et qui a pour but de supprimer l'émotion, fasse en sorte que les chercheurs trouvent peu de traces d'émotion chez les personnes suicidaires[54]. Seule exception à cette règle: la dépression. Les personnes suicidaires sont très déprimées. Les chercheurs ont cru un temps que la dépression entraînait le suicide, mais cette opinion n'a plus cours aujourd'hui. Comme la vaste majorité des gens déprimés ne tentent jamais de se suicider, la théorie était au mieux insuffisante, et si le désespoir et la dépression sont mesurés séparément, la dépression sort complètement du champ des données statistiques significatives[55]. C'est le désespoir, et non la dépression, qui permet de prévoir un suicide. La conclusion générale la plus utile serait peut-être que les gens qui ont tendance à ressentir des émotions pénibles sont plus portés au suicide. Ce qui ne veut pas dire qu'ils soient en proie à toutes sortes d'émotions au moment où ils tentent de se tuer, mais il est vrai qu'ils font tout ce qu'ils peuvent pour éviter ces émotions.

Prenons l'anxiété, par exemple. Il existe peu de preuves quant à l'idée que les gens sont très anxieux au moment où ils tentent de se suicider. En fait, ils sont alors souvent très calmes. Mais les gens qui ont un tempérament anxieux[56] ou qui connaissent fréquemment des accès de panique[57] présentent des taux élevés de suicide ou de tentatives de suicide.

L'anxiété accompagne souvent la rupture des liens sociaux et les situations de rejet social[58]. Des études portant sur le divorce, la perte d'emploi et le deuil ont montré que les gens qui ont le sentiment d'être rejetés par la société présentent des taux de suicide élevés, d'autant plus élevés d'ailleurs que diminuent leurs chances d'établir de nouveaux liens: les gens qui appartiennent à un groupe social en régression — groupe professionnel, sous-groupe ethnique, quartier en voie de disparition — présentent un risque de suicide accru[59].

Des résultats semblables se sont dégagés de l'étude d'autres émotions. La dépression est un des facteurs les plus couramment associés au suicide[60]. Les gens les plus exposés à un état dépressif temporaire — ceux qui viennent de perdre un proche ou un emploi — ont un taux de suicide accru. Quelques données révèlent également la présence d'états de colère, de tristesse, d'inquiétude et de culpabilité chez les personnes suicidaires[61].

L'ÉTAT D'ESPRIT DU SUICIDAIRE: ÉTROIT ET VIDE

Pour comprendre l'état d'esprit de la personne qui cherche à se fuir elle-même, l'élément clé est le rétrécissement mental. Comme nous le verrons plus en détail dans les pages qui suivent, les personnes suicidaires donnent tous les signes de cet état d'esprit, notamment le rejet de la pensée significative, le rétrécissement de l'horizon temporel et la déconstruction du monde.

Rejet de la signification

Le chercheur Edwin Shneidman, bien connu pour ses travaux sur le suicide, a décrit l'état d'esprit pré-suicidaire en termes de «vision tubulaire»: une préoccupation absolue pour l'immédiat, le rejet de toute forme de pensée significative ou intégrée et le refus de toute nouvelle interprétation ou idée. Une personne suicidaire devient inflexible et catégorique[62]. Elle refuse d'accueillir de nouvelles idées ou de voir les choses autrement, d'essayer des solutions nouvelles ou de considérer un autre aspect des choses. On constate chez elle une perte de spontanéité au profit de comportements rigides et fixes. Dans une étude où l'on demandait aux sujets de trouver des solutions à des problèmes interpersonnels tirés de leur propre vie, on a pu constater que les sujets suicidaires étaient beaucoup moins aptes à le faire que les sujets non suicidaires[63].

Le lien entre la pensée rigide et le suicide est reconnu depuis longtemps. Pendant de nombreuses années, les chercheurs ont pensé que la rigidité était un trait de caractère qui prédisposait les gens au suicide, mais des données récentes ont révélé que la rigidité des personnes suicidaires est temporaire[64], qu'elle fait partie de leur réaction à une situation de crise personnelle. Voilà qui s'inscrit bien dans notre théorie du suicide comme façon de se fuir soi-même: une personne qui traverse une crise personnelle réagit en rétrécissant son champ de conscience, ce qui l'amène à rejeter toute forme de pensée significative et à se conformer avec rigidité à des idées toutes faites.

Horizon temporel

Une personne suicidaire perçoit le passage du temps un peu comme une personne qui s'ennuie énormément. Le présent lui semble interminable. Chaque fois qu'elle regarde l'horloge, elle est surprise de constater le peu de temps qui s'est écoulé. Des études très rigoureuses menées en laboratoire ont permis de confirmer ce phénomène: des chercheurs mesuraient au chronomètre une certaine période de temps et demandaient ensuite à divers sujets d'estimer combien de temps s'était écoulé[65]. Un intervalle de cinq minutes peut être évalué à huit ou dix minutes par une personne suicidaire alors qu'une personne non suicidaire sera beaucoup plus précise.

Autre manifestation du rétrécissement de l'horizon temporel chez les personnes suicidaires: leur incapacité à penser à l'avenir. Les personnes suicidaires sont en effet moins aptes que d'autres à imaginer l'avenir. Il leur est possible (bien qu'avec difficulté) de parler du passé dont elles gardent un souvenir vague, flou et désagréable, mais l'avenir leur paraît totalement inexistant. La chose se manifeste même dans la structure grammaticale de leur discours: elles conjuguent leurs verbes au futur moins souvent que les autres[66]. Cette perception étroite du temps qui passe viendrait du désir d'échapper à toute réflexion sur ce que réserve l'avenir. La catastrophe récente peut donner à croire que l'avenir n'augure rien de bon; la personne cherche alors à éviter d'y penser et se concentre à cette fin sur le présent immédiat. Comme l'a dit un chercheur, ces gens veulent que «leur vie s'arrête à un point fixe[67]».

En règle générale, donc, l'état d'esprit suicidaire se caractérise par le rejet du passé et du futur. L'esprit se concentre étroitement sur le temps présent qui apparaît vide et plutôt ennuyant — mais plus tolérable que les sentiments très pénibles associés à toute réflexion portant sur le passé ou l'avenir.

Une pensée concrète et banale

On pourrait s'attendre à ce que les lettres d'adieu rédigées par des personnes suicidaires soient des textes mûrement réfléchis, à tendance philosophique, qui aident à comprendre pourquoi l'auteur a voulu mettre fin à ses jours. Les lettres d'adieu fictives que l'on trouve dans les romans et les films sont conformes à ce stéréotype: «La vie ne vaut plus la peine d'être vécue» ou «Veille sur mon fils, apprends-lui à devenir un homme». Mais dans la réalité, les notes d'adieu sont bien brèves et étonnamment terre à terre[68]: rappel des comptes à payer, précisions sur les funérailles (ou leur absence). Marie, dont j'ai décrit la tentative de suicide en début de chapitre, avait songé à écrire: «N'oubliez pas de donner à manger aux chats.»

Cet aspect pratique est une caractéristique des notes que laissent les suicidaires. Les gens dont la mort imminente est involontaire rédigent des textes plus abstraits et plus significatifs. Une analyse informatisée du contenu des notes d'adieu rédigées par des suicidaires a permis de constater qu'elles contenaient moins d'allusions à la pensée que les écrits des gens qui voient venir une mort autre que par suicide[69]. Dans les notes d'adieu des suicidaires, il est plus souvent question d'objets, de lieux et de gens précis et concrets et rarement question d'idées ou de sentiments intimes[70].

Des études de cas pointent dans la même direction. L'état présuicidaire se caractérise souvent par des efforts visant à insensibiliser l'esprit en se laissant complètement absorber par des préoccupations quotidiennes et banales. Voilà qui s'oppose à la façon dont les gens imaginent normalement le suicide. Les stéréotypes que nous entretenons au sujet du suicide s'inspirent peut-être des comportements spectaculaires de certains artistes comme les écrivains Sylvia Plath et Ernest Hemingway. Ces cas peuvent donner à croire que la tendance à l'autodestruction est liée à des formes de pensée excentriques et très imaginatives, mais en réalité les gens semblent consacrer les derniers moments de leur vie à des activités vides de sens et routinières. Un chercheur a constaté que les étudiants suicidaires avaient tendance à se livrer à «des activités mentales exigeantes et sans intérêt» et à viser «un affect plat[71]». Au lieu d'opter pour une forme de pensée abstraite et créatrice, de rédiger des poèmes ou d'analyser de profondes questions philosophiques, ils se sont plutôt occupé l'esprit à recopier des chiffres, à classer des dossiers, à corriger des épreuves ou à faire des calculs.

Le souci du détail est une autre manifestation de l'intérêt que portent les suicidaires aux choses concrètes et banales. On constate souvent que les parents et amis des personnes suicidaires se souviennent d'elles comme de personnes exceptionnellement rangées, méticuleuses et attentives au détail[72]. Tous ces éléments se conjuguent dans la tentative de suicide. Face à la mort, l'esprit se concentre de façon absolue sur le présent immédiat et se laisse complètement absorber par des détails pratiques et banals. Dans la tentative de suicide décrite dans les premières pages de ce chapitre, Marie devait réunir toutes ses pilules et trouver un moyen de se rendre à l'étage sans éveiller les soupçons de son mari. Puis elle se rendit compte qu'elle avait presque deux cents pilules à avaler et ne disposait que d'un tout petit gobelet pour l'eau. Elle se laissa complètement absorber par la tâche de planifier dans quel ordre elle prendrait ses pilules et par celle de remplir sans cesse son petit gobelet. Dans de tels moments, l'esprit parvient à une sorte de paix, car toute pensée désagréable relative au passé ou à l'avenir s'évanouit et peu nous importe quel témoignage les événements peuvent porter sur nous.

LES EFFETS DE LA FUITE

Nous venons de voir comment la personne suicidaire se soumet à un processus de fuite mentale. Quatre répercussions de cette fuite sont particulièrement dignes de mention: la passivité, l'absence d'émotion, l'irrationalité et la levée de certaines inhibitions.

La passivité

La passivité semble être la clé qui permet d'échapper au soi. L'activité oblige le soi à intervenir : il faut faire des projets, prendre des initiatives, assumer des responsabilités, adopter une identité, agir en tant que tout. La passivité exige beaucoup moins. Tant qu'on n'agit pas, il n'y a pas lieu de faire appel au soi. Du moins, c'est le principe qui semble à l'œuvre chez les personnes qui cherchent à échapper à elles-mêmes. De nombreuses études confirment que les personnes suicidaires sont passives, adoptent des attitudes de repli[73], refusent d'assumer la responsabilité de leurs actes[74], répondent aux provocations par une attitude d'acceptation passive[75] ou attendent que les problèmes disparaissent d'eux-mêmes[76]. Leurs stratégies d'adaptation reposent sur le retrait social plutôt que sur la résolution de problèmes[77].

Les lettres d'adieu rédigées par des personnes suicidaires témoignent de cette passivité. Il faut ici souligner qu'il y a tout de même quelque chose d'actif dans le fait de rédiger une lettre (il faut tout au moins prendre l'initiative d'écrire). Il reste que le ton est à la passivité. Le texte des lettres d'adieu exprime la soumission et la résignation, contrairement aux écrits des gens dont la mort imminente n'est pas volontaire. Ironie du sort, les gens qui projettent activement de s'enlever la vie parlent en termes passifs tandis que ceux qui subissent plus passivement une mort involontaire adoptent un discours très actif[78].

D'autres éléments indiquent que la passivité est au cœur même de la perspective du suicide. Les personnes suicidaires estiment avoir peu d'influence sur le monde et, par conséquent, ont le sentiment de n'être pas en mesure de modifier le cours de leur propre vie[79]. Elles ont tendance à manifester de la passivité devant la vie en général[80] et à se sentir impuissantes à exercer toute forme de contrôle sur le monde extérieur[81].

Comme nous l'avons vu au chapitre IV, la passivité, dans le contexte de la fuite, désigne surtout le refus de toute action *significative*. On peut se fuir soi-même tout en continuant d'avoir des activités impulsives, entreprises au hasard et sans signification particulière. La recherche sur le suicide apporte d'ailleurs certaines confirmations à cet égard. Plusieurs chercheurs estiment que l'impulsivité est caractéristique des personnes suicidaires[82]. D'autres, sans avoir pu prouver que l'impulsivité est un trait de caractère chez les personnes suicidaires[83], constatent que la tentative de suicide elle-même est souvent faite sous le coup d'une impulsion. Par conséquent, si l'impulsivité ne peut pas être considérée comme un élément stable de la personnalité des suicidaires, elle semble tout au moins faire partie de l'état d'esprit associé aux projets suicidaires et au désir d'évasion.

L'absence d'émotion

Nous avons vu plus haut qu'il n'existe que peu de preuves directes de la présence d'états émotionnels pénibles chez les personnes suicidaires. On s'attendrait certes à ce que la situation dans laquelle elles se trouvent soit marquée d'une abondance de sentiments douloureux:

en fait, les personnes suicidaires sont sujettes à la dépression et à l'anxiété, viennent souvent de traverser une grave crise ou de connaître une profonde déception. Mais que ce climat émotif soit difficile à établir témoigne éloquemment de leur capacité à se rendre imperméables à l'émotion.

Il existe en effet des preuves de cette imperméabilité émotive chez les personnes suicidaires. Dans une étude particulièrement importante à cet égard, des chercheurs ont demandé à des sujets de tenter de retrouver des souvenirs associés à différents états émotifs[84]. Le chercheur disait, par exemple, «heureux» et la personne devait répondre en décrivant une expérience passée qui l'avait rendue heureuse. Secrètement, les chercheurs prenaient note du temps nécessaire pour retrouver un souvenir correspondant à la tonalité émotive suggérée, la théorie voulant que plus le souvenir viendrait vite plus il était facile pour le sujet de penser à ce genre de situation. S'il vous faut dix minutes pour retrouver un souvenir heureux, on pourra sans doute en conclure que vous n'avez pas souvent été heureux récemment. Les chercheurs croyaient que les personnes suicidaires réagiraient plus vite que les autres à des indices d'émotions désagréables, et à peu près au même rythme que les autres en réponse à des indices d'émotions agréables, ce qui aurait permis d'établir que l'esprit des personnes suicidaires se tournait plus facilement vers des émotions négatives et désagréables.

Mais les résultats de l'expérience ont déjoué les prédictions: les personnes suicidaires avaient plus de mal à retrouver tout souvenir à caractère émotif — quelle qu'en soit la tonalité — et étaient même parfois incapables de trouver quelque souvenir que se soit. Lorsqu'elles parvenaient à retrouver un souvenir malheureux, elles ne le faisaient pas plus rapidement que les autres et leurs souvenirs heureux leur revenaient beaucoup plus lentement[85]. Ces résultats montrent que la personne suicidaire s'efforce de museler la totalité de son système émotionnel. Les suicidaires semblent totalement coupés de leurs émotions passées. Il peut leur arriver que des souvenirs désagréables flottent encore près de la surface, mais il leur est presque impossible de s'imaginer en train de ressentir une émotion pénible.

Voilà qui va dans le sens de ma théorie de la fuite puisque l'état d'esprit pré-suicidaire donnerait lieu à une suppression d'émotion. Le rétrécissement mental auquel le sujet a recours pour faire face à une crise personnelle permet de court-circuiter, au moins en partie, les émotions et de les couper de toute expérience directe.

L'irrationalité

Certaines données révèlent que les personnes suicidaires refusent de penser à leur vie en termes rationnels ou significatifs[86]. Il s'agit souvent de personnes qui vivent dans un milieu profondément insatisfaisant et dont la vie se caractérise par l'isolement social, le rejet et l'absence de tout contact humain. D'autres entretiennent des rapports conflictuels ou vivent avec un conjoint distant, taciturne ou abusif. Bon nombre de personnes suicidaires compensent alors par le fantasme[87], et s'imaginent en train de vivre des rapports harmonieux et intimes où elles trouvent la chaleur humaine qui leur fait si cruellement défaut dans la réalité.

Les recherches indiquent que les gens qui en viennent à songer au suicide ont longtemps envisagé leur vie et leurs problèmes d'une façon chimérique et irrationnelle et qu'ils vont même jusqu'à concevoir leur tentative de suicide de façon fantasmatique[88]. Certaines personnes se complaisent dans des fantasmes de suicide. Elles pensent aux moyens de se tuer, essaient d'imaginer leurs derniers gestes, se voient emportées par une mort paisible, puis songent à la façon dont leur mort sera découverte par leur entourage et aux regrets qu'elle suscitera.

Pour d'autres, la mort ne semble pas avoir de réalité. Tout en caressant le projet de se suicider, ces personnes conservent un intérêt pour ce qui se produira par la suite. Certaines s'imaginent en train de contempler leur famille ou leurs amis du haut du ciel sans songer que la religion interdit le suicide et que cette place au ciel est donc très compromise. Des chercheurs soulignent cet espoir d'aller au ciel et y voient le signe de l'irrationalité et de l'incohérence de la pensée suicidaire[89]. Mais une minorité de suicidaires seulement se livrent à cette sorte de fantasme et il existe peu de preuves d'irrationalité dans la pensée pré-suicidaire qui semble marquée par le vide et le rétrécissement mental plutôt que par les erreurs de jugement.

Un dernier fantasme est digne d'être souligné en raison de son rapport avec l'hypothèse du suicide comme forme de fuite. Dans un important sondage, un grand nombre de gens, dont un groupe présentant des tendances suicidaires, ont eu à répondre à la question suivante: Que voudriez-vous changer dans votre personnalité[90]? À l'étonnement des intervieweurs, 20 p. cent des personnes suicidaires ont manifesté le désir d'être quelqu'un d'autre. Aucun des sujets non suicidaires n'a exprimé ce même désir. Devenir quelqu'un d'autre: n'est-ce pas le moyen le plus radical de se fuir soi-même? Or que ce désir soit aussi manifestement présent dans la pensée pré-suicidaire montre bien que la volonté de se fuir soi-même est un élément clé de la motivation à mettre fin à ses jours.

La levée des inhibitions

D'importantes structures significatives – comme les lois qui interdisent le suicide, l'instinct de survie, les normes sociales que l'on a intériorisées, les obligations et les responsabilités qui nous incombent de même que nos espoirs de bonheur futur – inhibent en temps normal la tendance à l'autodestruction, de sorte qu'il faut d'abord surmonter tous ces obstacles avant de tenter de réaliser le projet suicidaire. La tentative de suicide est donc en soi le signe que les inhibitions sont levées. Bien entendu, bon nombre de gens se tuent sans avoir formé le projet concret de se suicider. Ils se contentent de prendre des risques considérables qui, parfois, entraînent leur mort. Les chercheurs se demandent dans quelle proportion les accidents de la circulation ne sont pas en réalité des suicides, bien qu'ils soient officiellement considérés comme des accidents. En fait, il peut se révéler impossible de distinguer clairement les uns des autres. Une personne peut très bien ne pas avoir pris la décision de faire plonger sa voiture dans un ravin mais avoir simplement couru plus de risques qu'à l'habitude — un peu comme on jouerait à la roulette russe. Cette façon de défier la mort résulte peut-être de la levée des inhibitions qui, normalement, s'exerceraient face à des situations trop dangereuses ou trop risquées[91]. Or des données révèlent sans équivoque la présence de comportements téméraires chez les personnes suicidaires. Dans l'ensemble, les gens suicidaires ne sont pas plus téméraires que les autres, mais dans l'état d'esprit qui précède la tentative de suicide, ils semblent désireux de courir plus de risques[92].

D'autres données, plus ou moins fiables, nous viennent des études qui ont porté sur des situations de meurtre suivi d'un suicide, c'est-à-dire ces cas où une personne se tue immédiatement après avoir tué quelqu'un d'autre, le plus souvent un conjoint, un amant ou un membre de la famille[93]. En général, ce genre de crime est commis par un adulte de sexe masculin, de race blanche et de classe moyenne dont le casier judiciaire est par ailleurs vierge; il tue sa femme ou son amie, puis se tue lui-même. Ces meurtres de conjoint devraient normalement être inadmissibles, mais quelque chose s'est produit qui a annulé les inhibitions du sujet: on peut sans doute en déduire que l'état d'esprit préalable au suicide entraîne une mise en veilleuse suffisante des inhibitions pour qu'un tel geste puisse être accompli.

On peut aussi proposer une autre explication en ayant recours à la conception freudienne de tels événements: la personne assassinerait d'abord son conjoint ou son amant puis, accablée par la culpabilité, se tuerait elle-même afin de se punir[94]. Les données toutefois contredisent cette interprétation. L'étude attentive de ces cas montre de façon constante que le suicide était la motivation première et le meurtre, la seconde. En général, l'homme, très en colère contre sa femme ou sa maîtresse, la considère comme responsable de ses problèmes. Bien que le meurtre soit commis en premier lieu (tout autre ordre séquentiel étant impossible), il semble qu'en général, le meurtrier ait d'abord décidé de se tuer lui-même. Une fois sa décision prise, il arrive qu'il tue sa femme ou sa maîtresse en représailles pour sa propre mort[95]. Voilà qui s'inscrirait dans le tableau des états suicidaires caractérisés par la levée des inhibitions.

FAIRE LE SAUT

Nous avons vu quelles preuves permettent d'inscrire le suicide dans la catégorie des mouvements de fuite loin de soi. Mais comment en arrive-t-on au suicide? Le tableau serait le suivant: une personne traverse une crise personnelle dont elle attribue la cause au soi avec pour résultat qu'elle devient douloureusement consciente de posséder un soi incompétent, indésirable, coupable ou déficient de quelque façon. Cette conscience de soi s'accompagne d'une profonde détresse émotionnelle à laquelle la personne veut mettre fin. C'est alors que se manifeste le désir de fuir.

Dans un effort pour supprimer la pensée significative, éviter une auto-évaluation dévastatrice et couper court aux émotions, la personne cherche à rétrécir son horizon mental. Il en résulte un état d'insensibilité caractérisé par une pensée rigide et concrète, une focalisation sur le moment présent, une préoccupation pour tout ce qui est banal et une incapacité à interpréter les événements de manière cohérente. Comme nous l'avons vu au chapitre précédent — essentiel à la compréhension des motifs qui poussent une personne à s'enlever la vie —, cet état d'esprit est relativement instable. L'insensibilité et le rétrécissement de l'horizon mental, vaguement déplaisants en soi, sont impossibles à maintenir indéfiniment. L'esprit cherche sans cesse à revenir à la pensée significative.

Souvent, la personne réussit à traverser la crise, découvre de nouveaux moyens de donner un sens à ses difficultés récentes et retrouve une vie normale. Ces personnes-là ne sont pas suicidaires. Le désir de suicide vient aux personnes qui restent coincées dans leur état d'insensibilité et de rétrécissement mental. Leur univers refuse de rester déconstruit mais rien ne leur permet de le reconstruire de façon satisfaisante. Le retour à la pensée significative ne ramène que la conscience pénible de soi et la détresse émotionnelle qu'il s'agissait justement de fuir. La vie quotidienne n'est plus qu'une alternance d'états pénibles. Ou on se sent rongé par l'ennui, vide de toute substance et incapable de ressentir quoi que ce soit ou on est douloureusement conscient de ses propres insuffisances et accablé de douleur, de tristesse et de malheur. On voudrait pouvoir choisir le moindre de tous ces maux, mais on se retrouve devant un choix impossible[96]. Sans doute l'état d'insensibilité est-il le moindre mal, mais il est presque impossible de s'y tenir.

Il faut donc trouver une issue. Ayant perdu l'espoir de reconquérir le bonheur, au moins souhaite-t-on tenir en échec la détresse émotionnelle et en arriver à un certain état de neutralité — quelque chose qui s'apparente au sommeil réparateur et qui puisse éliminer les difficultés et les ennuis: quelque chose qui soit de l'ordre de l'oubli. L'idée du suicide peut alors offrir une promesse de sérénité.

Normalement, les gens n'entretiennent pas le désir actif de se tuer[97] et ont des inhibitions très fortes qui les protègent contre l'éventualité de s'enlever la vie ou même de la risquer. Il faut donc modifier ce contexte pour qu'une tentative de suicide puisse avoir lieu. Une crise personnelle prolongée peut entraîner une telle modification. L'avenir paraît alors bouché, vide ou peuplé d'une suite interminable de malheurs et y échapper ne semble plus présenter que des avantages.

Le narcissisme contribue aussi à empêcher les gens de se suicider. La plupart des gens ont une opinion favorable d'eux-mêmes et hésitent à la liquider. Chez la personne suicidaire, toutefois, une crise récente a ébranlé cette opinion favorable de soi: le soi s'est révélé incompétent, indigne d'amour, coupable ou insuffisant. La protection narcissique qui garantit habituellement contre le suicide se fissure. L'avenir, comme le soi, cesse alors d'être ce trésor précieux qu'il fallait préserver par tous les moyens.

Enfin, les responsabilités à l'égard de la famille et des autres sont aussi une raison de ne pas se suicider. Par sentiment d'obligation ou par crainte de la désapprobation, on se dit qu'on ne doit pas songer au suicide. Un homme, par exemple, qui a une femme et des enfants à sa charge ne se sent normalement pas autorisé à s'enlever la vie ni même à la risquer. Mais la crise qui entraîne la tentative de suicide a souvent considérablement affaibli sinon réduit à rien ces liens et ces obligations. Comme nous l'avons vu plus haut, les taux de suicide sont à la hausse chez les gens dont la vie familiale a été perturbée, peut-être en partie parce que les responsabilités et obligations qui donnaient une raison de vivre ont disparu. Un homme dont la femme demande le divorce en emmenant les enfants avec elle peut avoir soudain l'impression qu'il n'a plus de raison de vivre. En outre, comme l'état d'esprit, en situation de crise, se caractérise par le rejet de la pensée significative et la levée des inhibitions, il se peut que la personne cesse de penser sur la base de responsabilités et d'obligations et qu'elle ne voie plus pourquoi il faudrait continuer de vivre. Quoi qu'il en soit, une fois mises en échec les inhibitions qui empêchent en temps normal de mettre sa propre vie en danger, si le désir de mourir survient, il n'y aura rien pour y faire obstacle.

Dans le contexte de ma théorie de la fuite, la tentation suicidaire n'est pas tant la volonté de se tuer ou d'être mort que le désir de sombrer dans le néant. La personne aspire à la paix et veut être libérée de ses souffrances. Si quelqu'un pouvait lui offrir, sur un plateau d'argent, une vie toute neuve entièrement libre de tous les malheurs actuels, elle l'accepterait sans doute volontiers au lieu d'envisager le suicide. Comme nous l'avons vu, bon nombre de candidats au suicide expriment le désir d'être quelqu'un d'autre. Hélas, il n'y a pas de formule magique permettant d'adopter une nouvelle identité ou de se couler dans une autre vie. La mort peut donc s'imposer comme une solution de choix.

Le suicide serait ainsi en quelque sorte un échelon de plus dans les efforts que fait la personne pour échapper au soi. Elle tente d'abord d'évacuer la pensée et l'émotion de son esprit par un pur exercice intellectuel, mais elle n'y parvient pas suffisamment. Peut-être se tourne-t-elle alors vers l'alcool ou la drogue dans l'espoir de s'engourdir l'esprit, mais en vain. Dans ces circonstances, le suicide peut faire figure d'allié plus puissant et efficace. Le suicide parviendra à tout balayer. Interrogés sur la façon qu'ils avaient envisagé leur surdose de drogue avant la tentative de suicide, des survivants ont répondu[98] qu'elle ne leur était pas du tout apparue comme une substance violemment nocive capable de les empoisonner, de leur laisser des séquelles permanentes et même de les tuer, mais plutôt comme un bon moyen de s'enivrer ou de sombrer dans un profond sommeil. C'était un moyen d'oublier les difficultés et de se soustraire au moins temporairement au malheur.

Le suicide est une forme de fuite extrême et désespérée à laquelle certains ont recours lorsque la conscience de soi leur est devenue intolérable et qu'aucune solution n'est en vue. Faut-il préciser que le suicide est une réaction totalement mésadaptée, même dans le cas où la personne survit (et que sa tentative de suicide se révèle une fuite réussie), car les problèmes restent entiers et les conséquences sont souvent graves et de longue durée. Objectivement, le suicide est une bien piètre solution aux difficultés personnelles, mais aux yeux d'un être désespéré et irrationnel, il peut sans doute apparaître comme la solution la plus efficace, voire la seule solution envisageable.

VI

Le masochisme: le paradoxe plaisir-douleur

> [...] *la raison essentielle de son trouble était bien toujours la même: la dépossession où elle était d'elle-même.* [...] *O pensait: enfin. Voilà sans doute d'où naissait l'étrange sécurité, mêlée d'épouvante, à quoi elle sentait qu'elle s'abandonnait...*
>
> PAULINE RÉAGE, *Histoire d'O*

Contrairement au suicide, le masochisme ne semble pas être nocif. Les masochistes sont en général très prudents dans leurs pratiques et dans leurs choix de partenaires et se livrent à leurs pratiques sexuelles inusitées en risquant peu de se faire mal. Et tandis qu'on ne fait en général qu'une seule tentative de suicide, même si on y survit, le masochisme tend à s'intégrer aux habitudes de vie de la personne qui s'y adonne.

Le masochisme éclaire plusieurs aspects de ma théorie de la fuite[1], surtout l'hypothèse selon laquelle on chercherait à fuir la dimension symbolique du soi pour trouver refuge dans le corps. Le masochisme est un comportement sexuel qui semble pouvoir accroître l'intensité du plaisir en mettant l'accent sur le corps. Les cliniciens ont longtemps cru que les masochistes étaient frigides, impuissants ou incapables de ressentir du plaisir sexuel, mais on a aujourd'hui la certitude que les masochistes éprouvent au contraire beaucoup de plaisir sexuel. Il se peut tout de même que les gens se tournent vers le masochisme pour accroître leur stimulation sexuelle. Ceux qui ont un seuil élevé de jouissance, à qui il faut beaucoup de stimulation pour commencer à réagir, sont peut-être attirés par le masochisme. Mais il est aussi possible que leur moi et leur identité personnelle occupent trop de place et fassent obstacle à leur capacité de jouir.

Les effets pernicieux du moi sur l'activité sexuelle peuvent prendre des formes diverses. Lorsque l'activité sexuelle se fonde sur le soi, elle risque de s'appauvrir considérablement. Le désir de conquête, par exemple, pousse à comptabiliser les partenaires sexuels, et le nombre sert alors à gonfler l'estime de soi. Les «groupies» trouvent une satisfaction personnelle à coucher avec des célébrités. Pour d'autres, l'activité sexuelle est une mise à l'épreuve de leur compétence et de leur technique; dans ce cas, faire l'amour devient une façon de se faire valoir. Or tous ces comportements nuisent au plaisir sexuel. Les sexologues constatent qu'en évacuant le soi de la chambre à coucher on parvient à améliorer la réponse sexuelle. Si vous vous préoccupez de la qualité de votre érection, de votre pouvoir de séduction, du nombre de vos orgasmes, de leur intensité ou du moment où ils se produisent, votre plaisir sexuel s'en trouvera amoindri.

Les conseils des thérapeutes s'adressent généralement aux gens qui manquent d'appétit sexuel, mais tout porte à croire que les mêmes facteurs pourraient permettre d'accroître le plaisir sexuel chez les gens normaux. Certains se sentent attirés par le masochisme parce qu'il leur procure un plaisir sexuel intense. Les masochistes prétendent souvent tirer de leurs activités des orgasmes puissants et inoubliables. De telles prétentions ont de quoi attirer les curieux et les amateurs de sensations fortes.

QU'EST-CE QUE LE MASOCHISME?

Le masochisme peut être défini comme suit: un ensemble de comportements sexuels comprenant la soumission à la douleur, le renoncement au pouvoir, l'humiliation ou la honte. Les masochistes tirent une stimulation sexuelle d'une grande variété de pratiques, mais la plupart semblent avoir des goûts très particuliers, propres à chacun. Dans la plupart des cas, l'activité masochiste est un préliminaire à l'acte sexuel.

Nous disposons d'un certain nombre de données qui permettent de savoir, au moins dans les grandes lignes, ce que font les masochistes. Pour la plupart, il est nécessaire de ressentir une certaine douleur, bien qu'une menace, un soupçon ou une dose symbolique de douleur puisse suffire. Quelques coups sur les fesses, administrés du plat de la main ou à l'aide d'une batte, sont une pratique courante — douloureuse mais tolérable. Bien des couples semblent élaborer un code permettant au masochiste de signifier à son partenaire de s'arrêter lorsque la douleur devient trop intense.

Le renoncement au pouvoir peut prendre diverses formes, la plus courante étant de se faire ligoter ou bander les yeux. Le bandeau sur les yeux est sans doute la pratique masochiste la plus répandue puisqu'il semble que la plupart des gens qui veulent introduire un brin d'exotisme dans leurs activités sexuelles aient tenté au moins une fois de faire l'amour les yeux bandés. Pour ce qui est du ligotage, certains couples utilisent des bas ou une cravate ou encore se procurent des menottes. Le partenaire dominant peut aussi donner des ordres ou imposer des règles auxquels le masochiste devra obéir. Ce dernier devra demander la permission de parler, d'aller aux toilettes ou même d'avoir un orgasme. Ces pratiques symbolisent la soumission du masochiste à son partenaire dominant.

L'humiliation joue un rôle dans bon nombre de pratiques et prend des formes diverses, depuis les insultes jusqu'aux transformations symboliques en un être inférieur. Bien des masochistes aiment se qualifier d'esclaves. Certains, surtout chez les hommes, recherchent des humiliations encore plus dégradantes et demandent à être traités comme un bébé (auquel on mettra une couche, par exemple) ou comme un chien (qu'on tiendra en laisse). D'autres masochistes, surtout chez les femmes, aiment parader nues et enfreindre ainsi toutes les conventions culturelles qui prônent la modestie pour les femmes. Se montrer nue en présence de gens vêtus est une source d'excitation sexuelle pour ces masochistes.

Il n'y a pas de scénario unique auquel adhéreraient tous les masochistes, mais les pratiques que nous venons de décrire font partie de l'éventail de comportements parmi lesquels la plupart des masochistes choisissent leurs fantasmes propres. En règle générale, le masochiste et son partenaire jouent une «scène» ou un «jeu» (ces expressions servent très souvent à décrire les activités masochistes et font bien ressortir la rupture entre ces pratiques et la réalité ordinaire). Pendant le déroulement de la scène ou lorsqu'elle atteint son apogée, les partenaires ont des rapports sexuels.

Prenons comme exemple cette scène décrite (sans doute avec un peu d'exagération) par un homme qui s'en souvient comme de son expérience masochiste préférée. Un soir, après le travail, il entre chez lui et, comme convenu, il se déshabille et attend sa femme tranquillement. Lorsqu'elle vient le chercher, il jette un coup d'œil à son visage, ce qui est contraire aux règles qu'elle lui impose, de sorte qu'elle le gifle. Puis elle l'entraîne dans la cave, l'enchaîne à un crochet fixé au plafond, l'affuble d'un porte-jarretelles, de bas de nylon et d'un slip de femme pour ensuite lui fouetter légèrement les fesses[2]. Elle a invité d'autres gens. L'homme se sent humilié d'être vu ainsi attaché et vêtu de lingerie féminine. Il se laisse infliger une violente fessée sous le regard de tous les invités. Au nombre des invités se trouve une jolie femme qu'il doit supplier de se laisser caresser par lui. Il est autorisé à lui baiser et à lui lécher les pieds et doit la faire jouir oralement. Au bout d'un moment, les invités prennent congé, à l'exception d'un homme: l'amant de sa femme. La femme et son amant entraînent le mari dans la chambre à coucher, l'attachent au mur, fixent un vibrateur à son pénis avec du ruban gommé, puis se mettent au lit et font l'amour sous ses yeux.

Cet exemple, bien qu'il relève sans doute plus de la fabulation que de la réalité, réunit de nombreux aspects caractéristiques du masochisme. L'expérience de la douleur a pris la forme de coups administrés à la main ou à l'aide d'un fouet. Le renoncement au pouvoir s'est concrétisé dans le fait d'avoir été attaché, bâillonné et forcé d'obéir à des règles et à des commandements arbitraires. L'humiliation vient d'avoir dû porter des sous-vêtements féminins, de supplier, de baiser les pieds d'une femme, de parader devant des inconnus et de regarder sa femme faire l'amour avec un autre.

Le masochisme est-il toujours sexuel? Le terme *masochisme* est attribuable au neurologue allemand Richard Krafft-Ebing qui l'a utilisé pour désigner un ensemble de comportements sexuels. Le terme dérive du nom d'un romancier autrichien, Leopold Von Sacher-Masoch, dont les activités étaient indéniablement sexuelles[3]. Mais depuis Freud, l'expression sert à désigner aussi des comportements non sexuels surtout caractérisés par l'autopunition. Cette analogie, bien que fausse, persiste malheureusement du fait que les psychologues ont à l'origine mal compris le masochisme sexuel. L'usage du terme au-delà de la sphère sexuelle est trompeur et irritant et ne nous éclaire pas sur les comportements des gens que nous tentons de désigner ainsi. Il vaut donc mieux en restreindre l'usage à son sens initial, c'est-à-dire au masochisme sexuel. Comme nous l'avons vu au chapitre III, il semble douteux qu'on puisse chercher la satisfaction dans la souffrance, il n'y a donc pas lieu d'expliquer les comportements autopunitifs en invoquant des motivations masochistes.

Qui se livre au masochisme?

Des données récentes discréditent le stéréotype voulant que les masochistes soient des êtres pervers souffrant de graves problèmes émotionnels ou n'ayant qu'une piètre estime de soi, ou encore qu'ils soient pétris de culpabilité et cherchent, par conséquent, à s'autodétruire. Le masochisme ne semble associé ni à la maladie mentale ni à une perturbation émotionnelle. Tout semble indiquer que les masochistes sont au contraire des gens étonnamment normaux sauf pour leur vie sexuelle excentrique. Le masochisme ne semble pas non plus faire partie d'un mode de vie déviant ou mésadapté, mais semble plutôt très bien s'intégrer à un état d'esprit par ailleurs normal et sain.

Un autre stéréotype voudrait que le masochisme soit surtout le fait des femmes. Mais ici encore, la réalité se révèle tout autre. Le masochisme se manifeste tant chez les hommes que chez les femmes, bien que chez un petit nombre seulement des uns et des autres, et n'est caractéristique ni d'un groupe ni de l'autre. À vrai dire, plus d'hommes que de femmes seraient masochistes ou avoueraient entretenir des fantasmes masochistes. Certains en concluent que les hommes sont plus masochistes que les femmes, mais les hommes qui s'adonnent à des pratiques sexuelles inusitées sont toujours plus nombreux que les femmes de sorte qu'il s'agit peut-être là d'une tendance générale, sans plus. Le sexe, toutefois, a tout de même quelque chose à voir avec la nature des activités auxquelles on choisit de se livrer. Les hommes et les femmes pratiquent un masochisme légèrement différent, sans doute à cause des différences de rôles, d'attentes, de comportements sexuels et de personnalité qu'impose le sexe[4]. Mais il y a aussi de grandes similitudes, et le masochisme n'est en aucune façon exclusif aux femmes.

Fait à signaler, toutefois: le masochisme sexuel semblerait plus prévalent chez les personnalités fortes et les gens qui ont réussi. Voilà qui semble confirmer l'hypothèse que le masochisme serait un moyen d'échapper au soi, puisque les gens dont le soi risque le plus de représenter un lourd fardeau sont précisément ceux qui se tournent en plus grand nombre vers le masochisme. Voyons cela de plus près:

D'abord la courbe socio-économique. Les masochistes seraient plus nombreux au sommet de la hiérarchie socio-économique qu'à sa base. Les prostituées dont les clients sont de classe inférieure reçoivent rarement des demandes de domination tandis que celles qui évoluent parmi les riches et les puissants en reçoivent beaucoup. Un groupe de chercheurs qui avaient entrepris d'étudier les *call-girls* de la région de Washington DC, dont la clientèle se recrute parmi les politiciens, les juges et autres hommes influents de cette ville, se sont bientôt détournés des femmes au profit de leurs clients, ceux-ci se révélant nettement plus intéressants. Or les chercheurs ont surtout été stupéfaits du nombre élevé de services sadomasochistes que réclamaient ces clients. Car bon nombre d'éminents sénateurs, juges et députés semblent retenir les services d'une prostituée pour se faire donner la fessée ou se faire dominer de divers autres moyens. Chez ces clients d'élite, le désir de recevoir une correction surpasse le désir d'en infliger une dans une proportion de huit contre un[5]!

La place du masochisme dans l'histoire nous fournit d'autres données qui permettent de le relier au fardeau que peut constituer le soi. La plupart des pratiques sexuelles remontent à l'Antiquité, mais le masochisme fait exception à cette règle: il semble ne s'être manifesté qu'au début de la période moderne (1500-1800). Voilà qui coïncide avec le passage de notre culture vers une individualité plus marquée[6]. Au moment même où notre culture entreprenait d'alourdir le fardeau du soi en insistant pour que chacun acquière une identité propre, autonome, responsable et authentique, le goût pour le masochisme sexuel s'est répandu dans la société. Le masochisme semble être apparu dans l'histoire en réaction à la montée de l'individualité — comme on pourrait s'y attendre si le masochisme était bien un moyen d'échapper au soi.

Certaines comparaisons transculturelles permettent également de constater que le masochisme est relié à l'importance que notre culture accorde à l'individualité. Les chercheurs trouvent des traces de la plupart des pratiques sexuelles partout dans le monde, mais le masochisme semble limité à l'Occident. (Je fais ici allusion au masochisme proprement dit. Mordre et griffer en faisant l'amour sont des comportements que l'on retrouve dans d'autres cultures et qui peuvent même être plus courants ailleurs qu'ici; mais mordre et griffer n'ont rien à voir avec le masochisme proprement dit[7].)

Plus le soi est lourd à porter, plus les gens ont tendance à se tourner vers le masochisme. Les désirs masochistes semblent surgir en réaction à la nécessité d'entretenir une image hypertrophiée de soi. Les politiciens nous offrent à cet égard un excellent exemple puisqu'ils sont constamment tenus de présenter une image surhumaine de compétence, de vertu, d'énergie et d'esprit de décision. Il leur faut en outre conserver cette image envers et contre tous ceux qui ont pour but de les discréditer: journalistes hostiles qui prennent plaisir à les couvrir de ridicule, adversaires politiques qui, pour réussir, doivent leur faire mordre la poussière. Le soi du politicien est sans doute parmi les plus lourds et la prévalence du masochisme parmi eux n'aurait rien d'étonnant si nous arrivions à prouver que le masochisme est bien un moyen d'échapper temporairement au soi.

Quand le fait-on?

Dans le chapitre précédent, nous avons vu que les suicidaires ne font en général qu'une tentative de suicide, même s'ils y survivent. Le suicide est une réaction rare et exceptionnelle à une situation de crise désespérée. Il en va tout autrement du masochisme. Tout semble indiquer que les masochistes aiment se livrer à leurs pratiques de façon régulière. Le masochisme devient un mode de vie ou, tout au moins, un élément récurrent de la vie. Dans une étude, on demandait aux gens comment ils avaient réagi à leur première expérience de masochisme: la plupart d'entre eux répondaient qu'ils avaient eu très fortement envie de recommencer[8]. Parmi les nombreuses personnes qui adressent des lettres aux journaux ou aux revues pour décrire leur première expérience de masochisme, seule une infime minorité indiquent qu'elles s'en sont arrêtées là[9].

Il y a plusieurs années, un club aventure de la région de San Francisco invita un masochiste et son partenaire à faire une démonstration de leurs activités devant un groupe de membres. Les membres de ce club n'étaient absolument pas masochistes et la plupart ne s'étaient jamais livrés à de telles pratiques. Ils avaient adhéré au club par esprit d'aventure, puisque le club offrait des activités un peu hors de l'ordinaire comme le deltaplane et les voyages à moto. L'expérience sadomasochiste avait alors été abordée dans le même esprit. Le couple fit en sorte d'initier le groupe au sadomasochisme en invitant les participants à faire certains exercices: administrer ou recevoir une légère fessée, demander aux hommes d'enfiler des bas de nylon et de subir les moqueries d'un groupe de femmes. Mais après ce premier épisode, bon nombre des membres du club se sont mis à pratiquer le sadomasochisme[10]. Voilà sans doute ce qui peut le plus se rapprocher d'une expérience en laboratoire dans ce domaine. Un échantillon de personnes sans expérience et sans intérêt particulier pour le sadomasochisme est d'abord initié à cette activité et choisit ensuite de s'y adonner de façon régulière.

Bien sûr, il peut se révéler difficile d'avoir des activités masochistes. On peut avoir du mal à trouver un partenaire. Bien des personnes qui nourrissent des désirs masochistes sont mariées ou unies à un partenaire qui n'a pas du tout les mêmes goûts. Les «scènes» sadomasochistes exigent aussi un investissement considérable de temps, d'intimité et d'énergie.

Les données dont nous disposons confirment que le masochisme serait pratiqué assez régulièrement lorsque la chose est possible. À propos du stress que suscite le soi, nous avons vu précédemment que, selon les résultats de recherches, la question n'est pas tant de savoir quand trouver une période de soulagement pourvu que de telles périodes surviennent régulièrement. Ce modèle semble s'appliquer au masochisme. La régularité de ces activités contribuerait donc à étayer ma théorie selon laquelle le masochisme permet d'échapper au stress qu'exige le maintien du soi.

L'ÉTAT D'ESPRIT

Nous savons à présent en quoi consiste l'essentiel des pratiques masochistes; voyons maintenant quels effets elles peuvent avoir sur l'état d'esprit, autrement dit comment le masochisme permet la fuite.

Douleur et conscience

L'énigme principale du masochisme tient à la douleur. Pourquoi quelqu'un chercherait-il à souffrir? Les théories qui veulent que la douleur devienne une forme de plaisir ou que les masochistes cherchent à se faire punir semblent fausses. La douleur est une sensation désagréable même pour les masochistes et ne présente pas de valeur symbolique particulière: ce n'est pas la signification de la douleur qui compte, mais la sensation qu'elle procure.

Pour comprendre l'attrait qu'exerce la douleur, il faut comprendre son effet sur la pensée significative. Dans son livre *The Body in Pain* («Le corps en proie à la douleur»), Elaine Scarry conclut que la douleur déconstruit le soi et le monde[11]. En état de douleur, la personne n'a plus qu'un corps et le monde est ramené à l'entourage immédiat. Un très grand nombre de données viennent confirmer la théorie de Scarry. La douleur et la pensée significative ont du mal à coexister. La douleur est une expérience difficile à mettre en mots et plus elle augmente, plus il devient difficile d'entretenir des pensées abstraites sur quelque sujet que se soit. Les gens qui vivent en état de douleur chronique décrivent la chose comme une absence de signification et consacrent souvent beaucoup de temps et d'énergie à chercher une explication même si celle-ci ne soulage en rien la douleur[12].

Les données les plus détaillées que présentent Scarry viennent de l'expérience de la torture. Sous la torture, les gens agissent de façon diamétralement opposée à tout ce qui constitue leur identité: ils abandonnent leurs convictions et leurs valeurs les plus profondes, trahissent leurs collègues et leurs proches, renient des gens et des causes qui leur tenaient à cœur et renoncent à leurs engagements personnels. Si la douleur atteint un niveau suffisant, tous les aspects du soi deviennent irréels. La torture déconstruit l'identité personnelle et ne laisse qu'un pauvre corps brisé en attente de soins et de réconfort. Pour mettre fin à la douleur, nous pouvons agir en contradiction totale avec notre définition de nous-mêmes. Ce genre de comportement a déjà été signalé comme conséquence du rétrécissement mental correspondant à l'état de fuite. Lorsque le soi est démembré, nous ne refusons plus d'agir de façon incompatible avec le soi.

La douleur pourrait donc être un narcotique puissant si ce n'était qu'elle est si désagréable. En maintenant l'inconfort dans des limites acceptables, les masochistes arrivent à bénéficier des effets narcotiques de la douleur. Souffrir devient alors un moyen de s'emparer de l'esprit et de le forcer à se concentrer sur l'instant présent. Une femme très versée dans les pratiques sadomasochistes parlait du recours à la douleur de la façon suivante: «Un fouet est un très bon moyen d'amener quelqu'un à se situer ici et maintenant. Devant le fouet, on ne détourne pas son regard et on ne pense pas à autre chose[13].» Comme on le voit, il n'est pas toujours nécessaire d'aller jusqu'à infliger de la douleur; la menace peut suffire à centrer la personne sur le moment présent. Lorsque cette femme ligote sa partenaire et s'empare du fouet, l'attention de l'autre est entièrement fixée sur ce qu'elle fait bien avant que le fouet ne la touche — et même si le fouet ne la touche jamais.

Éliminer le soi

La douleur est déjà en soi un moyen très puissant de réaliser la fuite puisqu'elle empêche toute forme de réflexion suivie sur quelque considération significative ou sérieuse. Le masochisme pousse encore plus loin cette attaque contre le soi en s'en prenant à deux aspects dont il a été question dans le premier chapitre: l'estime de soi et le pouvoir. Le soi veut se montrer digne d'estime et cherche à exercer sa maîtrise sur le monde. Les pratiques masochistes sapent ces deux fonctions.

L'estime de soi

L'identité dépend dans une certaine mesure du respect et de la dignité, mais les masochistes se privent systématiquement de l'un comme de l'autre. Certains masochistes veulent être traités comme des chiens — se faire mettre en laisse et marcher à quatre pattes. D'autres veulent être traités comme des nourrissons, ce qui représente une autre perte de prestige. D'autres encore demandent à être humiliés et abreuvés d'injures. Les hommes masochistes refusent souvent de faire l'amour avec leur partenaire dominant puisque la pénétration leur semble incompatible avec leur position d'infériorité[14]. Pour traduire leur avilissement, ils peuvent avoir recours à la fellation pour faire jouir leur partenaire ou se masturber sous son regard.

Un fantasme d'humiliation qu'entretiennent souvent les hommes peut être résumé de la façon suivante: le partenaire dominant féminin invite une ou plusieurs de ses amies qui, tout en sirotant une consommation, regardent l'homme se dévêtir et s'offrir en spectacle en se masturbant devant elles. Selon les goûts de l'homme, l'humiliation peut être accrue par l'un ou l'autre des ajouts suivants: les femmes font des commentaires insultants pendant qu'il s'exécute, elles exigent de lui qu'il leur baise les pieds, lui font ramasser son sperme après l'éjaculation ou exigent qu'il les fasse jouir oralement les unes après les autres.

Les femmes masochistes, si elles cherchent moins l'humiliation, vivent néanmoins des situations où la perte de dignité est toujours présente. Il s'agit surtout, pour elles, de devoir parader nues dans des poses révélatrices[15]. Se présenter nue devant des gens vêtus est pour le moins gênant et compromet la dignité. Une femme racontait qu'elle avait dû poser nue pendant un cocktail. Elle était allongée de tout son long sur la table parmi les hors-d'œuvre et les canapés. Les convives avaient tout le loisir de la regarder et de la toucher chaque fois qu'ils s'approchaient de la table pour garnir leurs assiettes. Elle disait s'être sentie délicieusement gênée d'être ainsi exposée aux regards d'un groupe de personnes élégamment vêtues. Son corps, même dans ses régions les plus intimes, était accessible à quiconque s'y intéressait, au même titre que les croustilles et les craquelins.

En pareil cas, on se dépouille entièrement de son identité ordinaire puisqu'il est impossible de conserver un soi normal alors qu'on se livre à des activités qui le contredisent de façon aussi radicale. Une femme modeste et respectable ne s'allonge pas toute nue sur une table parmi des hors-d'œuvre. Un cadre supérieur fortuné ne se masturbe pas en public, ne se laisse pas abreuver d'injures et ne se promène pas à quatre pattes, une laisse autour du cou. Ces pratiques humiliantes mettent en échec une des fonctions primordiales du soi: la poursuite de l'estime. Les masochistes se privent volontairement de la dignité nécessaire au maintien d'une identité normale et il ne s'agit pas là de vagues effets secondaires, mais plutôt du but même que visent les pratiques masochistes: l'humiliation et la gêne font qu'il devient impossible de continuer d'être soi-même.

Le pouvoir

Les masochistes cherchent également à être privés de tout pouvoir en demandant à être ligotés. Le masochiste, une fois ligoté, est totalement démuni et vulnérable, incapable de prendre la moindre décision ou la moindre initiative. Souvent, il faut aussi qu'il se soumette aux ordres et aux exigences du partenaire, qui sont parfois totalement arbitraires puisqu'il s'agit surtout d'établir que le masochiste est entièrement sous la coupe de l'autre.

Ironiquement, les activités du couple s'inspirent le plus souvent d'un scénario élaboré par le masochiste lui-même. C'est le masochiste qui prend l'initiative des activités et qui, dans bien des cas, doit convaincre son partenaire d'assumer le rôle dominant. D'une certaine façon, c'est le masochiste qui garde le contrôle malgré que le jeu ait pour but de le réduire à l'impuissance. Voilà qui s'apparente au problème du suicide où la personne doit commettre un meurtre afin de pouvoir occuper le rôle convoité de la victime.

Devenir quelqu'un d'autre

L'attaque en règle que mène le masochisme contre le soi devient particulièrement manifeste dans les pratiques et les fantasmes qui font intervenir un changement radical d'identité. Nous avons vu qu'un nombre important de personnes suicidaires exprimaient le désir de devenir quelqu'un d'autre. On peut constater l'existence d'un désir semblable chez les masochistes qui cherchent à se transformer en quelqu'un de radicalement autre.

Certains, par exemple, expriment la volonté de changer de sexe. L'identité sexuelle est certes le fondement même de la personnalité[16]; il y a donc quelque chose d'absolument primordial dans le désir de changer de sexe. Or beaucoup d'hommes masochistes semblent rechercher précisément cela. Dans un échantillon, 40 p. cent des récits d'expériences masochistes faits par des hommes (y compris les fantasmes) comportaient au moins un faible degré de féminisation symbolique[17]. Le plus souvent, il s'agissait de porter des vêtements de femmes, surtout de la lingerie féminine: un soutien-gorge, un slip, des bas de nylon. D'autres ajoutent du maquillage et une robe, sortent en public habillés en femme ou se livrent à des activités sexuelles dans le rôle d'une femme. Certains prennent un nom de femme ou s'adonnent à des «tâches de femme» comme le ménage.

Il existe par contre peu de données indiquant que les femmes masochistes désirent se transformer symboliquement en homme. Peut-être parce que notre culture accorde plus de prestige aux hommes; une femme masculinisée ne subit pas une perte de reconnaissance. On pourrait alors en déduire que la féminisation des hommes masochistes est une forme d'humiliation, ce qui est sans doute le cas. Par ailleurs, le rôle de la femme dans notre culture se caractérise par des traits masochistes (la passivité, la soumission, l'obligation de plaire aux autres). Il faut dire aussi que notre culture permet aux femmes de porter le pantalon plus facilement qu'elle n'autorise les hommes à porter une robe. Mais peu importent les raisons pour lesquelles les femmes masochistes ne semblent pas rechercher un changement de sexe, il n'en demeure pas moins que ce désir est très présent dans le masochisme et constitue un changement radical d'identité. La transformation en un être entièrement nouveau: nouveau sexe, nouveau rôle social, nouveau nom, est un profond remaniement d'identité. On échappe alors si totalement au soi qu'on devient quelqu'un d'autre.

Autre fantasme très répandu parmi les masochistes: devenir un esclave sexuel à temps complet. Bon nombre de fantasmes masochistes aboutissent au scénario suivant: la personne quitte son emploi, s'installe au domicile du partenaire dominant et devient son esclave. Elle n'a plus alors pour tâche que de satisfaire les besoins sexuels du partenaire et de faire le ménage. Parfois, le partenaire dominant continue d'avoir une vie sexuelle active avec d'autres tandis que son esclave soumis assure le service ou se rend utile de toutes sortes de façons.

Cette forme d'esclavage se révèle toutefois impossible à concrétiser réellement[18]. Les masochistes ne veulent pas vraiment consacrer leur vie entière à quelqu'un d'autre. Bien peu de gens ont véritablement envie de ne faire rien d'autre que le ménage et le lavage. Mais le fantasme ne perd rien de son acuité de ne pas être réalisable. Que les masochistes soient stimulés par l'idée de devenir un esclave sexuel montre bien l'attrait qu'exerce sur eux l'idée d'une transformation radicale de l'identité.

Le fait d'ailleurs que ce fantasme soit impossible à réaliser confirme ma théorie selon laquelle le masochisme serait un moyen de fuir le soi de façon temporaire. Les masochistes se plaisent à imaginer une transformation radicale de leur être, mais ils n'en ont pas vraiment besoin. Pour échapper au stress inhérent au soi, il suffit de pouvoir s'y soustraire de temps à autre. Mais si le masochiste avouait ne s'adonner qu'à une pratique occasionnelle, il n'arriverait pas à se soustraire suffisamment à son identité ordinaire. Il faut donc qu'il imagine une transformation permanente.

La figure de l'esclave est aussi révélatrice à d'autres égards. Le masochiste a souvent recours au vocable «esclave sexuel» pour désigner son rôle dans les jeux sexuels et l'expression sert souvent à désigner la soumission masochiste. Mais où donc réside son attrait? C'est que l'esclavage est une perte d'identité. À l'origine, l'esclavage était un substitut à la mort sur le champ de bataille de sorte qu'on y associe toujours un certain degré de mort sociale. L'esclavage est une mort symbolique[19]. Les esclaves sont traités comme s'ils n'avaient ni famille, ni honneur, ni droits civils, ni opinions personnelles. En devenant esclave, on perd son nom, ses biens matériels, son rang social, toute prétention à l'estime et tout droit d'exercer quelque pouvoir sur sa vie. Bref, un esclave est un être humain de seconde zone qui n'occupe aucune place dans la société. On voit donc qu'en se rêvant esclaves, les masochistes révèlent sans équivoque leur désir de se dépouiller de leur identité personnelle.

La fusion avec le partenaire

Au sens large, toute pratique masochiste conduit à devenir quelqu'un d'autre. En renonçant à sa propre volonté, à son individualité, à l'estime de soi, et en acceptant de se soumettre à la volonté du partenaire, le masochiste se dépouille de son propre soi et le remplace par celui du partenaire.

Les masochistes cherchent à devenir le prolongement de leur partenaire. Ils font tout ce que demande le partenaire (c'est du moins ce que veut le jeu). Ils lui vouent une admiration sans bornes et, en contrepartie, s'estiment absolument nuls. De même, répondre aux moindres désirs du partenaire a pour contrepartie la négation de son propre plaisir et de son propre confort. Les masochistes renoncent donc à leur propre estime de soi et à tout pouvoir sur eux-mêmes pour ne plus se préoccuper que de l'estime de soi du partenaire et du pouvoir que celui-ci peut exercer sur eux.

Les masochistes établissent donc des rapports humains très profonds. Les fantasmes masochistes doivent, plus que d'autres, s'inscrire dans le contexte d'une révélation de longue durée[20]. Il en est ainsi pour toutes sortes de raisons, mais entre autres parce qu'il faut très bien connaître le partenaire pour en devenir un prolongement. Il n'est pas facile d'abandonner sa volonté à celle d'un parfait inconnu puisqu'il est presque impossible de deviner ce que l'autre désire. Les rencontres passagères offrent peu d'occasions de réaliser la fusion intime de deux âmes.

Une pensée concrète et rigide

La rigidité se manifeste dans le désir du masochiste de suivre à la lettre un scénario établi d'avance. Comme le masochiste prétend se soumettre entièrement à la volonté du partenaire dominant, son insistance pour qu'on adhère à son scénario peut paraître contradictoire, voire ridicule. L'anthropologue Gini Graham Scott décrit des couples qui en viennent à se disputer parce que le masochiste insiste pour se faire dominer d'une façon très précise et se plaint des exigences de son partenaire dominant[21]. Le masochiste dit: «Je suis entièrement sous ta domination et je ferai tout ce que tu veux» — mais lorsque le partenaire donne un ordre, le masochiste refuse d'y obéir ou se trouve des excuses.

De même, les prostituées qui comptent des masochistes parmi leurs clients disent qu'il s'agit d'une clientèle très particulière. Excédée, une prostituée expliquait que ses clients demandent à être insultés ou humiliés et la paient pour le faire[22]. Mais ils l'obligent à s'en tenir à un ensemble d'insultes très précises. Si elle dévie de quelque façon que ce soit, en ajoutant des insultes de son cru ou en en modifiant l'ordre, le masochiste se fâche, la fait recommencer ou refuse de la payer!

Nous ne savons pas si tous les masochistes sont aussi pointilleux en ce qui concerne leurs désirs. Il semble que l'intérêt porté à certaines formes de soumission entre en conflit avec le désir de faire tout ce que désire le partenaire dominant. Néanmoins, la tendance à la rigidité est manifeste et concorde avec l'état de rétrécissement mental décrit un peu plus haut et qui caractérise les états de fuite.

Il a aussi été question de pensée concrète et des caractéristiques de l'état mental propre à la fuite. Dans le masochisme, la pensée concrète se manifeste dans l'importance accordée à la sexualité et à la sensation. Le masochiste s'intéresse au corps. Tout le symbolisme de la soumission est ramené au corps. S'agenouiller, baiser les pieds ou les fesses, accepter d'être battu ou fouetté, toutes ces pratiques donnent un caractère concret ou physique aux échanges entre les partenaires. Même dans ses formes les plus spectaculaires, la soumission prend toujours une dimension physique comme en témoigne le célèbre roman de Pauline Réage, *Histoire d'O:* faire l'amour avec quelqu'un d'autre que le partenaire dominant, transformer son corps en présent qui puisse être offert à un autre, se laisser transpercer ou marquer au fer rouge. Le masochiste veut renoncer à sa propre volonté, à son individualité et à son identité, et cette renonciation s'exprime toujours par le biais du corps.

L'univers du masochiste est fait de douleur et de plaisir physiques. Dans une certaine mesure, il en est ainsi pour chacun de nous. Mais pour la plupart d'entre nous, la douleur et le plaisir prennent une dimension abstraite et complexe; les masochistes veulent sentir la douleur et le plaisir de façon directe et immédiate.

LES EFFETS DE LA FUITE

Pour le masochiste, la fuite semble être une fin en soi. L'activité masochiste n'est pas un moyen d'atteindre autre chose, sauf dans la mesure où la soumission permet d'atteindre le plaisir sexuel. Le masochiste semble avoir besoin de conjuguer la soumission et l'activité sexuelle pour échapper à lui-même. Il trouve une satisfaction dans ce cycle et ne semble avoir besoin de rien d'autre. Néanmoins, l'état de rétrécissement mental caractéristique de la fuite se répercute sur les attitudes et les comportements du masochiste et jette un éclairage nouveau sur le processus général et les effets de la fuite.

Fantasme et irrationalité

Comme nous l'avons vu au chapitre IV, il faudrait, pour fuir le soi, refuser la pensée significative, ce qui crée un état de vide mental. L'interruption de la pensée normale et critique qui résulte du rétrécissement mental caractéristique de la fuite rend vulnérable à des idées nouvelles y compris à des idées bizarres. Or les fantasmes bizarres sont l'essence même du masochisme. Lorsqu'un adulte normal se raconte qu'il est devenu un esclave sexuel, un nourrisson ou une personne du sexe opposé, il est clair qu'il n'a plus toute sa tête. La douleur déconstruit l'univers quotidien du masochiste qui fait place aux fantasmes complexes propres au masochisme.

Le théoricien Theodor Reik estimait qu'une imagination débridée était un préalable au masochisme[23]. Les gens qui manquent d'imagination devront trouver d'autres formes de fuite. Nous avons déjà vu que le fantasme de transformation en quelqu'un d'autre était très populaire parmi les masochistes. Pendant le jeu sadomasochiste, les protagonistes s'attribuent souvent une nouvelle identité. Voilà qui ressemble beaucoup à la façon dont un enfant devient un cow-boy, une princesse ou un astronaute.

Pour plusieurs, le seul fantasme suffit à satisfaire le désir masochiste. Les prostituées qui ont une clientèle masochiste parlent d'un taux d'absentéisme élevé. Jusqu'à 95 p. cent des hommes qui réclament les services d'une dominatrice professionnelle ne se présentent pas à leur rendez-vous[24]. Ce comportement est si courant que les femmes qui font ce genre de travail ont cessé de prendre au sérieux les premiers appels et insistent pour que le client confirme son rendez-vous le jour convenu. Seuls les habitués rendent ce genre de travail rentable. Pour la plus grande majorité des hommes donc, il suffit, pour satisfaire le désir masochiste, de téléphoner et de demander à être dominé.

La passivité

La passivité, caractéristique elle aussi du processus de fuite, est on ne peut plus manifeste dans le contexte du masochisme. Les masochistes cherchent à être réduits à la passivité. Leur attitude face au partenaire en est une de soumission et d'abandon. Ils renoncent au droit de prendre leurs propres décisions. Nous avons abordé la question de la passivité, plus haut, en parlant du pouvoir: prendre les choses en main est une attitude active tandis que renoncer au pouvoir est une attitude passive. Comme le masochisme consiste essentiellement à céder le pouvoir aux autres, la passivité en est un élément fondamental. Souvent, la passivité dépasse le strict niveau de la soumission symbolique et devient l'interdiction d'agir. Une fois ligoté, il devient impossible de bouger: la passivité est alors portée à son comble. Il n'y a plus autre chose à faire que de se soumettre aux volontés du partenaire. Et c'est souvent cet état de passivité qui déclenche l'excitation sexuelle.

L'extrême passivité du masochiste peut même faire problème surtout si lui et son partenaire vivent ensemble. En reniant sa propre identité, le masochiste laisse son partenaire dominant très seul. Imaginez un partenaire amoureux qui vous laisserait prendre toutes les décisions, n'amorcerait jamais la conversation et se contenterait de toujours faire ce que vous voulez. Certaines personnes très autoritaires apprécieraient peut-être, mais pour la plupart une telle situation deviendrait vite ennuyante. La recherche sur le masochisme revient souvent sur ce phénomène: le partenaire cesse progressivement de s'intéresser au masochiste au moment même où celui-ci atteint le sommet de la soumission, puisqu'il cesse alors d'être un partenaire stimulant[25].

L'émotion

Si le suicide sert essentiellement à fuir des états émotionnels pénibles, il ne semble pas en être de même pour le masochisme. Bien au contraire, certaines activités masochistes sembleraient même avoir pour but de susciter certains états émotionnels pénibles comme la peur et l'humiliation, bien que ceux-ci soient vécus dans l'univers irréel de la scène masochiste. Les préoccupations réelles de la vie quotidienne sont évacuées et l'intérêt du masochisme consiste peut-être justement à substituer aux anxiétés et aux insécurités de la vie réelle des peurs et des humiliations fabriquées de toutes pièces et jouées un peu comme sur une scène de théâtre. Ici encore, l'analogie avec les jeux d'enfants ou avec d'autres formes de jeux se révèle utile: on peut ressentir des émotions dans le contexte du jeu, mais celles-ci traduisent l'intérêt que l'on porte au jeu — et l'absence de toute préoccupation pour les détails de la vie quotidienne.

Le masochisme serait en outre un bon moyen d'écarter tout sentiment pénible lié à la sexualité. Comme nous l'avons vu, toute une gamme d'émotions peuvent nuire au plaisir sexuel, surtout les émotions qui sont directement liées au soi. La jalousie, la peur de l'incompétence et la crainte du mauvais rendement nuisent, on le sait, à la capacité de jouir[26]. Grâce au masochisme, toutefois, toutes ces craintes s'envolent, ce qui a pour effet d'améliorer la réponse sexuelle et d'accroître le plaisir.

Et qu'en est-il de l'amour? J'ai proposé ailleurs de considérer le masochisme comme «une autre forme d'intimité» — une façon d'établir un rapport semblable à l'amour tout en étant autre chose[27]. Certes, bien des masochistes préfèrent être amoureux de leur partenaire, mais l'amour ne semble ni nécessaire ni suffisant pour donner du plaisir au masochiste. Les activités sadomasochistes réunissent des êtres et leur permettent de vivre des sensations très semblables à celles que suscite l'amour. Même en l'absence d'amour, deux personnes peuvent fusionner d'une façon très semblable à ce que feraient deux amoureux. C'est en ce sens que le masochisme peut remplacer l'amour, ce qui ne veut pas dire que le masochisme et l'amour conduisent au même résultat. En amour, deux personnes se fondent en une seule qui est en quelque sorte l'union de versions légèrement idéalisées des deux protagonistes. Dans le contexte du sadomasochisme, toutefois, deux personnes se fondent en une seule, mais cette nouvelle entité correspond au partenaire dominant (ce qui explique la tendance du partenaire dominant à perdre intérêt et à se sentir très seul puisqu'en un certain sens il se retrouve seul après avoir absorbé l'autre). Ce qu'il faut comprendre cependant, c'est que l'amour et le masochisme offrent la possibilité de quitter le soi au moyen de la fusion avec un autre être humain.

Les inhibitions

Le seul fait de participer à des activités sadomasochistes semble exiger la levée de certaines inhibitions puisqu'en temps normal, bien peu de gens accepteraient de se laisser ligoter et administrer une correction. La levée des inhibitions semble d'ailleurs contribuer fortement à l'escalade masochiste. La recherche montre que les gens commencent par se livrer à des jeux de faible intensité. Pour une première expérience, l'aspirant au masochisme se contentera souvent de se faire bander les yeux ou de se faire retenir les bras au-dessus de la tête pendant l'amour. Puis il passera à quelques coups sur les fesses. Plus tard, sa contention prendra des formes plus complexes et la douleur deviendra plus prononcée et plus durable.

Une telle argumentation devient vite circulaire: l'expérience du masochisme engendre le désir de se livrer à d'autres expériences masochistes. Si le masochisme parvient réellement à lever les inhibitions, il devrait conduire les gens à rechercher autre chose que les seules activités directement liées au masochisme: il pourrait, par exemple, les amener à expérimenter de nouvelles formes d'activités sexuelles. Or les masochistes avouent s'être livrés à des activités nouvelles comme la sexualité orale ou anale. D'autres disent avoir connu leur première expérience d'homosexualité en situation de soumission masochiste. Souvent, le partenaire dominant préside et fait intervenir un tiers avec lequel le masochiste devra avoir des rapports sexuels.

On peut se demander si le masochiste ne désire pas secrètement ces activités sexuelles interdites et prend l'épisode masochiste comme prétexte pour s'y livrer. Un homme, par exemple, racontait comment sa maîtresse lui avait fait porter des sous-vêtements féminins et demandé l'intervention d'un autre homme pour faire l'amour avec lui[28]. Une femme qui tenait un journal de ses activités de lesbienne masochiste racontait qu'elle prenait plaisir à se faire attacher parce qu'ainsi elle cessait d'assumer la responsabilité de son homosexualité: «On peut alors avoir des comportements sexuels sans se sentir responsable de sa sexualité, sans exercer de contrôle sur ce qui se produit. On est "forcé" de se soumettre: "ce n'est pas ma faute, maman"[29].» Un désir d'homosexualité aussi profond, de la part du masochiste, serait parfaitement compatible avec ma théorie de la fuite. La fuite élimine les obstacles internes qui empêchent les gens de faire ce qu'ils désirent. Il ne s'agit pas de créer de nouveaux désirs, mais de surmonter le conflit interne: la présence simultanée du désir et du refus de s'engager dans certaines formes de sexualité interdites. La fuite permet d'éliminer ces inhibitions et de faire de nouvelles expériences. La situation sadomasochiste, en soulageant les protagonistes de la responsabilité de leurs actes, ne fait que leur faciliter les choses.

Le masochisme est un moyen très efficace de se fuir soi-même. Par ailleurs, ses liens avec la sexualité ont deux principales conséquences. Premièrement, ils font du désir masochiste un désir récurrent. Comme le désir sexuel se renouvelle périodiquement, en liant le masochisme à la sexualité, on fait du premier une activité régulièrement souhaitable. On voit donc qu'il s'agit là du type de fuite qui permet d'échapper au stress qu'engendre le maintien d'une image de soi sans cesse favorable puisque — par définition — ces formes de fuite doivent être périodiques. Contrairement aux fuites motivées par une catastrophe (qui peuvent donner lieu à un suicide), une seule expérience de fuite ne suffit pas à procurer le soulagement nécessaire. Autrement dit, s'il est possible de s'arrêter à une seule tentative de suicide, il ne semble pas possible de se contenter d'une seule expérience masochiste.

Deuxièmement, les liens entre le masochisme et la sexualité ont pour effet de rendre le masochisme plus désirable. Le plaisir sexuel confirme le désir de recommencer. Or comme l'épisode masochiste se termine par un orgasme puissant — et, ainsi que nous l'avons vu, il semble que les pratiques masochistes procurent effectivement des sensations exceptionnellement fortes —, on aura tendance à garder de son expérience masochiste un souvenir agréable. Même le problème de la douleur se trouve ainsi résolu. Tout en désirant l'effet narcotique de la douleur, le masochiste ne tient pas à ce que la dimension pénible de la douleur prédomine. Mais le recours à la douleur est rendu acceptable du fait qu'elle s'inscrit dans le contexte d'une expérience porteuse d'un plaisir intense. En liant la douleur à la sexualité, les masochistes mettent à profit la capacité générale de tolérer un certain degré d'inconfort pourvu que le résultat soit agréable et désirable. La douleur devient le prix à payer pour obtenir une jouissance très intense.

Bien entendu, ce marché est absurde. Il n'est pas nécessaire de souffrir pour prendre du plaisir à la sexualité. Les masochistes n'ont pas vraiment besoin d'accepter la douleur en contrepartie du plaisir sexuel. Ils utilisent la douleur comme moyen de polariser l'attention et d'éliminer la conscience de soi. Mais cette façon de voir les choses est objective et rationnelle et n'a rien à voir avec l'attitude subjective du masochiste. Aux yeux de ce dernier, la douleur peut sembler un adjuvant indispensable au plaisir. Ce qu'il faut surtout comprendre, c'est que la douleur perd son pouvoir dissuasif puisque la perspective de jouissance la rend acceptable. Mais en réalité, le masochiste recherche la douleur non pas pour accéder à la jouissance, mais pour échapper au soi. Le plaisir sexuel est un sous-produit accidentel de l'opération, mais il rend le tout plus agréable et contribue sans doute à donner au masochiste le goût de recommencer encore — et encore.

VII

L'alcool: se fondre dans les vapeurs éthyliques

Dieu n'avait fait que l'eau, mais l'homme fit le vin.

VICTOR HUGO, *Les Contemplations*

La semaine à l'hôpital avait été catastrophique. Robert avait des problèmes avec son supérieur et deux collègues avaient démissionné, ce qui obligeait tout le monde à faire des heures supplémentaires. C'est alors que sa femme avait téléphoné pour lui annoncer qu'elle partait pour de bon en emmenant leur fils avec elle.

Ce n'était pas leur première querelle; il leur était même arrivé à quelques reprises de se séparer pour un temps. Chaque fois, il avait pensé que c'était la fin du monde. Cette fois, la rupture semblait définitive: elle partait avec les meubles. Elle était déjà partie avec une valise, mais jamais avec un camion. Il était seize heures et demie. Robert était au travail depuis sept heures et allait devoir y retourner à sept heures le lendemain matin. Il avait prévu voir sa famille, manger un peu et s'offrir quelques heures de sommeil, mais soudain toute sa vie s'écroulait. Plus de femme, plus d'enfant. Il n'avait plus qu'une vieille maison vide et nulle part où s'allonger.

Il savait bien qu'il était au moins en partie à blâmer. Sa femme menaçait déjà de partir parce qu'il prenait de la drogue et qu'elle n'était pas d'accord. Or hier, il lui avait menti et en avait pris. Mais elle n'était pas très honnête avec lui, non plus. Elle buvait, ce qui était sûrement plus nocif pour leur fils que les quelques rares lignes de coke qu'il s'offrait. Et ce n'était pas juste qu'elle parte avec les meubles qu'il avait payés. Entre la culpabilité, un mélange d'amour et de haine pour sa femme et l'incertitude face aux problèmes qui venaient de surgir dans sa vie, Robert se sentit soudain accablé de tristesse et de pensées indésirables. Il en voulait à sa femme et s'en voulait à lui-même. Il se sentait rejeté, trahi, triste, inquiet, menacé, embêté. Puis son esprit parvint à se fixer sur une chose dont il était absolument sûr: il avait envie de se soûler. Voilà la seule chose digne d'être faite et il fallait commencer sans plus attendre.

En route vers la maison, Robert s'arrêta au dépanneur pour acheter une caisse de douze bières. Il en ingurgita rapidement deux dans la voiture, en pleine heure de pointe. Loin de se sentir plus calme, il vit monter sa colère encore davantage. Des vagues de rage alternaient en lui avec des moments de frustration où il en voulait au monde entier et à lui-même. En arrivant à la maison, il avait déjà bu la presque totalité de sa caisse de bière et haletait de colère contre l'égoïsme, la stupidité et la veulerie de sa femme.

Un couple d'amis qui habitait tout près et savait que sa femme était partie s'annonça. Un peu de compagnie ne lui ferait pas de tort, mais il faudrait de la bière. Un saut au dépanneur et hop! une autre caisse de douze: peu importe la marque — pourvu qu'elle soit froide. Le couple arriva comme il calait la première. La présence de ses amis fit fondre sa rage et on se mit à parler hockey, voitures, vieux souvenirs — tout sauf la question de l'heure: la femme de Robert et son enfant. Il n'y avait presque plus de meubles dans la maison, on s'assit donc autour de la vieille table de cuisine. La radio jouait, tout le monde buvait, parlait haut; les plaisanteries fusaient et tout le monde s'amusait.

Sa colère passée, Robert sentit soudain les effets de l'alcool: il était très enivré. Il avait chaud, se sentait engourdi et bien. La bière était bonne, il faisait bon rire. La deuxième caisse disparue, quelqu'un partit en chercher une autre. Puis, un des amis fit une plaisanterie douteuse au sujet de la femme de Robert, puis une autre, et Robert se mit à ridiculiser sa femme à son tour. Il se souvenait vaguement de sa colère, mais il s'en fichait. Il prenait plaisir à dénigrer sa femme. Il avait encore le vague sentiment que sa vie était gâchée, mais ce n'était plus un sujet d'inquiétude, rien d'urgent, rien de grave. Tous ses problèmes s'étaient évanouis. Ses amis et sa bière: voilà tout ce qui comptait.

La soirée prit fin dans l'ivresse. La radio jouait, quelqu'un renversa un verre, quelqu'un d'autre fit un vague effort pour éponger le dégât. Puis on renversa une autre bière et les efforts de nettoyage se firent moins efficaces. Il était tard, Robert avait sommeil et vaguement mal au cœur d'avoir tant bu. Le divan était toujours dans le salon et il semblait préférable de s'y allonger plutôt que de s'engager dans l'escalier pour atteindre la chambre à coucher. Il passa donc la nuit sur son divan, se réveilla une fois pour vomir, se sentit mieux, revint au divan et s'endormit. À six heures, le réveille-matin se mit à sonner et il fallut envisager de retourner au travail. Non sans une bonne dose d'aspirine et de café[1].

Voilà une histoire assez typique des cas d'ivresse consécutifs à une catastrophe. L'alcool est un dépresseur physiologique mais Robert, comme la plupart des gens qui boivent, ne cherchait pas cet effet dépresseur. Il voulait oublier ses problèmes et sa détresse. Pour lui comme pour bien d'autres, l'alcool était surtout un moyen d'échapper à la conscience de soi.

L'alcool occupe une place de choix dans la société occidentale. Étrangement, alors que nous nous préoccupons des dangers de la drogue, peu de gens s'inquiètent des effets de l'alcool qui, pourtant, cause beaucoup plus de tort, de misère, de déboires financiers et de décès que toutes les drogues réunies. Peut-être en est-il ainsi parce que notre société a tenté en vain, autrefois, de se débarrasser de l'alcool. Malgré des décennies de campagne contre l'alcoolisme, allant jusqu'à la prohibition, la consommation d'alcool n'a jamais diminué et les retombées de sa criminalisation ont été si tragiques qu'il fallut l'abolir. L'alcool semble donc s'être imposé comme «drogue de choix» en Amérique du Nord et dans la plupart des autres pays occidentaux. Encore aujourd'hui, les efforts visant à réduire la consommation d'alcool se révèlent inutiles. Par exemple, 77 p. cent des étudiants de niveau collégial avouent consommer de l'alcool de façon régulière et jusqu'à 43 p. cent ont admis avoir pris cinq consommations consécutives ou plus au moins une fois au cours des deux semaines précédant l'enquête[2].

La capacité de l'alcool de procurer des sensations agréables peut être mesurée à l'ampleur des difficultés qu'on semble prêt à accepter pour en consommer. À cette aune, l'attrait de l'alcool doit être extrêmement puissant, car le prix à payer est exorbitant. «Lorsqu'on calcule la valeur de la productivité perdue, de la criminalité et des accidents attribuables à l'alcool et qu'on y ajoute le prix des traitements de désintoxication... la facture s'élève à plus de cinquante milliards de dollars par année[3].» L'alcool intervient dans un très grand nombre de comportements antisociaux. Deux tiers des meurtres qui se produisent chaque année en Amérique du Nord peuvent être attribués à l'alcool, de même que 88 p. cent des attentats à l'arme blanche et 65 p. cent des cas de violence conjugale[4]. L'alcoolisme cause de graves problèmes de santé de même que des blessures consécutives aux accidents, et ces deux éléments réunis entraînent environ cent vingt-cinq mille décès par année aux États-Unis seulement[5]. L'alcoolisme peut gâcher la vie d'une personne et détruire sa famille sur plus d'une génération. Un chercheur qui comparait les symptômes de désintoxication à l'alcool et à l'héroïne en est arrivé à la conclusion que, de ce point de vue tout au moins, l'alcool entraînait une dépendance plus grave encore que l'héroïne; le sevrage d'alcool peut être fatal tandis qu'il ne l'est jamais dans le cas de l'héroïne[6].

Pourquoi l'alcool jouit-il d'une telle faveur? C'est surtout qu'il nous permet de fuir le soi. L'alcool réduit la conscience de soi[7]. La consommation d'alcool diminue la capacité de traiter les données qui se rapportent au soi. Après avoir bu, on reste conscient de ce qui nous arrive, mais on en mesure moins les conséquences. Après un échec ou une catastrophe, l'ivresse permet de ne pas en venir à la conclusion qu'on est bon à rien, ou encore rend plus hardi puisqu'on ne songe plus à sauver sa réputation coûte que coûte.

Peut-on généraliser ces conclusions et les appliquer à d'autres drogues? Non. Si les autres drogues entraînaient les mêmes effets que l'alcool, elles ne présenteraient aucun intérêt particulier et leur caractère illégal leur ferait perdre tout attrait. Chaque drogue a son effet propre et peut faciliter ou inhiber la fuite.

L'héroïne est peut-être la drogue qui se compare le mieux à l'alcool du point de vue de la fuite qu'elle permet de réaliser (bien que son effet soit plus intense). Le LSD, par contre, tout en déconstruisant une partie du soi, favorise la prise de conscience et la rencontre avec soi, ce qui en fait une drogue sans intérêt si l'on est mû par un désir d'évasion[8]. Son utilisation dans le contexte de la psychothérapie témoigne de sa capacité à favoriser la conscience de soi, ce qui est tout le contraire de ce que recherchent les amateurs d'évasion. La cocaïne intensifie le sentiment que l'on a de soi-même. Les consommateurs de cocaïne se sentent soudain imbus d'eux-mêmes et se croient capables d'accomplir de grandes choses ou de susciter l'admiration.

La cocaïne a donc un effet opposé à celui que recherchent les gens qui veulent échapper à eux-mêmes. La cocaïne rend plus conscient de soi — donne l'impression d'être brillant, plus attirant, plus grand que nature. Il est vrai cependant qu'on y a souvent recours pour obtenir les mêmes résultats que la fuite. N'oublions pas qu'à l'origine, le problème tient au fait que le soi n'est pas à la hauteur de ses propres exigences de sorte que la personne se sent incapable et malheureuse. L'alcool fait oublier le soi, ses normes et ses insuffisances et entraîne, par conséquent, un sentiment de bien-être. Même en l'absence de preuve directe, il semble raisonnable de postuler que la cocaïne donne le sentiment d'être à la hauteur et donc entraîne, elle aussi, un sentiment de bien-être. Par conséquent, bien que les effets psychologiques de la cocaïne soient de centrer l'attention sur le soi au lieu de l'en détourner, sa consommation peut avoir lieu dans les mêmes circonstances que les activités ayant pour but de fuir le soi.

LES CAUSES DÉTERMINANTES

L'alcool occupe une place exceptionnelle parmis les moyens qui permettent de fuir le soi puisque sa consommation peut s'inscrire dans les trois catégories de fuite: la fuite consécutive à une catastrophe, comme le suicide; la fuite comme moyen d'échapper temporairement au stress, comme le masochisme, et la recherche de l'extase.

La catastrophe

À l'origine du désir de fuite engendré par une catastrophe se trouvent un échec personnel, un problème ou un événement traumatisant grave. Le cas de Robert, exposé au début du chapitre, en est une bonne illustration: en apprenant que sa femme le quittait en emmenant leur fils et tous les meubles de la maison, Robert a d'abord réagi par un intense désir de consommer de l'alcool. Cédant à ce désir, il a réussi à réprimer sa douleur — du moins pour un temps.

Des études en laboratoire ont confirmé que le recours à l'alcool peut faire suite à un échec personnel qui rend la conscience de soi pénible. (L'alcool présente d'ailleurs un avantage à cet égard sur les autres drogues en ce sens que nous disposons de plus de renseignements à son sujet; les scientifiques ont beaucoup de mal à mener des études portant sur des drogues illégales tandis qu'il est relativement simple de procéder à une recherche sur l'alcool[9].) Les gens très conscients d'eux-mêmes sont portés à consommer de l'alcool en plus grande quantité après un échec qu'après un succès. Les gens moins conscients d'eux-mêmes ne présentent pas le même comportement[10]. La plus forte consommation d'alcool résulte donc de la conjugaison de deux éléments: un échec récent et une forte conscience de soi.

Des conclusions semblables ont pu être dégagées à la suite d'une étude ambitieuse portant sur les alcooliques qui rechutent. Vers la fin d'une cure de désintoxication, un groupe d'alcooliques a fait l'objet d'un ensemble de tests visant à découvrir les principaux événements qui s'étaient récemment produits dans leur vie et à mesurer leur attention sur eux-mêmes. Les chercheurs avaient prédit qu'une forte conscience de soi conjuguée à des incidents pénibles pousserait les sujets à boire, de sorte qu'il devenait possible de prévoir qui risquait le plus de faire une rechute peu de temps après la cure. Les prédictions se sont révélées justes. Au cours des trois mois qui ont suivi la cure, trois sujets sur quatre qui répondaient aux critères des chercheurs se sont remis à boire — dans la plupart des cas en quantité au moins égale à ce qu'ils consommaient avant la cure. Par contre, parmi les sujets qui ne répondaient pas aux critères fixés par les chercheurs, seul un petit nombre fit une rechute[11].

Le stress joue-t-il un rôle? On a longtemps cru que le stress — les problèmes, la tension, les difficultés — poussait à consommer de l'alcool. Mais les données ne permettent pas de confirmer cette hypothèse. Certaines formes de stress ne poussent pas à boire. Le décès d'un membre de la famille, par exemple, est de loin une importante source de stress. Or les études ont montré qu'un tel événement ne conduisait pas à une consommation abusive d'alcool[12]. La consommation d'alcool ne semble augmenter que lorsque les sources de stress ont des répercussions négatives sur le soi[13]. Les problèmes personnels auxquels nous avons du mal à faire face ou les échecs qui nous donnent le sentiment d'être nuls (comme nous le verrons dans les lignes qui suivent) poussent à boire.

Le lourd fardeau d'être soi

Il va sans dire que bien des gens consomment de l'alcool sans que nécessairement ils aient d'abord connu une catastrophe personnelle ou professionnelle. La boisson n'est pas toujours consommée à la suite d'un échec ou d'une situation de rejet — bien au contraire. Il arrive souvent que l'on consomme de l'alcool dans des situations de réjouissances. L'hypothèse de la fuite comme moyen d'échapper au stress postule que nous avons périodiquement besoin de perdre la conscience de nous-mêmes, simplement pour nous soustraire temporairement au lourd fardeau d'être soi. Peu importe quand se produisent ces épisodes de fuite, pourvu qu'ils aient lieu de façon périodique. Bien des gens ont recours à l'alcool en pareil cas. On prend une consommation en rentrant à la maison, après le travail, pour se détendre et mieux profiter de la vie. Voilà qui confirme le principe selon lequel on se sent mieux si l'on a la possibilité d'échapper périodiquement à soi-même.

La consommation d'alcool au cours de festivités appelle un commentaire spécial, car il y a plusieurs façons d'interpréter ce désir de servir de l'alcool au cours des réceptions. D'une part, on estime que l'alcool permet d'accroître le plaisir. Voilà qui a peu à voir avec la fuite puisque, selon cette hypothèse, l'alcool réduirait le champ d'attention et diminuerait par conséquent le nombre de choses auxquelles il est possible de penser[14]. La conscience de soi pourrait même en être accrue. Si vous broyez du noir, vos idées sombres risquent de prendre plus d'ampleur sous l'effet de l'alcool à moins que vous trouviez autre chose pour détourner votre attention. Voilà pourquoi les gens déprimés doivent éviter de boire seuls et ne devraient le faire qu'en bonne compagnie ou s'ils peuvent se laisser absorber par une activité qui mobilise l'attention. Bien des habitudes de consommation d'alcool prévoient justement l'ajout d'une autre activité. Si vous vous sentez bien, toutefois, l'alcool intensifiera votre sentiment d'euphorie en occultant les pensées qui pourraient vous en distraire.

Une autre hypothèse considère le pouvoir de l'alcool comme un moyen d'éliminer la conscience de soi. Au cours d'une soirée, on voudrait surtout perdre ses inhibitions afin de mieux s'amuser. L'identité se comparerait alors à des vêtements chics. Pour réellement s'amuser, on revêt quelque chose de plus décontracté. Toutes les folies auxquelles on peut se livrer au cours de certaines soirées (comme lorsqu'on se déguise, par exemple) sont difficilement conciliables avec la dignité dont nous nous entourons habituellement, mais l'alcool permet de se délester de cette dignité et du souci de garder sa réputation et permet de s'amuser ferme. Le succès de bien des soirées dépend de ce genre de réaction à l'alcool: des inconnus un peu coincés se réunissent dans une grande pièce et entreprennent, un peu gauchement, de faire la conversation. Mais après une ou deux consommations, tout ce beau monde se détend, se sent mieux et parle plus haut.

Quoi qu'il en soit, la consommation d'alcool permet, au moins dans certains cas, de se soustraire au lourd fardeau d'être soi. Bien des gens ont recours à de petites doses d'alcool, prises régulièrement, pour se détendre et oublier les préoccupations qui sont le lot du personnage qu'ils doivent jouer au travail. Pour d'autres, l'alcool sert de mécanisme d'adaptation, ce qui combine deux modèles de fuite: celle qui fait suite à une catastrophe et celle qui permet d'échapper au stress. Une personne qui se sent constamment vulnérable et menacée réagira plus violemment qu'une autre aux petits problèmes de la vie quotidienne qui risquent de réveiller ses craintes latentes. Un incident, même mineur, risque alors de lui rendre le soi particulièrement lourd à porter. Après une dure journée de travail, cette personne prendra un martini, une bière ou un verre de vin supplémentaire en arrivant à la maison.

L'extase

Un troisième modèle de fuite repose sur l'attrait qu'exercent certains états qui exigent la dissolution du soi. Les bacchanales offrent un exemple saisissant, bien que controversé, du recours à l'alcool pour provoquer des états d'extase[15]. Dionysos (dont le nom romain est Bacchus) est une divinité grecque dont le père était un dieu et la mère une mortelle. Son culte préfigure les religions du salut qui allaient bientôt voir le jour en différents endroits du monde; mais Dionysos était aussi le dieu du vin, ce qui justifie notre propos. Les rituels dionysiaques étaient célébrés la nuit et les participants entraient dans des états de frénésie qui les conduisaient souvent à des actes parfois insensés. On raconte les exploits de femmes de la haute société qui, à mains nues, taillaient en pièces des animaux sauvages et en dévoraient la chair crue. La consommation d'alcool — et surtout de vin — faisait partie de ces cérémonies, bien qu'il soit peu probable que le vin puisse à lui seul provoquer des comportements aussi excessifs[16]. Les participants s'abandonnaient à une forme de manie religieuse qui rendait possible des agissements hors du commun; le vin facilitait sans doute les choses mais n'était assurément pas le seul facteur.

Certes, la fureur dionysiaque donnait lieu à une certaine forme d'extase qui exerçait un puissant attrait surtout sur les femmes. «L'extase dionysiaque signifie avant tout le dépassement de la condition humaine, la découverte de la délivrance totale, l'obtention d'une liberté et d'une spontanéité inaccessibles aux humains», affirme Mircea Eliade[17]. Ce grand érudit poursuit en parlant de «délivrance des interdits, des règlements et des conventions d'ordre éthique et social» et «d'une communion avec les forces vitales et cosmiques[18]» semblable à une possession divine. Au chapitre IX, nous verrons plus en détail que de nombreuses expériences religieuses font intervenir le renoncement au soi ou à l'individualité au profit d'une communion avec le divin et que l'alcool peut jouer un rôle de premier plan dans ce genre de phénomène. Ce n'est sans doute pas par hasard que les rites chrétiens associent l'alcool à la communion bien qu'aujourd'hui les quantités consommées soient trop réduites pour produire un effet. Il n'en demeure pas moins que cette consommation d'alcool découle du pouvoir qu'il a de produire des effets considérables sur l'esprit et, entre autres, de réduire la conscience de soi.

L'ÉTAT D'ESPRIT

L'alcool modifie l'état d'esprit du buveur de manière à produire des états semblables à ceux qui caractérisent les autres formes de fuite que nous avons abordées. D'abord et avant tout, l'alcool est un bon moyen de rétrécir l'horizon mental, ce qui est essentiel à la fuite et au rejet de la signification. Cet état de rétrécissement mental induit par l'alcool a été appelé *myopie alcoolique* par certains éminents chercheurs[19]. Bien entendu, l'alcool ne modifie en rien la vision et ne rend pas les gens myopes, mais il contribue à rétrécir leur horizon mental. L'intoxication alcoolique nuit à la capacité de l'esprit de traiter les grands ensembles d'information. En état d'ébriété, on ne remarque pas autant de choses que lorsqu'on est sobre.

Par ailleurs, l'esprit perd sa capacité à traiter l'information qu'il reçoit: sous l'effet de l'alcool, l'esprit est moins apte à tirer des conclusions, à établir des liens ou à faire des déductions. L'esprit continue d'emmagasiner des renseignements mais ne les traite pas complètement et ne parvient pas à les intégrer aux autres informations déjà reçues. Les nouveaux renseignements sont détachés de leur contexte et l'esprit de la personne en état d'ébriété n'évalue que les parcelles de signification qu'il perçoit.

Les comportements bizarres et parfois amusants des gens ivres sont souvent attribuables à cette forme de rétrécissement mental. Un jeune homme, par exemple, buvait en compagnie d'un ami dans la maison de celui-ci. Après plusieurs consommations, il eut la nausée, se rendit à la salle de bains et vomit. Se rappelant alors qu'il n'était pas chez lui, il fit de son mieux pour nettoyer le dégât qu'il avait causé. Après avoir épongé le plancher, il eut le sentiment d'avoir fait un bon ménage, sauf pour un petit tapis qui portait encore la marque incontestable de sa déchéance. Pour son esprit embrumé, il s'agissait surtout de bien nettoyer la pièce de sorte qu'il fallait absolument régler le cas du tapis. Avec peine, il réussit à ouvrir la fenêtre de la salle de bains et à jeter le tapis dans le jardin! Il ne prit conscience que le lendemain de l'incongruité de cette solution[20].

La perte de signification s'accompagne d'un horizon temporel limité. En état d'ébriété, la personne perd toute capacité de penser à l'avenir ou au passé et se concentre plutôt sur ses sensations immédiates. Ce rétrécissement de l'horizon temporel s'apparente à la levée des inhibitions puisque l'inhibition dépend beaucoup de la capacité de mesurer les conséquences de ses actes. Les chercheurs Claude Steele et Robert Josephs donnent comme exemple les crises de colère que l'on fait parfois en état d'ébriété[21]. En temps normal, nous serions portés à tenir notre langue en songeant aux conséquences que risquent d'avoir nos paroles malvenues. Mais sous l'effet de l'alcool, on cesse de penser au lendemain de sorte qu'on exprime sans réserve son irritation ou son indignation avec souvent des conséquences désastreuses.

Des données ont montré que la pensée devient concrète, rigide et banale sous l'influence de l'alcool. Quiconque a déjà eu à subir la conversation d'une personne en état d'ébriété pourra confirmer qu'il s'agit rarement de propos cohérents portant sur des questions profondes; la plupart du temps, il s'agit d'affirmations dogmatiques ou de descriptions concrètes de désirs physiques ou de situations vécues. L'alcool n'a pas la réputation de stimuler la pensée créatrice. Sous l'effet de l'alcool, on ne se mettra pas à réfléchir à des questions subtiles ni à chercher des solutions profondes; bien au contraire, «les aspects immédiats de l'expérience, compris superficiellement, ont un effet disproportionné sur le comportement et sur les émotions[22]».

Ainsi donc, l'ébriété provoque un état d'esprit conforme à celui qui caractérise la fuite de soi: une focalisation étroite sur le concret conjuguée au refus de toute signification ou considération relativement plus vaste.

LES EFFETS DE LA FUITE

La fuite permet entre autres d'échapper à des émotions pénibles. Or l'alcool permet d'atteindre ce but, mais le résultat n'est pas garanti: l'alcool peut aussi intensifier des états émotionnels désagréables comme l'anxiété et la dépression. L'effet dépend de l'usage qu'on fait de l'alcool, mais aussi de certains facteurs externes. L'alcool permet surtout de centrer l'esprit sur un ensemble d'idées ou d'indices; le rétrécissement de l'horizon mental est réalisé par le biais de cette focalisation de l'esprit au détriment de tout le reste. L'esprit se laisse alors complètement absorber par un seul aspect d'une question à tel point que la personne en oublie tous les autres aspects. Mon oncle me racontait qu'il buvait en regardant un match de football à la télévision. Il était partisan absolu d'une équipe et son équipe perdait. Plus le match progressait, plus il était irrité et lorsqu'à la fin son équipe fut défaite, il était d'humeur massacrante. Après avoir ruminé plus d'une heure, il se rendit compte que le résultat du match correspondait exactement au pointage pour lequel il avait parié au bureau de sorte qu'il venait de gagner deux cents dollars! Son état d'ébriété l'avait totalement empêché de voir cet aspect favorable des choses.

En règle générale, les effets émotionnels de l'alcool sont fonction des éléments sur lesquels l'esprit se concentre: tout dépend s'il s'agit d'éléments agréables ou désagréables. Boire quand on broie du noir peut avoir des effets désastreux puisque les idées noires qu'on ressasse finissent par occuper tout l'horizon mental. Boire en regardant la télévision peut effacer la mauvaise humeur puisque l'esprit se laisse occuper par les émissions télévisées et cesse de ruminer ses problèmes. Voilà pourquoi il est bon de joindre l'alcool à un autre stimulus: la bière aux sports, l'apéro à la conversation[23].

Pour les besoins de la fuite, par conséquent, il faut ajouter à l'alcool une distraction. Mais l'alcool peut jouer un tour et intensifier les sentiments pénibles qu'il devait éliminer, plongeant la personne dans le désarroi. Des études ont montré que l'alcool peut contribuer à accroître l'anxiété et la dépression — bien qu'il soit évident qu'on se tourne vers l'alcool lorsqu'on se sent anxieux ou déprimé[24]. Ce n'est pas qu'on ait tort, mais si l'on ne sait pas utiliser l'alcool — par exemple, si on ne prévoit pas suffisamment de distractions —, on peut subir l'effet contraire et voir s'intensifier sa souffrance. Un cercle vicieux risque de s'instaurer: la personne se tourne vers l'alcool pour trouver un peu de réconfort mais sa dépression s'intensifie, ce qui la pousse à consommer encore plus d'alcool[25]. Une telle escalade peut avoir des conséquences désastreuses.

Nous avons déjà indiqué que la passivité était une conséquence de la fuite: les gens cherchent à éviter de faire intervenir le soi ou de prendre des responsabilités. Il existe peu de données qui permettent d'établir un lien direct entre la passivité et l'alcool, mais il est clair que les gens ont recours à l'alcool pour ne pas prendre la responsabilité de leurs actes. Les gens qui créent leurs propres obstacles[26] en sont un bon exemple: ils trouvent dans l'alcool une excuse pour leurs éventuels échecs. Si leurs efforts ne produisent pas les résultats escomptés, ils pourront blâmer l'alcool plutôt que leur incompétence, leur faiblesse ou leurs insuffisances.

On peut donner pour exemple ces gens qui remportent un succès spectaculaire en début de carrière, se taillent une brillante réputation, mais vivent dans l'insécurité, craignant de ne pas pouvoir se montrer à la hauteur de cette réputation. L'alcoolisme leur offre un moyen de préserver leur réputation sans se mettre à l'épreuve. Si leurs travaux se révèlent médiocres, leur entourage invoquera l'alcool. (Et s'ils obtiennent de bons résultats, on dira qu'ils sont exceptionnellement doués pour réussir si bien en dépit de leur problème d'alcool.)

Voyons le cas de Gilbert. Alors qu'il préparait son doctorat, Gilbert se fit remarquer en publiant plusieurs articles percutants. Son directeur de thèse, un scientifique de réputation mondiale, était convaincu que Gilbert était exceptionnellement doué et promis à la célébrité, opinion que Gilbert se faisait un plaisir de partager. Après la collation des grades, le directeur de thèse de Gilbert écrivit aux plus grandes universités du pays pour vanter les talents de son protégé. Plusieurs d'entre elles se firent concurrence pour proposer un poste à Gilbert qui put faire son choix parmi plusieurs offres alléchantes.

Mais il n'est pas facile de se montrer à la hauteur de telles attentes. Gilbert se sentait tenu de faire des découvertes extraordinaires tout en s'estimant trop brillant pour se consacrer aux travaux fastidieux nécessaires à la recherche scientifique. Il mit en branle un ou deux projets très ambitieux qui tournèrent à rien. Il connut quelques succès avec des projets banals, mais qui n'avaient pas l'envergure à laquelle s'attendait son entourage.

Puis Gilbert devint plus renfermé. Il hésitait à parler de ses projets avec ses collègues. Lorsqu'il se trouvait en compagnie d'autres chercheurs, il faisait vaguement allusion à des théories nouvelles et à de grands projets de recherche mais n'entrait jamais dans les détails. Ses horaires devinrent bizarres. Il travaillait au milieu de la nuit, dormait le jour. Ses étudiants avaient du mal à le rencontrer et Gilbert s'isolait de plus en plus. Il se mit à boire et une rumeur courut qu'il avait un grave problème de boisson.

On allait bientôt décider de sa permanence. Tout le monde savait que pour obtenir un poste permanent dans une université aussi prestigieuse, il fallait avoir fait ses preuves et avoir publié des travaux de qualité exceptionnelle. Aux questions de ses amis, Gilbert continuait de répondre avec confiance qu'il obtiendrait certainement sa permanence pourvu que le travail qu'il avait en chantier soit terminé à temps. Il réussit à convaincre l'université de lui accorder un report d'échéance en invoquant des retards dus à des problèmes de subvention gouvernementale indépendants de sa volonté.

Ses grandes œuvres, toutefois, ne virent jamais le jour et Gilbert n'eut pas sa permanence. Mais au lieu d'être qualifié de médiocre, il s'acquit la réputation d'un scientifique très brillant et très prometteur que l'alcool (et croyait-on la cocaïne) avait perdu. Il quitta l'université, sa carrière en lambeaux mais sa réputation intacte. Nombre de ses collègues restèrent convaincus qu'il lui suffirait de renoncer à l'alcool pour réaliser de nouveau des travaux remarquables.

Il serait trop facile de conclure l'histoire de Gilbert en invoquant des motivations autodestructrices. Il s'est détruit lui-même, certes, mais il serait faux de conclure qu'il était animé par un désir de mort ou par tout autre besoin de s'autodétruire. Gilbert voulait parvenir au succès. S'il avait cherché l'échec, il aurait pu y arriver sans passer par l'alcool. Il suffisait de publier des travaux sans intérêt. L'alcool lui a servi d'autoprotection bien plus que d'autodestruction. L'alcool lui donnait une excuse pour ne pas se montrer à la hauteur des attentes de tous et lui permettait, par conséquent, de conserver sa réputation de génie potentiel. En dissociant ainsi le soi et le rendement, l'alcool permet de préserver l'image de compétence qui reste à l'abri de tout incident malheureux.

La levée des inhibitions est une autre conséquence du rétrécissement mental et l'alcool est bien connu comme moyen de se libérer de ses inhibitions. On sert de l'alcool au cours d'une soirée justement pour que les invités «lâchent leur fou». L'alcool favorise la séduction sexuelle en rendant la proie moins farouche. Et tout au long de l'histoire, on a donné de l'alcool aux soldats avant le combat pour les rendre à la fois mieux disposés à risquer leur vie et plus aptes à infliger des blessures et même la mort à l'ennemi[27].

Des études récentes ont permis de mieux comprendre les effets de l'alcool sur les inhibitions[28]. L'alcool ne fait pas que nous inciter à faire des choses que nous n'oserions pas faire en temps normal: son effet s'exerce sur des comportements qui font l'objet de conflits internes. Lorsqu'on est à la fois tenté d'agir et empêché de le faire par une inhibition, l'alcool fait fondre l'inhibition et fait pencher la balance en faveur de l'action. L'alcool ne fait pas, par exemple, simplement nous rendre plus agressifs ou violents. Si nous estimons avoir une raison d'agir de façon agressive, l'alcool amoindrira les restrictions internes qui s'exercent habituellement sur notre agressivité de sorte que nous deviendrons agressifs. Sous l'effet de l'alcool, nous ne cherchons pas nécessairement l'affrontement, mais la moindre provocation déclenche une réaction plus violente chez celui qui a bu que chez une personne sobre[29].

Les comportements qui risquent d'être modifiés par l'alcool sont relativement nombreux. Sous l'effet de l'alcool, on est plus porté à réagir de façon agressive, mieux disposé à révéler ses secrets ou à miser gros et on est nettement plus porté sur la chose romantique ou sexuelle[30]. On peut aussi être plus enclin à venir en aide aux autres. La question du pourboire, par exemple, est souvent marquée par un conflit interne. D'une part, nous voulons être généreux et, en même temps, nous voulons garder notre argent. Dans un restaurant, les convives qui boivent laissent en général un pourboire plus élevé que ceux qui ne boivent pas[31], et plus ils boivent, meilleur est le pourboire. Des études en laboratoire ont montré que la consommation d'alcool portait les gens à accepter plus facilement de remplir des tâches désagréables[32].

L'humilité peut être considérée comme une forme d'inhibition: les gens aiment avoir une haute opinion d'eux-mêmes et veulent que les autres partagent cette opinion, mais la modestie nous empêche de nous vanter. Sous l'influence de l'alcool, ces inhibitions sont levées et nous renonçons progressivement à l'humilité. Nous sommes alors plus portés à vanter nos propres mérites et à nous décrire en termes favorables[33].

Voilà qui nous ramène au but premier de la fuite: nous dépouiller de la conscience de nos défauts et de nos insuffisances. L'alcool semblerait nous permettre d'oublier nos défauts. Et si nous continuons de penser à nous-mêmes, ces pensées sont plus favorables lorsque nous sommes en état d'ébriété que lorsque nous sommes sobres. Ces effets sur la conscience de soi suffisent à inciter des millions de Nord-Américains à boire. Mais, comme nous le verrons au prochain chapitre, la détresse peut aussi nous porter à manger.

VIII

La boulimie: disparaître bouchée par bouchée

Dès que je prends conscience du trou qui s'ouvre à l'intérieur de moi, je panique. Je veux absolument le combler. Il le faut. Alors je me mets à manger, manger, manger encore — tout ce qui me tombe sous la main. Peu importe quoi, du moment que c'est comestible et que je peux l'avaler. C'est un peu comme une course contre le vide. Plus il y a de vide et plus j'ai faim. Mais ce n'est pas vraiment la faim, voyez-vous. C'est une crise, une fureur, quelque chose d'automatique et d'incontrôlable.

ROBERT LINDNER, *The Fifty-Minute Hour*

Si nous quittons le domaine de la boisson pour nous tourner maintenant vers celui de la nourriture, nous constatons que les crises de boulimie sont, à bien des égards, caractéristiques des comportements de fuite. Dans une enquête récente réalisée auprès d'étudiants de niveau universitaire auxquels on demandait ce qu'ils font lorsqu'ils sont de mauvaise humeur, on a pu constater que les réponses étaient différentes selon le sexe: les hommes boivent, les femmes mangent[1]. En réalité, les problèmes de boisson et les troubles de l'alimentation sont présents chez les hommes comme chez les femmes, mais il semble y avoir chez les hommes une tendance générale à se tourner vers l'alcool pour échapper à des sentiments pénibles, tandis que les femmes se tournent plutôt vers la nourriture.

Les crises de boulimie se présentent essentiellement sous deux formes. D'une part, il y a la *bulimia nervosa*, un comportement alimentaire pathologique surtout présent chez les jeunes femmes adultes et qui les fait alterner entre des périodes de privation extrême et des périodes de consommation frénétique de nourriture. D'autre part, il y a un comportement beaucoup plus répandu mais moins dramatique: celui des personnes suivant un régime qui renoncent périodiquement aux restrictions alimentaires qu'elles s'imposent en temps normal pour se livrer à des excès. Dans les deux cas, nous constatons la présence d'une tension entre un désir général de restreindre sa consommation alimentaire et des moments de relâchement où toutes les règles que l'on s'impose habituellement cessent de s'appliquer.

Il peut sembler paradoxal d'affirmer que les personnes au régime mangent plus que les autres, mais dans certaines occasions, il en est ainsi. Une personne s'astreignant à un régime diététique est sans cesse entourée d'aliments qu'elle s'efforce de ne pas voir et ressent constamment des désirs et des appétits qu'elle cherche également à nier. Quand soudain elle perd ses œillères, il peut arriver qu'elle se sente envahie par des envies de toutes sortes. Contrairement aux gens qui peuvent s'arrêter de manger lorsqu'ils sont rassasiés, la personne boulimique peut continuer de manger longtemps après que son corps a atteint sa limite. Il en est ainsi, en partie, parce que les personnes au régime ont appris à ne pas tenir compte des signaux de leur corps — non seulement ceux de la faim, mais aussi ceux de la satiété.

Peu de personnes au régime seront prêtes à l'admettre, mais il leur arrive souvent d'agir comme si, une fois le régime fichu pour la journée, elles pouvaient se permettre de manger tout ce qu'elles veulent. Des études rigoureuses ont permis de vérifier cette constatation. Dans le cadre d'une expérience, des sujets, réunis en laboratoire, étaient répartis au hasard en trois groupes: l'un qui ne recevait rien à manger, l'autre qui recevait un lait fouetté et un troisième qui recevait un double lait fouetté. Par la suite, tous les sujets étaient invités à une «dégustation» de craquelins et étaient priés de consommer autant de craquelins qu'ils le voulaient. Par-devers eux, les chercheurs comptaient le nombre de craquelins que chacun consommait.

Tous les sujets qui ne suivaient pas un régime ont eu le comportement attendu. Ceux qui avaient reçu le double lait fouetté ont consommé peu de craquelins et ceux qui en ont consommé le plus grand nombre faisaient partie du groupe qui n'avait rien eu à manger.

Aucune surprise à cet égard. Par contre, les sujets au régime se sont comportés d'une façon diamétralement opposée. Ceux qui n'avaient rien mangé dans un premier temps ont consommé très peu de craquelins; ceux qui avaient reçu un lait fouetté en ont consommé davantage et ceux qui avaient reçu le double lait fouetté en ont consommé encore plus. Manifestement, le lait fouetté leur avait gâché leur régime pour la journée de sorte qu'il ne leur semblait plus nécessaire de faire attention. Ils se sentaient donc libres de s'offrir tous les craquelins qu'ils voulaient[2].

Voilà justement le type d'excès alimentaire auquel nous allons nous intéresser dans ce chapitre. Beaucoup de gens qui surveillent normalement leur alimentation de très près renoncent par moments à toutes formes de règles et mangent sans la moindre restriction.

D'autres cas d'excès alimentaire, comme ces repas de fête où l'on s'empiffre jusqu'à en être malade, ne font pas nécessairement intervenir le désir de se fuir soi-même. Dans ce chapitre, nous ferons porter notre regard sur les personnes qui suivent un régime, les boulimiques et tous ces autres qui se sentent déchirés entre le désir impérieux de manger et la ferme résolution de ne pas manger — et dont les comportements ont la structure caractéristique des mouvements de fuite.

LES CAUSES DÉTERMINANTES

Lucie était chez elle avec son ami Michel. Elle se sentait bien. Elle n'avait pas beaucoup mangé ce jour-là — une salade seulement — et avait fait une heure d'exercice sur son vélo stationnaire. Seule fausse note au tableau: Michel lui faisait une de ses crises épisodiques de jalousie. En l'écoutant d'une oreille distraite, elle prit une pointe de pizza froide et se mit à grignoter.

Il la soumettait à un véritable interrogatoire: il voulait savoir où elle se trouvait, un peu plus tôt, quand il avait téléphoné. Il était convaincu qu'elle voyait un autre homme. Ce n'était pas le cas, mais elle n'arrivait pas à l'en convaincre. «Arrête, tu me fais de la peine», dit-elle d'un ton gémissant en se servant un autre morceau de pizza.

Michel s'en prit alors à la pizza. Il se mit à critiquer les habitudes alimentaires de Lucie et à lui rappeler sa tendance à trop manger et à le regretter ensuite. Pour le contrarier, elle mordit à belles dents dans son morceau de pizza, mais la mine dégoûtée de Michel l'incita à remettre le reste de la pointe dans la boîte. Comme il insistait, elle rangea la boîte dans le frigo.

Mais la pizza continuait de la hanter. L'attention de Lucie était partagée: d'une part, elle écoutait Michel et, d'autre part, elle pensait à la pizza. Dès qu'il serait parti, elle pourrait manger tranquille. Mais il restait et continuait de discourir. Elle était de plus en plus irritée, mais n'en montrait rien. Qu'est-ce qu'il attendait pour partir? Elle en avait assez de sentir sans cesse sur elle son regard scrutateur, de le voir surveiller ses moindres gestes, lui dire quoi faire, contrôler sa vie. Elle méritait mieux que ça. Si seulement il était plus délicat, plus chaleureux, plus gentil.

Enfin il partit — sans l'embrasser — et elle se sentit soulagée. Elle courut au frigo, récupéra la pointe de pizza entamée et n'en fit qu'une bouchée. Ce n'était pas assez. Elle en prit une autre, puis encore une autre. Mais son appétit, loin de diminuer, se transformait en véritable rage. Elle mangeait de plus en plus vite, sans s'embarrasser de mâcher. Elle arrachait de grosses bouchées qu'elle avalait tout rond. Comme il ne restait plus rien de cette pizza, elle se mit à la recherche effrénée d'autre chose. Dans le congélateur, il y avait un contenant de crème glacée au chocolat. Elle le vida avec application, assise sur le plancher, devant la porte ouverte du frigo. Le mélange de pizza et de crème glacée était pour le moins lourd, mais elle avait toujours aussi faim. Elle trouva un reste de macaroni au fromage et l'avala. Dans sa précipitation, elle en renversa un peu sur le plancher, mais peu importe, elle venait d'apercevoir un reste de pain de viande et de purée. Après la dernière bouchée de purée, elle ralentit un peu le rythme. Elle se sentait pleine jusqu'à la nausée.

Elle courut aux toilettes, s'enfonça un doigt dans la gorge et s'obligea à vomir plusieurs fois. Toute en sueur et les jambes un peu molles, elle sentit que la faim la tenaillait toujours. Elle revint donc à la cuisine pour chercher autre chose à manger.

L'armoire était remplie de boîtes. Des biscuits — non. Des craquelins — non. Des bretzels — non. Des céréales sucrées — oui! Grimpée sur le comptoir de la cuisine, elle se mit à fouiller dans la boîte à pleines mains. Il s'en répandait sur le plancher, mais elle n'en faisait pas de cas. Quand elle toucha le fond de la boîte, elle sentit la panique l'envahir — trouverait-elle autre chose? De retour à l'armoire: cette fois, elle se laissa tenter par un emballage intact de biscuits fourrés. Avec les dents, elle déchira l'emballage et entreprit de manger tous les biscuits en buvant du lait à même le carton. Encore une fois, elle eut le sentiment d'être pleine jusqu'aux oreilles sans pour autant que sa faim s'atténue. Elle se forçait à continuer: encore une bouchée, mâcher, avaler, une autre, une autre encore, sans égard aux protestations de son corps. Après avoir vidé une autre boîte de grignotines, elle eut le sentiment qu'elle ne pourrait plus avaler quoi que ce soit. Même ses mâchoires lui faisaient mal. Elle courut aux toilettes pour vomir de nouveau.

Elle était complètement épuisée. Sa fureur fit alors place à un sentiment de faiblesse et de malaise. En revenant à la cuisine, elle vit l'ampleur des dégâts: des boîtes vides et des cartons déchirés éparpillés partout, de la nourriture sur le plancher, des assiettes sales, des miettes. Elle prit soudain conscience de ce qu'elle venait de faire — encore une fois. Elle se sentit coupable. Michel — ah oui, Michel, elle l'avait oublié celui-là — serait fâché et n'y comprendrait rien. Il faudrait trouver le moyen de lui en parler. Mais elle se sentait trop défaite pour y penser maintenant[3].

Qu'est-ce que la boulimie?

La boulimie est un mode de consommation alimentaire caractérisé par des restrictions alimentaires quasi permanentes, interrompues par des périodes de consommation excessive de nourriture. Une crise de boulimie peut durer de quelques minutes à quelques heures. Dans le cas de Lucie présenté plus haut, la crise a duré un peu plus d'une heure.

La *bulimia nervosa* est un trouble de l'alimentation[4] dont les critères diagnostiques sont les suivants: crises de boulimie récurrentes, dont au moins deux épisodes par semaine au cours des trois mois précédents; sentiment d'avoir perdu tout contrôle sur son alimentation, mise en place de mesures draconiennes visant à éviter toute prise de poids consécutive aux excès alimentaires (vomissements forcés, utilisation de laxatifs ou jeûne); et une préoccupation excessive et constante pour le poids et l'apparence corporelle.

Bien qu'il soit à la fois question dans ce chapitre de boulimiques et de personnes au régime, il ne faudrait pas penser qu'il s'agit de la même chose. Les personnes qui suivent un régime et qui succombent parfois à des excès de nourriture ne sont pas des boulimiques «modèle réduit». La boulimie est un état pathologique qui nécessite l'intervention d'un professionnel, et les boulimiques présentent souvent d'autres problèmes d'ordre émotionnel ou psychologique.

Qui connaît des crises de boulimie?

Il est devenu extrêmement courant, dans la société moderne, et surtout chez les femmes, de se mettre au régime pour perdre du poids. Pour Lucie, le régime était devenu un mode de vie et il en est de même pour de nombreuses femmes et jeunes filles. Un sondage a déjà permis de constater que 80 p. cent des jeunes filles disent avoir déjà suivi un régime avant l'âge de treize ans alors qu'à peine 10 p. cent des garçons en ont fait de même au même âge[5]. À vingt ans, la plupart des femmes ont adopté un mode de vie dans lequel s'inscrivent de fréquents régimes. Une enquête menée auprès d'étudiants de niveau universitaire dans les années soixante-dix avait permis de constater que les trois quarts des répondantes se disaient au régime[6]. Il est plus difficile d'établir la prévalence des crises de boulimie puisque tout dépend de la définition que l'on donne à cette expression. Des études réalisées aux États-Unis en sont arrivées à des résultats très disparates, la proportion des boulimiques s'établissant entre 3 et 90 p. cent chez les femmes et entre 1 et 64 p. cent chez les hommes[7].

La boulimie serait plus fréquente chez les femmes que chez les hommes, bien que cette impression soit peut-être due au fait que les hommes avouent moins facilement ce genre de problème. À l'échelle nord-américaine, il semble que la proportion de boulimiques s'établisse à moins de 10 p. cent — entre 4 et 8 p. cent — chez les femmes et à moins de 2 p. cent chez les hommes[8]. Si l'on recourt à des critères particulièrement restrictifs, la prévalence tombe sous la barre du 1 p. cent dans la population totale de l'Amérique du Nord (hommes et femmes[9]).

Il n'en reste pas moins que certains groupes présentent des taux de boulimie supérieurs à ceux de la population générale. Le boulimique type répond en général au signalement suivant: une femme blanche, de classe moyenne ou supérieure, entre vingt et vingt-cinq ans, célibataire et bien scolarisée[10]. Les boulimiques seraient particulièrement nombreuses parmi les femmes qui amorcent une carrière en droit, en médecine ou dans les affaires[11].

Il semble également que la boulimie soit une caractéristique de la société moderne. L'histoire témoigne de comportements boulimiques datant d'aussi loin que l'an 130 avant Jésus-Christ, mais la maladie semble avoir été extrêmement rare jusqu'à nos jours. Ce n'est que depuis l'an 1800 que les cas de boulimie sont suffisamment fréquents pour que cet état pathologique soit reconnu et étudié. Bien des spécialistes estiment que la fréquence de la boulimie s'est accrue au cours des quelques dernières décennies[12] et qu'elle touche aujourd'hui des femmes d'un niveau socio-économique moins élevé.

Le milieu culturel semble également jouer un rôle. Au cours d'une étude qui comparait des femmes arabes vivant à Londres et des femmes arabes vivant au Caire, on a constaté la présence d'un plus grand nombre de boulimiques dans le premier groupe[13]. Parmi des femmes de même origine ethnique, celles qui vivent dans un milieu culturel occidental présentent un taux de boulimie relativement élevé (12 p. cent) tandis qu'on note parmi celles qui vivent dans d'autres milieux culturels une incidence de boulimie beaucoup plus faible.

Ces caractéristiques historiques et culturelles font penser à celles du masochisme: la boulimie semble indissociable de la culture occidentale moderne. Cette constatation va dans le sens de l'hypothèse selon laquelle la construction moderne du soi est une source de difficulté et que le soi moderne est devenu un tel fardeau que certaines personnes sont prêtes à prendre parfois de grands moyens pour y échapper.

Quand et pourquoi?

Les crises de boulimie surviennent chez des personnes qui vivent des états de forte tension interne. Les boulimiques veulent à la fois manger et ne pas manger. En temps normal, ces personnes arrivent à réprimer leur désir de manger et à contrôler leur consommation de nourriture. Mais par moments, tout bascule.

Pour l'instant, il n'est pas possible de déterminer à quel modèle de fuite appartiennent les crises de boulimie: à celui de la fuite consécutive à une catastrophe ou à celui de la fuite comme moyen d'échapper au stress. Il arrive qu'une crise de boulimie se produise en réaction à un échec, mais il est également possible de succomber occasionnellement à des excès alimentaires pour se soustraire momentanément au lourd fardeau d'être soi. Les crises de boulimie ressembleraient donc à la consommation d'alcool en ce qu'elles peuvent répondre à l'une comme à l'autre motivation.

Certaines données vont dans le sens du modèle de la fuite consécutive à une catastrophe. Il est vrai que certaines personnes sont portées à manger davantage lorsqu'elles se sentent mal dans leur peau. Plusieurs études ont montré que l'échec ou l'humiliation pouvait déclencher une crise de boulimie[14]. Étrangement, les personnes qui ne sont pas au régime sont portées à manger moins qu'à l'habitude lorsqu'elles subissent un revers tandis que les personnes au régime mangent plus. La période qui précède immédiatement la crise de boulimie est généralement marquée par des états émotionnels plus pénibles que d'habitude sans nécessairement qu'il se soit produit une catastrophe. Dans le cas de Lucie, il avait suffi d'une prise de bec avec son ami.

Ce ne sont d'ailleurs pas toutes les formes de détresse émotionnelle qui déclenchent une crise de boulimie[15]. Des études très rigoureuses ont montré que des émotions comme la peur, qui est certes désagréable mais qui ne compromet pas le soi, ne poussent pas les boulimiques ou les personnes au régime à manger davantage. Par contre, les états émotifs qui se répercutent sur le soi, comme le sentiment d'avoir échoué ou d'avoir été humilié, poussent à manger davantage. La peur de souffrir physiquement ne pousse pas à manger contrairement à la peur de perdre la face. On pourrait peut-être avancer comme hypothèse que la crise de boulimie est sous-tendue par une conscience de soi aiguë et douloureuse. Les excès alimentaires ne servent pas à échapper à toutes les formes de détresse ou de problème, mais servent spécifiquement à fuir le soi.

D'autres travaux de recherche inscrivent les crises de boulimie dans le contexte des fuites motivées par le désir d'échapper au stress. La boulimie est en effet un état chronique. Les critères de diagnostic de la boulimie prévoient au moins deux crises par semaine, mais il semble peu probable que deux catastrophes personnelles distinctes puissent frapper qui que ce soit toutes les semaines. De nombreuses études relient les crises de boulimie à une forme de détresse émotionnelle chronique et indiquent que les boulimiques présentent des taux élevés de dépression et d'anxiété chronique[16].

Peut-être les deux facteurs déterminants se rejoignent-ils pour provoquer les crises de boulimie. Pour une personne qui se sent vulnérable et pour qui le soi est une source de stress, il n'est pas nécessaire qu'il se produise une crise majeure pour provoquer un épisode de boulimie: il suffit qu'un incident lui rappelle ses profonds sentiments de culpabilité, d'insuffisance ou d'autres préoccupations relatives au soi.

Les fuites motivées par la catastrophe ou par le désir d'échapper au stress ont des caractéristiques en commun et notamment les normes et les attentes très élevées. Les critères de beauté actuels mettent beaucoup d'accent sur la nécessité d'être mince, et les troubles de l'alimentation sont plus fréquents parmi les groupes qui sont tenus d'être minces, comme les ballerines, les danseurs en général et les *cheerleaders*[17]. Les personnes au régime et les boulimiques sont motivés par le désir d'être minces et les boulimiques en particulier auraient très peur de prendre du poids; bon nombre de femmes boulimiques estiment souffrir d'obésité alors qu'elles ont un poids inférieur à la normale selon les statistiques[18].

Les attentes relatives à l'apparence physique ne sont d'ailleurs pas les seules qui entrent en ligne de compte. La recherche montre que tout groupe, surtout formé de femmes, constamment évalué en fonction d'exigences très élevées est porté à faire des crises de boulimie. Dans notre société, ce sont les femmes ambitieuses qui sont les plus vulnérables à la boulimie[19]. Les femmes inscrites dans les facultés de médecine, de droit ou dans les écoles d'administration ou de hautes études commerciales ont un taux de boulimie deux fois supérieur à celui de la population générale[20]. Des études portant expressément sur les personnes boulimiques ont souvent permis de constater que celles-ci ont des désirs de réussite presque impossibles à atteindre, se fixent des objectifs exceptionnellement exigeants et éprouvent des besoins d'approbation très supérieurs à la moyenne[21]. Des chercheurs ont récemment résumé en ces termes l'attitude du boulimique: «Je dois tout faire à la perfection sinon ce que je fais est sans valeur[22].» Les boulimiques sont plus exigeants pour eux-mêmes que pour les autres et quelles que soient leurs réalisations, ils sont toujours convaincus qu'ils auraient pu faire mieux. Ces mêmes chercheurs ont également constaté que les femmes boulimiques ont tendance à croire qu'il est essentiel pour une femme aujourd'hui d'être à la fois la femme traditionnelle avec toutes les exigences que comporte ce rôle et une femme de carrière capable de répondre à toutes les exigences normalement imposées aux hommes — bref, elles s'assujettissent à une double pression.

La perception de soi

Au cœur de la théorie qui veut que nous cherchions à échapper à nous-mêmes se trouve l'idée que nous serions motivés à fuir, par une douloureuse conscience de soi, quelque chose qui serait de l'ordre de la gêne ou de l'humiliation. Les personnes qui succombent à des épisodes de boulimie sont-elles en proie à des sentiments de ce genre? Avant de répondre à cette question, divisons-la en deux: les boulimiques sont-ils très conscients d'eux-mêmes, et leur vision d'eux-mêmes est-elle défavorable?

La réponse au premier volet de cette question est un oui très net, auquel il faut toutefois ajouter une réserve: les personnes au régime et les boulimiques sont certes préoccupés d'eux-mêmes et de leur apparence, mais ils sont surtout préoccupés de la façon dont ils apparaissent aux yeux des autres[23]. Par contre, ils ne sont pas très conscients d'eux-mêmes au sens d'être introspectifs ou attentifs à leurs besoins ou à leurs processus internes. Pour s'astreindre à un régime alimentaire, il faut souvent apprendre à ne pas tenir compte de ses processus physiologiques ou tout au moins de ceux qui signalent la faim: il est donc peu étonnant de constater que ceux qui parviennent à restreindre leur consommation alimentaire soient insensibles à leurs besoins internes. Les personnes qui sont sujettes à des crises de boulimie sont très conscientes de leur apparence extérieure. Lucie, dans l'exemple présenté en début de chapitre, accordait une grande attention à son poids, son apparence et ses vêtements. Elle tenait absolument à être attrayante et bien tournée. La jalousie de Michel était sans doute alimentée par le désir de Lucie d'attirer sans cesse l'attention des autres hommes afin de se faire confirmer qu'elle était désirable.

L'autre volet de la question se rapporte à la façon dont le soi est évalué. Les personnes sujettes à des crises de boulimie ont tendance à ne voir que leurs défauts et leurs insuffisances, ont peu d'estime de soi et se considèrent comme dépourvues de charme. Les obèses en général se sentent mal dans leur peau et bon nombre de femmes qui croient à tort souffrir d'un excès de poids partagent ces mêmes sentiments. Les boulimiques manifestent plus particulièrement une faible estime de soi mais même les personnes au régime ont en général moins d'estime de soi que les autres. Qui plus est, parmi les personnes qui suivent régulièrement un régime, celles qui ont peu d'estime de soi sont plus sujettes à faire des crises de boulimie[24].

Il est essentiel de comprendre que la conscience douloureuse de soi que connaissent les boulimiques contribue à leur faire s'imposer des restrictions alimentaires. Lorsqu'elles sentent que l'attention est centrée sur elles, les personnes boulimiques mangent moins. Les crises de boulimie deviennent alors des moyens *d'échapper* à cette situation pénible.

Une étude expérimentale a très clairement illustré cet état de choses[25]. Un groupe de sujets choisis parmi des personnes au régime ont reçu pour tâche de résoudre un problème, tâche qui, leur a-t-on dit, pourrait normalement être accomplie en cinq minutes. En réalité, il s'agissait d'un problème très difficile: personne ne put le résoudre et tous eurent l'impression d'avoir échoué lamentablement. Une partie des sujets furent alors invités à visionner un court film sur les mouflons tandis que les autres visionnaient une vidéocassette où ils se voyaient chercher en vain à résoudre le problème qu'on leur avait soumis. Ensuite, tous les sujets furent conviés à une dégustation de crème glacée au cours de laquelle les chercheurs prirent secrètement note des quantités consommées par chacun. Les sujets qui avaient visionné le documentaire sur les mouflons furent les plus gros consommateurs de crème glacée tandis que ceux qui s'étaient vus en train d'échouer mangèrent très peu. Tout le monde avait échoué, mais certains avaient pu penser à autre chose (et se détourner d'eux-mêmes) tandis que les autres s'étaient fait rappeler leur échec. La possibilité d'échapper à l'impression d'avoir échoué avait conduit à une consommation alimentaire relativement élevée tandis que le sentiment de l'échec avait porté les sujets à manger moins.

L'ÉTAT D'ESPRIT

L'état d'esprit de la personne qui succombe à une crise de boulimie est, du moins en partie, une réaction à ce qu'était son état d'esprit *avant* la crise. En règle générale, comme nous l'avons vu précédemment, une telle personne est très sensible à la façon dont elle est perçue par les autres, se fixe des normes et des exigences extrêmement élevées et a une conscience aiguë de ses défauts et de ses insuffisances et en particulier de son excès de poids. Lorsqu'un incident se produit de l'ordre du rejet ou de l'échec qui fait remonter à la surface toutes ses incertitudes, elle se sent complètement envahie par les sentiments négatifs qu'elle entretient à son propre sujet, ce qui donne lieu à tout un ensemble d'émotions pénibles, surtout marqué par l'anxiété et la dépression.

Pendant la crise de boulimie, il se produit dans l'esprit de la personne un phénomène semblable au rétrécissement mental qui apparaît dans les autres cas de fuite. La pensée significative est mise de côté au profit d'une préoccupation étroite pour les sensations immédiates et les activités à court terme. Le soi perturbé et privé d'amour disparaît de la conscience et l'esprit se laisse entièrement occuper par un biscuit, puis un autre, et un autre encore.

Les données qui prouvent que les personnes traversant une crise de boulimie se trouvent dans un état de rétrécissement mental sont peu nombreuses mais elles sont constantes. Pendant une crise de boulimie, la personne évite toute pensée significative sur des questions d'envergure, comme le sens de la vie[26]. Elle évite surtout de penser à ses problèmes — ce qui constitue d'ailleurs sa réaction la plus courante en cas de problème personnel[27]. Certains boulimiques se concentrent sur des activités répétitives de peu de signification et de nature le plus souvent compulsive ou obsédante. On constate d'ailleurs une plus haute fréquence de comportements obsessifs-compulsifs chez les boulimiques que dans la population générale[28].

Manger est une activité concrète, immédiate et à court terme. Elle procure des sensations physiques: mordre, mâcher, goûter et avaler, sur lesquelles la personne en proie à une crise de boulimie peut centrer son esprit de façon absolue. Rappelons, dans ce contexte, que la plupart des personnes qui succombent à une crise de boulimie s'efforcent en temps normal d'adopter un comportement alimentaire beaucoup plus discipliné et de viser des résultats à long terme. Voilà précisément en quoi consiste un régime: contrôler ce qu'on mange aujourd'hui afin d'atteindre un objectif futur de minceur. Les personnes au régime surveillent généralement de très près tout ce qu'elles mangent, calculent les calories qu'elles consomment et s'imposent des rations quotidiennes établies avec beaucoup de rigueur. Pendant la crise de boulimie, toutefois, la personne semble perdre de vue toute perspective d'ensemble pour ne plus se concentrer que sur l'action de manger. Une étude a montré que pendant une crise de boulimie, les gens perdaient toute notion de ce qu'ils avaient consommé et lorsqu'en rétrospective on leur demandait d'en faire une évaluation, ils faisaient des erreurs cinquante fois plus graves que celles qu'ils pouvaient faire en situation normale (ou que pouvaient faire des personnes astreintes à un régime[29]).

Les boulimiques semblent en général avoir un rapport au temps semblable à celui des suicidaires. L'avenir leur paraît sombre, truffé de malheurs et de catastrophes et le passé est lourd de préoccupations et de problèmes impossibles à résoudre[30]. La seule consolation qui leur reste est de se réfugier dans un présent très étroitement circonscrit[31].

Des études portant sur des boulimiques ont permis de conclure que la crise se déroule dans une sorte d'état second. Les sujets parlent d'état de transe ou ont recours à des métaphores qui traduisent un sentiment de dépersonnalisation (c'est-à-dire de perte de la notion de soi-même et de la réalité[32]). D'autres parlent d'un extrême rétrécissement de l'horizon mental[33]. Cet état s'accompagne d'un sentiment de perte de contrôle et, dans certains cas, de sensations sexuelles. La conjugaison de ces trois éléments: rétrécissement mental, perte de contrôle et érotisme, permet d'établir un parallèle avec le masochisme sexuel.

Le refus de la signification rend la pensée rigide et inflexible. Or on a pu constater que les personnes qui succombent à des crises de boulimie ont tendance à penser de façon rigide et que cette rigidité mentale augmente dans les périodes qui précèdent immédiatement la crise. La rigidité est apparente dans les attitudes qu'adoptent ces personnes à l'égard de la nourriture[34]: certains aliments sont bons, d'autres sont mauvais, et les règles à suivre sont extrêmement strictes. Une salade est bonne, même si elle baigne dans une mayonnaise plus riche qu'un lait fouetté, lequel serait à proscrire. Pendant la crise, toutes ces règles sont inversées de sorte que la personne ne s'intéresse plus qu'aux aliments interdits: pâtisseries, chocolat, croustilles et crème glacée. Ce comportement s'explique peut-être en partie par l'avalanche de sensations physiques et de saveurs délicieuses qui s'abat alors sur la personne et à laquelle s'ajoutent certaines réactions physiologiques propres aux personnes au régime. D'autres boulimiques semblent se laisser séduire surtout par l'action de mâcher et d'avaler et leur recherche de sensations bizarres peut les amener à consommer des aliments inusités comme des bâtonnets de poisson panés et congelés, de la viande ou des œufs crus ou même des carrés de beurre.

On retrouvera bon nombre de ces éléments dans la célèbre description d'une crise de boulimie donnée par le psychiatre Robert Lindner dans son ouvrage *The Fifty-Minute Hour*[35]. Une femme, aux prises avec des rapports conflictuels et houleux, se sentait écrasée, déchirée et incapable de répondre à toutes les exigences qui lui étaient faites. Un jour, elle perdit pied et succomba à une crise de boulimie particulièrement grave. Pendant la crise, elle perdit toute conscience d'elle-même et n'eut plus d'autre sentiment que d'être un «vide immense et palpitant[36]». Son appétit intense et la consommation frénétique à laquelle elle céda lui satura l'esprit. Après avoir mangé tout ce qu'il y avait de comestible dans la maison, elle se fit livrer autre chose. Son besoin était insatiable, elle tremblait de peur, même après avoir consommé une quantité de nourriture bien supérieure à un repas normal. Lorsque sa commande arriva, elle se mit à dévorer «comme quelqu'un qui n'aurait pas mangé depuis plusieurs semaines[37]». Elle mangea jusqu'au point de vomir, puis se remit à manger jusqu'à sentir que les muscles de sa bouche étaient devenus sensibles. Elle s'obligea néanmoins à continuer. Enfin, elle atteint un état semblable à l'ébriété et sombra dans un profond sommeil de plus de trente heures traversé de rêves affreux et de cauchemars. Puis, elle revint à elle avec le sentiment d'être laide, grosse, profondément malheureuse et dégoûtée d'elle-même.

Cette crise s'était entièrement déroulée dans un état d'extrême rétrécissement de l'horizon mental. La femme avait oublié son identité et tous les problèmes liés à sa vie personnelle. Elle n'avait plus qu'une préoccupation: avaler de la nourriture. Pendant qu'elle mangeait, elle se sentit envahie par un sentiment de paix indescriptible. Lorsqu'il n'y eut plus rien à manger, elle fut prise de panique, puis se concentra exclusivement sur la nécessité de se faire livrer autre chose à manger. Bien entendu, si elle avait pris conscience de ce qu'elle faisait, elle en aurait ressenti une immense détresse: elle allait perdre tous les avantages de son régime, faire un terrible dégât et ne rien régler de ses problèmes. Elle ne pouvait donc pas se permettre de réfléchir. La crise se poursuivit jusqu'à ce qu'elle atteigne un état proche de l'intoxication (dans lequel il serait impossible de réfléchir), puis elle perdit conscience. Pendant la crise, elle avait perdu contact avec son identité habituelle et la réalité qui l'entourait, et elle fit en sorte de retarder le plus longtemps possible sa réinsertion dans le monde ordinaire.

LES CONSÉQUENCES

Le rétrécissement mental qui se produit au cours d'une crise de boulimie provoque les mêmes effets que dans les autres cas de fuite. L'un deux est la levée des inhibitions normales, qui conduit à faire des choses qu'on ne ferait pas ordinairement. La crise de boulimie elle-même en est l'exemple le plus frappant. Les boulimiques exercent habituellement un contrôle très étroit sur leur consommation alimentaire, mais au cours de la crise de boulimie, ils ont le sentiment de perdre toute capacité de se maîtriser[38]. Comme nous l'avons déjà vu, les personnes qui s'astreignent normalement à un régime cessent aussi de contrôler leur consommation alimentaire lorsqu'elles vivent de petits épisodes de boulimie. Le calcul des calories est alors rapidement mis au rancart.

Certains croient que la crise de boulimie est provoquée par une réaction physiologique: une modification de la chimie du corps pousserait la personne à une crise de boulimie. Bien qu'il semble indéniable que de telles modifications physiologiques se produisent, cette théorie se révèle toutefois insuffisante. Ce qui importe, ce n'est pas tant la ration alimentaire que reçoit le corps, mais ce que la personne croit avoir mangé. Au cours d'une étude, des sujets reçurent d'abord une collation identique, puis furent invités à une «dégustation» de crème glacée au cours de laquelle les chercheurs prirent secrètement note des quantités consommées par chacun. Le repas initial avait été le même pour tous les sujets, mais on avait dit à la moitié d'entre eux qu'il s'agissait d'un repas faible en calories tandis que les autres avaient été amenés à croire qu'il s'agissait d'un repas très calorifique. Les personnes au régime qui croyaient avoir pris une collation calorifique ont consommé plus de crème glacée que celles qui croyaient avoir pris une collation faible en calories. Le corps avait pourtant reçu la même quantité de nourriture, mais le comportement du sujet variait selon que la personne croyait avoir consommé peu ou beaucoup de calories. C'est donc la croyance subjective et non la quantité objective de nourriture qui joue le rôle le plus décisif[39].

Mais la levée des inhibitions peut s'appliquer à d'autres comportements que la seule consommation alimentaire. Les boulimiques sont plus tentés que d'autres par l'abus de drogue ou d'alcool, le suicide, le vol et la promiscuité sexuelle[40]. Autrement dit, ils semblent adopter des comportements impulsifs dans toute une variété de domaines. Ils semblent disposés, par moments, à agir sans réfléchir aux conséquences de leurs actes de sorte qu'ils agissent à l'encontre de certaines normes sociales.

Le rétrécissement de l'horizon mental a pour effet principal de permettre d'échapper à l'émotion, et surtout aux émotions pénibles qui ont fait surgir le désir de fuir. Il est bien évident que si ces états émotifs pénibles persistaient, c'est que la fuite n'aurait pas eu l'effet escompté. Il semble donc que les crises de boulimie parviennent à réduire ces émotions pénibles. L'anxiété, tout particulièrement, semble disparaître au cours d'une crise de boulimie et mettre un certain temps à revenir. Les boulimiques trouvent dans la nourriture un moyen efficace d'ensevelir leur colère, d'occulter la dépression et d'éviter les inquiétudes[41].

Les chercheurs ne parviennent pas tous aux mêmes conclusions lorsqu'il s'agit de déterminer quelle partie de la crise de boulimie réussit à vaincre les émotions pénibles. Certains, en se fondant sur les comptes rendus rétrospectifs des boulimiques — dont la fiabilité est douteuse — estiment que les boulimiques échappent aux états émotionnels pénibles uniquement à l'étape des vomissements. Toutefois, bien des boulimiques ne se rendent pas à cette étape et ceux qui l'atteignent ne le font pas dès le point de départ, mais seulement après s'être livrés à des crises de boulimie pendant au moins un an. La purge semble donc ne jouer qu'un rôle partiel dans ce contexte. Peut-être y a-t-il plusieurs étapes. Si les émotions pénibles sont toujours présentes en arrière-plan, le boulimique lutte peut-être sans cesse contre elles. Lorsqu'un événement se produit qui les fait remonter massivement à la surface, il se peut qu'une crise de boulimie réussisse à les repousser. En centrant l'esprit sur la recherche de nourriture, la mastication, la déglutition, la personne peut éviter de penser à toutes les choses qui la rendent profondément malheureuse. La crise de boulimie apporte une certaine paix même si la consommation de nourriture peut apparaître frénétique. À la fin de la crise, toutefois, la personne prend conscience d'avoir enfreint toutes les règles alimentaires qu'elle s'impose habituellement et en ressent un nouvel ensemble d'émotions pénibles. Pour expier sa faute, et peut-être pour éviter le gain de poids consécutif à la crise, la personne tentera alors d'éliminer tout ce qu'elle a consommé — par des vomissements, par exemple —, ce qui constituera une seconde fuite.

Autre conséquence du rétrécissement de l'horizon mental, les boulimiques auraient tendance à entretenir des croyances irrationnelles. Les boulimiques seraient portés à craindre des malheurs futurs effroyables et à considérer leurs problèmes actuels comme insurmontables[42]. Les événements prennent à leurs yeux des proportions gigantesques et les boulimiques les interprètent de façon irrationnelle et déformée, prennent tout de façon personnelle, que les circonstances le justifient ou non, généralisent trop hâtivement les problèmes et les malheurs qui les frappent et s'adonnent parfois à la pensée magique. Par exemple, les boulimiques qui voient des gens parler entre eux en concluent souvent rapidement qu'ils parlent d'eux et font des commentaires désobligeants sur leur excès de poids[43].

Les personnes au régime entretiennent également des croyances irrationnelles bien que les distorsions soient moins excessives. Lorsqu'on mesure certaines façons rationnelles d'envisager la vie, les personnes au régime obtiennent un score moins élevé que celles qui mangent normalement[44]. Leurs façons de concevoir la nourriture sont particulièrement marquées par la distorsion et les attitudes irrationnelles. Elles auront par exemple une réaction négative à un lait fouetté de quatre cents calories mais non à une salade de quatre cents calories[45].

La passivité est particulièrement manifeste chez les personnes au régime et les boulimiques. Le sentiment de perte de contrôle qui caractérise la crise de boulimie est en soi une sorte de passivité. La maîtrise de soi est une forme d'activité et la perte de cette maîtrise est donc une forme de passivité. Or la crise de boulimie est précisément une perte de maîtrise de soi. La crise peut sembler marquée par une intense activité, mais la personne qui la vit la décrit souvent en termes passifs et met l'accent sur la perte de contrôle. La crise donne le sentiment d'être dominé par des signaux externes et des désirs internes devant lesquels le moi conscient se trouve réduit à l'état de pantin. La passivité des boulimiques est en outre révélée par les études qui portent sur leurs modes d'adaptation. Les boulimiques optent rarement pour des comportements actifs et des attitudes axées sur la résolution de problèmes. Ils ont plutôt tendance à réagir de façon passive en évitant les difficultés et en se repliant sur eux-mêmes[46].

LA CONSOMMATION DE NOURRITURE PAR RAPPORT AUX AUTRES FORMES DE FUITE

L'hypothèse selon laquelle les crises de boulimie seraient une façon d'échapper au soi peut s'appuyer sur des données qui montrent l'existence de liens entre la boulimie et d'autres formes de fuite. Les boulimiques présentent des taux plus élevés de consommation abusive d'alcool et de drogue que la population générale. Des chercheurs ont même suggéré que la boulimie était elle-même une forme de consommation abusive: certaines personnes se tournent vers la nourriture plutôt que vers la drogue parce que la nourriture n'est pas frappée d'illégalité et que sa consommation abusive ne donne pas lieu aux complications morales, juridiques et médicales qu'engendre l'abus de drogue[47]. D'autres pensent que l'alcool est un moyen de fuite plus efficace pour les hommes que pour les femmes de sorte que celles-ci le remplaceraient par des crises de consommation excessive de nourriture[48]. Voilà qui expliquerait peut-être les écarts signalés en début de chapitre entre les hommes qui consomment de l'alcool et les femmes qui consomment de la nourriture pour échapper à la mauvaise humeur.

Les taux de suicide sont également très élevés chez les boulimiques — beaucoup plus élevés que dans la population générale[49]. Les boulimiques qui ne se rendent pas jusqu'au suicide parviennent souvent à s'infliger des blessures — et cela semble se produire assez souvent parmi eux[50]. Or ces incidents sont très mal compris; comme dans le cas du masochisme, il se peut que le sujet soit plus attiré par la douleur que par l'intention de se faire du tort.

La fuite ultime s'incarne sans doute dans le désir de devenir quelqu'un d'autre. Nous avons constaté que ce désir était régulièrement présent dans les fantasmes masochistes et était souvent exprimé par les candidats au suicide. Les boulimiques et les autres personnes qui souffrent de troubles de l'alimentation font état de désirs semblables, et les personnes qui veulent devenir quelqu'un d'autre présentent souvent des troubles de l'alimentation[51]. Les boulimiques et les personnes au régime considèrent souvent la perte de poids comme une importante transformation de soi[52]. Plusieurs d'entre eux semblent croire que s'ils parvenaient à perdre beaucoup de poids, tous leurs problèmes s'évanouiraient comme par enchantement[53].

Certes, la culture occidentale moderne incite à la minceur — sans doute à plus de minceur que ne l'exige la nature ou la santé. Et cette exigence de minceur s'adresse surtout aux femmes qui apprennent très tôt la nécessité d'exercer un contrôle très strict sur leur consommation alimentaire. Les crises de boulimie anéantissent tous ces efforts de contrôle et peuvent entraîner un important gain de poids, ce qui réduira à rien tous les calculs de calories et les efforts pour rester mince. La crise de boulimie est donc un comportement paradoxal qui empêche la personne d'atteindre l'objectif qu'elle s'est fixé. L'hypothèse de la fuite peut se révéler utile comme moyen de comprendre ces comportements: les buts visés sont liés au soi de sorte qu'en fuyant le soi la personne peut y renoncer, au moins temporairement.

IX

Les exercices spirituels et le mysticisme

Néophyte: *Je me sens prisonnier de mon moi et je veux y échapper.*
Yasutani-Roshi: *Il n'y a pas de moi — c'est nous qui le fabriquons.*

ROSHI PHILIP KAPLEAU, *The Three Pillars of Zen*

Le mysticisme est une quête qui vise la réalisation des plus hautes potentialités de l'être humain. L'aspirant se tourne vers la religion pour tenter d'accéder à la nature ultime des choses, de comprendre le plan du Créateur et les grâces dont il nous a fait don, d'atteindre l'union avec Dieu et d'en arriver à une transformation profonde et durable de sa psyché.

Dans le contexte de la spiritualité, il est capital de pouvoir échapper au soi. Les disciplines mystiques issues des quatre coins du monde diffèrent radicalement les unes des autres en ce qui concerne la doctrine, les techniques, les résultats escomptés et le contexte théorique, mais toutes s'entendent sur une chose: la nécessité de se dépouiller du soi. Nous verrons ce message sans cesse réitéré: le soi est un obstacle au cheminement spirituel.

Une partie du problème — mais une partie seulement — tient au fait que les techniques spirituelles ont pour but d'engendrer des états d'extase. Une hypothèse veut que la religion soit le produit d'une quête de l'extase, état jugé hautement désirable depuis la nuit des temps. La religion permettait d'inscrire ces expériences merveilleuses dans un contexte qui leur donnait un sens et plusieurs religions ont mis au point des techniques permettant de les vivre. Voilà qui risque d'avoir été oublié dans notre monde actuel qui, sans s'être totalement écarté de la religion, favorise tout au moins des pratiques sobres et réservées. Le christianisme a pris très tôt la décision essentiellement politique de s'écarter du mysticisme, de sorte que l'Église s'oppose à la quête de l'extase depuis plusieurs siècles. Mais il en est tout autrement ailleurs dans le monde. Un grand érudit attribue les origines de la religion indienne à la disparition de la plante soma[1]. Le yoga, l'ascétisme et d'autres formes anciennes de mysticisme indien auraient eu pour but de recréer les états fabuleux qui auparavant résultaient de l'ingestion du soma. Le bouddhisme vise de façon explicite à donner les moyens de connaître de telles expériences et l'hindouisme s'est longtemps centré sur elles.

La quête de l'extase s'est aussi manifestée dans plusieurs religions occidentales. Les formes tardives de paganisme grec témoignent de l'existence de techniques mystiques très anciennes, surtout dans l'orphisme et les mystères d'Éleusis. Certains cultes païens de la Rome antique donnaient lieu à des expériences extatiques. Le judaïsme a une tradition mystique relativement restreinte mais d'une importance certaine dans la kabbale. Dans ses premiers temps, le christianisme avait une forte tendance gnostique qui favorisait des états d'extase. L'Islam, qui estime se situer dans le prolongement de la tradition judéo-chrétienne, comporte un important volet mystique: le soufisme. Et pendant ce temps, dans l'hémisphère occidental, d'autres religions mettaient l'accent sur l'expérience extatique. Aujourd'hui encore, l'église autochtone utilise le peyotl pour faire connaître à ses membres des expériences spirituelles très intenses. En situation idéale, les novices consomment du peyotl une ou deux fois l'an afin de provoquer des visions qui les aideront à comprendre leur vie et à bien s'orienter en vue de leurs tâches à venir.

Quelle sorte de fuite de soi faut-il envisager dans ce contexte spirituel? Il s'agit surtout d'échapper à une vie perçue comme pénible, insatisfaisante ou dépourvue de sens afin d'atteindre un état d'esprit meilleur pouvant aller jusqu'à l'extase. Il s'agit également d'acquérir de la sagesse, une plus grande pénétration d'esprit ou une meilleure compréhension des choses afin de pouvoir vivre mieux et de façon plus satisfaisante. À cette fin, on se livre à des exercices de toutes sortes qui font souvent appel à la méditation et qui ont bien des caractéristiques en commun avec les autres formes de fuite de soi examinées dans les chapitres précédents: concentration étroite sur le présent immédiat, rejet de la pensée significative et réduction de la conscience de soi au seul corps.

LE SOI COMME PROBLÈME

Bien des religions proposent une vision péjorative du soi. Le soi est considéré comme une illusion, une source de difficultés et de souffrances et même comme une tare. On lui attribue un très grand nombre de malheurs. Prenons comme exemple cette perspective chrétienne. Le dictionnaire Oxford de la langue anglaise cite un emploi du mot «soi» datant de 1680: «Le soi est le grand antéchrist du monde[2].» Au XVIIe siècle, de telles conceptions du soi étaient monnaie courante[3]. Le soi était l'ennemi suprême de la religion. Il était donc largement admis que le progrès spirituel exigeait de surmonter le soi. Et cette façon de voir n'a pas été complètement abandonnée à l'ère moderne. Le prédicateur fondamentaliste Billy Graham, dans sa conception du ciel, précise que l'identité individuelle y sera transcendée. Lorsque nous serons au ciel, nous serons tous animés d'un amour désintéressé et altruiste comme celui de Jésus[4].

Les mystiques de l'Islam, que l'on appelle les soufis, insistent aussi sur le fait que le soi fait obstacle au progrès spirituel. La pratique des soufis a pour but d'atteindre un état d'extase, le *fana*, qui se caractérise par le dépouillement du soi[5]. Il s'agit de renoncer à son identité personnelle, trop limitée et conditionnée, pour ne plus faire qu'un avec Dieu ou la totalité de l'être dans un mouvement d'amour intense. Littéralement, l'expression *fana* signifie «annihilation», «disparition» ou «anéantissement» et son emploi par les mystiques désigne l'élimination du soi[6]. La nécessité de se dépouiller du soi se retrouve dans presque toutes les disciplines mystiques. Les mystiques chrétiens de la tradition britannique utilisaient l'expression *self-naughting* qui signifie ramener le soi à zéro[7].

Les religions orientales insistent sur le fait qu'il n'existe pas d'identité individuelle distincte et que la croyance au moi est une illusion. Il s'agit là d'une notion difficile à saisir pour les Occidentaux[8]. Mais pour les Orientaux rompus à la vie spirituelle, il ne s'agit pas d'une notion abstraite mais d'une connaissance tirée de l'expérience directe. Le but de la méditation et de diverses autres pratiques est d'en arriver à une compréhension personnelle et directe de l'unité de l'être et de l'inexistence du soi en tant qu'entité distincte. Il s'agit de parvenir à un contrôle et à une concentration de l'attention si intense qu'on en perd le sens de soi et la conscience individuelle[9].

Il ne faudrait pas en conclure que les mystiques orientaux perdent toute conscience d'eux-mêmes au sens strict du terme. Ce n'est pas une question de se réveiller le matin et de ne plus savoir à qui appartient le visage qu'on lave et les pieds qu'on chausse. Comme l'écrivait Thomas Merton dans *Mystique et zen*, le déni du soi dans le zen n'est pas le déni de la réalité phénoménologique du soi mais plutôt le déni de son importance[10].

Le principe selon lequel il n'existe pas de soi distinct conduit à deux principales conclusions. Premièrement, tous les êtres humains sont interreliés: je n'existe pas de façon isolée mais plutôt en rapport avec tous les autres et, de la même façon, l'identité des autres est une partie de moi-même. Le soi est une construction collective et n'existe pas de façon indépendante. Deuxièmement, le soi ne doit pas servir de point de départ à l'action et il faut apprendre à éviter les comportements égoïstes, égocentriques ou axés sur le soi. Les gestes fondés sur l'intérêt personnel n'ont aucune valeur[11], et l'égocentrisme est l'un des principaux obstacles à l'évolution spirituelle. En cessant de fonder ses actions et réactions sur l'intérêt personnel, on échappe au fardeau du soi. Il devient alors possible de procéder à des modifications radicales de l'expérience subjective.

Placée dans ce contexte, la perte de soi devient plus compréhensible. Autrement, on constate l'existence d'un paradoxe étrange dans bon nombre d'écrits mystiques puisqu'il y est à la fois question de pénétrer la nature du soi véritable et de s'en dépouiller. Mais il s'agit d'en arriver à beaucoup plus qu'à une meilleure connaissance de soi: on aspire à une transformation radicale de la façon de concevoir le soi.

Comme l'explique le grand maître zen, Philip Kapleau: «[Pour parvenir à l'illumination] il faut "avaler" l'univers, éliminer tout sentiment d'opposition et de séparation. Dans cet état de subjectivité inconditionnelle, dépouillé du soi, je deviens l'être suprême.» Puis Kapleau cite Dogen, l'un des fondateurs du bouddhisme zen japonais: «Apprendre à se connaître soi-même, c'est s'oublier soi-même[12].» Prises au pied de la lettre, ces affirmations peuvent sembler contradictoires et dépourvues de sens. Comment apprendre à se connaître peut-il être l'équivalent de s'oublier soi-même? Comment peut-on à la fois être dépouillé de soi et devenir l'être suprême? Mais tout cela a du sens si l'on accepte l'interconnexion psychologique de toutes les créatures vivantes et l'élimination de l'intérêt personnel comme préoccupation première. Le soi continue alors d'exister en tant que conscience, agent d'expérience, tout en cessant de se percevoir comme distinct du monde dont il fait l'expérience[13]. Il en vient à sentir qu'il a cessé d'exister. Voilà qui peut aussi sembler paradoxal, car on peut se demander comment le soi peut faire l'expérience de son inexistence. Mais sans doute faut-il comprendre que l'on se perçoit de façon totalement différente lorsqu'on a renoncé à l'intérêt personnel et à toute autre préoccupation pour le soi. (Imaginons, par exemple, ce que ce serait de ne plus se préoccuper de la façon dont les autres nous évaluent.) Le soi qui reste se sent très différent du soi précédent. De grands pans de ce qui le constituait ont disparu — ses aspects les plus manifestes et les plus prévalents —, ce qui donne l'impression que le soi s'est complètement évanoui.

Orgueil et amour-propre

Dans ce livre, il est surtout question de gens qui veulent échapper à leur soi lorsque celui-ci est perçu sous un mauvais jour. Voilà qui est conforme à ce que pensent les saints et les mystiques, à une exception près: les mystiques estiment que même un soi perçu favorablement fait obstacle à l'évolution spirituelle. Dans le contexte religieux, le soi est toujours mauvais, même quand il donne l'impression d'être bon; c'est d'ailleurs là qu'il faut le plus s'en méfier. L'orgueil et l'amour-propre sont des obstacles majeurs à l'évolution spirituelle.

La liste des sept péchés mortels de la religion chrétienne comprend l'orgueil et la vanité[14]. Les personnes qui s'admirent elles-mêmes et qui veulent être admirées des autres sont donc de piètres candidats à l'évolution spirituelle. Pour atteindre des états d'exaltation mystique, comme l'union extatique avec Dieu, il faut pouvoir dépasser ces préoccupations centrées sur soi. En 1125, le célèbre moine Bernard de Clairvaux écrit dans *Sur les degrés d'humilité et d'orgueil* que l'humilité conduit à Dieu tandis que l'orgueil conduit dans la direction opposée. D'autres religions condamnent également l'orgueil[15] et en font la racine de maux dangereux comme l'animosité, les préjugés, la discorde et la désunion[16]. Par ailleurs, les progrès qu'enregistrent les néophytes leur font courir de nouveaux risques d'orgueil. Les soufis considèrent l'orgueil comme le principal obstacle à vaincre sur le chemin de l'illumination, ou fana[17], puisqu'en se faisant une fierté des progrès accomplis on peut en venir à faire échec à tout progrès ultérieur. De même, le Bouddha reprochait aux religieux de son époque de se féliciter de leur ascétisme et de se faire une opinion exagérée de leurs réalisations spirituelles[18].

Mais pourquoi l'orgueil est-il si répréhensible? D'une part, l'orgueil et l'amour-propre nous rendent vulnérables à la souffrance, comme nous avons pu le voir dans un chapitre précédent. Au nom de l'orgueil, on peut se livrer à des actes immoraux ou agressifs et en ressentir des émotions pénibles. (Ce qu'on peut facilement constater dans certains groupes sociaux qui ont fait de l'orgueil une valeur fondamentale comme les aristocrates de l'Europe médiévale et du début des temps modernes: une sensibilité exacerbée au moindre affront donnait alors lieu à des conflits interminables et a entretenu la tradition des combats en duel pendant des siècles[19].) Plus on s'accorde de valeur, plus on s'expose à l'humiliation et donc plus on est vulnérable à la tristesse et au malheur.

L'exercice spirituel est peut-être la solution ultime au problème du stress qu'engendre le maintien du soi. En restant humble, on évite les blessures d'amour-propre. L'humilité protège contre la plupart des tentations qui accompagnent l'affirmation d'un soi égocentrique. (La psychologie moderne serait ici du même avis puisqu'elle considère l'égocentrisme comme l'une des causes de l'agressivité au même titre qu'une forte estime de soi assortie d'insécurité[20].) Les premiers stades du mysticisme sont une attaque en règle contre l'orgueil et l'égocentrisme qui s'apparentent en quelque sorte aux pratiques masochistes. Les néophytes se soumettent à des traitements insultants et débilitants. On leur demande de se raser la tête pour combattre la vanité. Dans certaines traditions, on exige du néophyte qu'il mendie sa nourriture, non pas tant pour se nourrir que pour subir l'humiliation de la mendicité et combattre ainsi son égoïsme. De même, les néophytes doivent se prosterner, s'incliner, s'agenouiller et exécuter toutes sortes d'autres gestes qui dénotent l'humilité.

Pourquoi entreprendre une quête spirituelle?

Comment le recours à la religion, et surtout aux exercices spirituels comme la méditation, s'inscrit-il dans ma théorie de la fuite? Sans doute la catastrophe est-elle la motivation à se tourner vers la méditation la moins fréquemment évoquée. Il arrive qu'une crise ou une catastrophe personnelle pousse vers la religion, mais ce que l'on cherche alors ce sont des consolations, du réconfort, des doctrines qui élèvent l'âme et non pas la fuite temporaire loin d'un soi devenu invivable.

D'ailleurs, les personnes qui réagissent à une crise personnelle en se tournant vers une discipline spirituelle se révèlent en général de bien piètres novices. Une personne qui se remet d'une crise personnelle est en général distraite et émotivement vulnérable de sorte qu'elle manque de la force et de la discipline nécessaires à la pratique des exercices spirituels. Puis, lorsqu'elle prend du mieux, il arrive souvent qu'elle perde de son enthousiasme pour la vie monastique. Beaucoup de sectes religieuses contemporaines enregistrent d'importantes fluctuations dans le nombre de leurs membres justement parce qu'elles recrutent des adeptes qui viennent de subir des crises personnelles et qui se trouvent dans un état d'esprit très vulnérable. D'autres communautés spirituelles, par contre, déconseillent aux gens de s'inscrire sous le coup de l'enthousiasme ou dans la foulée d'une crise personnelle et l'on sait à quel point les communautés mystiques ont depuis toujours découragé les candidats. Au cours d'une visite dans un monastère zen de New York, par exemple, des collègues et moi-même avons été initiés aux principes et aux techniques de la méditation, mais le monastère a refusé de nous laisser nous inscrire à quoi que ce soit. Un moine a pris la parole pour dire qu'il comprenait l'enthousiasme qui animait plusieurs d'entre nous et leur désir de s'engager, mais il a précisé que personne n'y serait autorisé. «Rentrez chez vous, a-t-il dit, laissez votre enthousiasme s'apaiser et, dans six mois ou dans un an, si vous avez encore le désir de prendre un engagement, communiquez avec nous et nous verrons ce qu'il y a lieu de faire.»

De même, on le sait, les aspirants à la vie monastique qui se présentaient dans les monastères zen du Japon devaient habituellement affronter de nombreuses mesures de dissuasion. Le jeune homme devait se dépouiller de tous ses biens à l'exception de ce qu'il pouvait porter sur lui et devait voyager plusieurs jours pour se rendre au monastère; il devait dormir à la belle étoile puisqu'il n'était pas autorisé à posséder de l'argent. Lorsqu'il se présentait à la porte du monastère, il était généralement repoussé, souvent de façon brutale et insultante. Au mieux, on lui disait qu'il n'y avait pas de place pour lui et qu'il devrait aller ailleurs. Ce n'est qu'après avoir attendu dehors longtemps — plusieurs heures et même parfois plusieurs jours — qu'il était enfin autorisé à pénétrer dans le monastère et, alors seulement, à y dormir. Pour accéder au titre de novice, il fallait surmonter d'autres obstacles encore.

La fuite dans la méditation semble toutefois soulager le stress. En renonçant à l'égocentrisme et en adoptant une attitude générale de modestie, on peut éviter le fardeau que représente le maintien d'un soi hypertrophié et conforme à des normes trop exigeantes. La méditation sert souvent de réducteur de stress. Il y a quelques années, la méditation transcendantale a connu un franc succès auprès des hommes d'affaires nord-américains, surtout parce qu'elle avait des propriétés réductrices de stress[21]. La méditation telle que la pratiquent les soufis semble également permettre de soulager le stress. «Au bout d'un moment, la personne revient à elle avec le sentiment d'être reposée et alerte. Un peu comme si l'esprit s'était libéré des pensées qui le distraient et des bruits qui le perturbent. La personne est alors plus réceptive et plus sensible à son environnement[22].»

Pour mieux comprendre que la méditation et la spiritualité puissent soulager du stress, il faut placer cette idée dans un contexte plus vaste: celui qui veut que la vie soit source de souffrance. De nombreuses religions se fondent sur le principe que la vie humaine sur terre est essentiellement pénible; cette hostilité à l'égard de la vie de la chair est un élément fondamental de ces religions et de leur notion du salut. Pour bien comprendre cette attitude, il faut savoir quels changements radicaux la religion a subis en très peu de temps. Entre l'an 600 avant Jésus-Christ et l'an 400 de notre ère, une vague de religions totalement nouvelles a balayé le monde. Toutes ces religions avaient en commun le principe selon lequel la vie humaine est pénible et douloureuse. Le message véhiculé par Bouddha, par Jésus et par d'autres grandes figures religieuses était que la vie terrestre n'est que tristesse, déception et malheur, et que seule la religion offre la promesse du salut (en passant par le nirvana bouddhiste ou par la grâce et le ciel chrétiens). En Inde, la pensée religieuse postérieure aux Oupanishads convient avec le Bouddha que «tout est souffrance, tout est éphémère[23]». La première des quatre nobles vérités du Bouddha est précisément que la vie est souffrance. Le but que visent les philosophies et les techniques de méditation indiennes est de libérer de la souffrance[24]. De même, le christianisme invite à adopter une attitude d'hostilité à l'égard de ce monde de douleur et de souffrance et met de l'avant la doctrine selon laquelle la faute originelle a condamné l'humanité à une vie de dur labeur et de souffrances sur terre. Le christianisme a aussi condamné la sexualité avec beaucoup plus de vigueur que les autres religions de la même époque[25]. L'Islam aussi a adopté une façon négative de percevoir la vie sur terre. «Les soufis [...] considèrent que la vie est souffrance», comme l'a résumé un spécialiste[26].

Certaines de ces attitudes ont encore cours aujourd'hui. La méditation et l'évolution spirituelle peuvent entraîner un sentiment de profond désenchantement à l'égard de toutes les préoccupations de la vie quotidienne. Le psychologue Daniel Goleman, qui rend compte de la méditation en procédant à la synthèse de diverses techniques venues du monde entier, explique comment le méditant en vient à se sentir insatisfait du monde et à voir de la souffrance et du malheur partout[27].

Le troisième et dernier motif pour lequel nous cherchons à échapper au soi est le désir de parvenir à l'extase, ce à quoi conduisent les techniques spirituelles. Nombre de religions font valoir que leur pratique procure un sentiment de béatitude et d'extase, et il ne semble faire aucun doute que l'expérience religieuse soit véritablement source de plaisir intense. Le Bouddha décrit le nirvana comme un état de «bonheur inébranlable[28]». Les bouddhistes modernes décrivent l'illumination dans des termes incandescents et parlent de «délices exquis et ineffables[29]». Les mystiques chrétiens décrivent leurs expériences en parlant de jouissance directe de l'amour de Dieu et vont même jusqu'à utiliser des métaphores sexuelles explicites[30]. Les soufis établissent un lien entre le dépouillement de soi et l'extase qu'ils interprètent comme l'union avec Dieu[31]. Tous les textes qui décrivent les techniques de méditation font régulièrement allusion à la béatitude, au ravissement et à l'extase[32].

La détresse émotionnelle

Dans les chapitres précédents nous avons vu que le désir d'échapper au soi est souvent motivé en partie par le désir de fuir des états émotionnels pénibles. Dans le cas des fuites à caractère spirituel, nous constatons la présence d'un élément analogue: la conviction que la vie est souffrance et que la religion offre une solution à cette souffrance.

Ma théorie de la fuite avance aussi que la douleur est souvent associée directement au soi. Nous voulons fuir non pas la souffrance en général mais les sentiments négatifs qui touchent directement le soi. Or cette façon de voir est au moins implicite dans certaines théories spirituelles. Le mysticisme chrétien a eu pour point de départ le désir d'échapper au péché: à l'époque médiévale, les textes mystiques insistent sur le fait qu'il faut prendre conscience qu'on est pécheur pour trouver la motivation nécessaire au désir de gravir les degrés de la spiritualité. Les premiers pas vers la réalisation de l'amour de Dieu sont marqués par des sentiments de profond remords pour les fautes commises[33]. Le même désir de répudier sa vie de péché se manifeste dans les récits modernes de conversion, surtout celles qui ont lieu à l'adolescence, bien que les mouvements intégristes chrétiens d'Amérique du Nord aient donné lieu à une recrudescence de ces phénomènes qui se produisent désormais à tout âge. En règle générale, le sujet s'enfonce lentement dans le péché, se complaît à satisfaire des désirs égoïstes ou à rechercher le plaisir et constate la présence en lui-même d'un ensemble de désirs et de comportements contraires à la vertu chrétienne[34]. Le sentiment d'être mauvais s'accroît jusqu'à ce que le sujet se sente envahi par la culpabilité et la haine de soi. Il en vient alors à se considérer comme un pécheur impénitent, un dégénéré. Il lui devient presque impossible de conserver une certaine mesure d'estime de soi. Puis se produit l'expérience de la conversion au cours de laquelle la personne se sent acceptée et pardonnée par Dieu. Elle rompt alors avec son passé et se promet de mener une vie renouvelée et vertueuse.

On peut comprendre que de telles expériences aient caractérisé l'adolescence, surtout autrefois. Pendant l'enfance, les enseignements de la religion sont livrés presque comme des abstractions et les règles semblent faciles à suivre. Mais l'adolescence est marquée par des transformations psychologiques profondes et en particulier par une plus grande conscience de soi qui permet de scruter les profondeurs de son être et d'y déceler la présence de désirs coupables, même lorsque ces désirs ne s'expriment pas dans des comportements explicites. L'adolescence est aussi marquée par de fortes pulsions sexuelles ou autres qui sont contraires aux normes sociales et aux vertus religieuses. Comme la personne est encore jeune et qu'elle n'a pas encore acquis les techniques qui lui permettront de maîtriser ses pulsions et ses désirs, elle n'a pas complètement tort lorsqu'elle se perçoit comme un pécheur impénitent. Mais avec l'âge et la maturité, on trouve le moyen d'intégrer ses désirs sexuels à un mode de vie socialement acceptable et on laisse derrière soi toute cette période de désirs coupables. Une expérience de conversion religieuse peut se révéler un excellent moyen d'opérer ce passage.

Il faut comprendre qu'un premier réveil spirituel ou l'amorce d'une activité religieuse ne met pas aussitôt fin à la douleur. Plusieurs textes mystiques insistent sur le fait que l'extase est souvent précédée par de profonds sentiments de tristesse, de confusion et de doute. Les mystiques chrétiens décrivent cette période de trouble et d'agitation en utilisant des expressions comme «le nuage de l'inconnaissance» ou «la nuit obscure de l'âme». (Ces deux expressions sont devenues les titres d'ouvrages importants conçus pour guider les mystiques chrétiens.) Les textes zen parlent de l'accumulation d'une «masse de doute» et en font un élément essentiel sur la route qui conduit à l'illumination. Le néophyte zen sur le point d'arriver à l'illumination a souvent le sentiment d'être accablé par le doute et la tristesse.

Comme on peut le constater, tous ces états émotionnels pénibles se rattachent au soi. La colère, la passion, le désir frustré et divers autres sentiments sont liés à la façon de concevoir le soi, et en renonçant à l'égocentrisme, il devient possible de se libérer de ces sources de perturbation émotionnelle[35]. Le péché tout comme le regret sont liés au soi de sorte qu'en transcendant le soi on peut espérer échapper en permanence à toute perception négative de soi-même. Mais la renonciation au soi doit se produire longtemps avant qu'il ne devienne possible d'en recueillir les bénéfices; il faut traverser de nombreuses périodes de doute, d'inquiétude et de confusion avant de parvenir à l'extase ou à l'illumination.

L'ÉTAT D'ESPRIT

Le rejet de la signification

Il va sans dire que le contexte dans lequel s'inscrivent les exercices spirituels est bien différent de celui dans lequel on choisit de boire jusqu'à l'ivresse, de se livrer à des pratiques sexuelles masochistes, de faire une crise de boulimie ou d'envisager le suicide. Et pourtant, les étapes à suivre pour atteindre un état d'esprit propice aux exercices spirituels ont des points en commun avec tous ces autres comportements. Le rejet de la pensée significative ordinaire est indispensable dans tous les cas de fuite.

Les techniques de méditation sont généralement fondées sur la nécessité d'interrompre la tendance de l'esprit à vagabonder, à discourir sur tout et sur rien et à tenter de tout inscrire dans des structures de pensée déjà établies. En temps normal, tout ce qui nous traverse l'esprit fait l'objet d'une élaboration, c'est-à-dire que nous nous arrêtons pour y réfléchir. Pour méditer, il faut apprendre à laisser les pensées aller et venir sans intervention de notre part. On croit souvent à tort que la méditation est un moyen de parvenir à un état de vide mental; il serait plus juste de dire qu'elle permet d'atteindre un état de conscience non troublé par le tohu-bohu des pensées insignifiantes[36]. Faisons une analogie avec le fait de regarder la télévision. L'esprit à l'état normal est comparable au téléspectateur qui se laisse complètement absorber par les émissions et les publicités qu'il regarde. Il est attentif aux moindres mots et aux moindres images et ne se laisse distraire par rien. Le méditant accompli pourrait, quant à lui, être comparé à une personne assise dans une grande pièce dans le coin de laquelle se trouve un petit téléviseur. Des images défilent sans cesse sur l'écran, mais la personne ne se laisse pas accaparer par elles.

Les disciplines spirituelles ont tendance à considérer la pensée courante et la rationalité comme l'ennemi. Les mystiques chrétiens sont sans doute au nombre des partisans les plus farouches du rejet de la rationalité au profit de la foi. La gnose, et non la discussion théologique, devait donner accès aux certitudes les plus inébranlables. Ce refus de l'analyse rationnelle témoigne du rejet de la pensée significative.

D'autres religions aussi s'opposent à la pensée rationnelle. Les soufis estiment nécessaire de surmonter la tendance de l'esprit à penser de façon intellectuelle et rationnelle[37]. C'est sans doute le zen qui propose les techniques les plus rigoureuses et les plus originales visant à conquérir les tendances de l'esprit à la pensée rationnelle et intellectuelle. Le zen semble reconnaître que l'esprit ordinaire s'efforce sans cesse de tout comprendre et de tout expliquer par des verbalisations: au lieu d'obliger l'esprit à s'arrêter, le zen lui laisse la bride sur le cou jusqu'à ce que la rationalité s'épuise.

Pour atteindre ce but, le zen a recours au *koan*, c'est-à-dire à une énigme impossible à résoudre. On demande par exemple aux novices de visualiser leur visage avant leur naissance, ou d'entendre le son que produit une seule main qui applaudit, ou encore de trouver le sens de la syllabe «mu!» donnée en réponse à une question portant les potentialités spirituelles d'un chien. Les novices ne sont pas simplement priés de réfléchir à ces questions mais ils doivent trouver une réponse chaque jour et la formuler en présence du maître. En période d'intense méditation, il arrive que l'on exige plusieurs réponses tous les jours. Le maître repousse toutes les solutions, mais fait monter la tension en exigeant sans cesse qu'on lui soumette une bonne réponse. Les novices se retrouvent bientôt dans une impasse: forcés de résoudre un problème de toute urgence mais obligés de reconnaître qu'il s'agit d'un problème insoluble. Ces koans ont pour but de frustrer et d'épuiser l'intellect et d'obliger la personne à trouver d'autres moyens de résoudre le problème[38]. Au lieu de recourir à la réflexion et à l'analyse, l'esprit apprend à réagir par d'autres moyens. On parle alors de formes d'expérience plus directes, non médiatisées par les modes conventionnels de pensée et d'analyse[39]. On apprend ainsi à ne plus confondre ses propres idées avec la réalité elle-même.

Une pensée concrète et banale

Les exercices spirituels visent de façon explicite à faire échec aux habitudes de l'esprit qui sous-tendent «la construction sociale de la réalité[40]» et à déconstruire le réel. Les techniques de méditation obligent l'esprit à se concentrer sur des phénomènes concrets, immédiats et courants plutôt que sur l'analyse abstraite ou la pensée détaillée. Par exemple, longtemps avant de leur proposer un koan, on recommande aux débutants un exercice très simple. Le novice doit compter ses respirations sans exercer quelque contrôle que ce soit sur le phénomène. Il doit donc laisser sa respiration se produire de façon passive, comme elle se produit naturellement, et rester attentif au phénomène en comptant chaque expiration. Après avoir compté jusqu'à dix, on recommence à un. Si on perd le compte ou qu'on se laisse distraire, on recommence à un. L'exercice est ainsi répété pendant une vingtaine de minutes ou plus. On trouve des exercices semblables dans d'autres disciplines spirituelles.

Cette façon de se concentrer sur sa respiration illustre bien la forme de pensée qui caractérise la méditation: le rejet de la signification et une forme de pensée concrète et banale. La respiration est une activité physique simple et concrète que le corps effectue de façon constante et automatique. C'est une activité physique qui n'exige aucune réflexion. La méditation, par contre, n'est pas purement mécanique; la personne cherche à rester totalement concentrée sur sa respiration[41]. En plaçant ainsi la respiration au centre de l'attention, on accorde une place prépondérante à une des activités du corps les plus courantes et les moins significatives.

Cette concentration de l'esprit sur le corps indique bien l'accent mis sur des aspects concrets et banals par les disciplines spirituelles dans leur effort pour faire perdre à l'esprit ses mauvaises habitudes. Les exercices vont beaucoup plus loin que cette seule méditation sur la respiration. Le zen, par exemple, accorde énormément d'importance à d'autres états physiques. On y insiste sur la nécessité de se tenir bien droit; une colonne vertébrale parfaitement droite est d'ailleurs considérée comme un préalable à la clarté d'esprit. Certains détails de posture, comme le positionnement des mains, sont portés à l'attention du méditant[42]. Il importe de rester immobile pendant les périodes de méditation puisqu'ainsi l'esprit est mieux disposé à se concentrer sur des préoccupations immédiates, concrètes et physiques. Il est difficile de rester parfaitement immobile pendant une demi-heure. Mais quel que soit le degré d'inconfort, il est interdit de bouger. Il est également interdit de se gratter. En général, on s'assoit dans la position du lotus et, au bout d'un moment, les jambes deviennent engourdies et douloureuses. Les maîtres zen ne cessent de répéter la phrase des entraîneurs sportifs: «Pas de douleur, pas de progrès.» On constate ici un rapport à la douleur assez semblable à celui du masochisme, c'est-à-dire que la douleur est perçue comme un moyen efficace de s'emparer de l'esprit et de l'orienter vers des aspects physiques immédiats.

La préoccupation pour la dimension physique ne s'arrête pas au seul fait de compter ses respirations. Dans le cadre du zen, les périodes de méditation en position assise et dans l'immobilité sont entrecoupées de brèves périodes de méditation ambulante. Les novices marchent en cercle, deux par deux, les mains jointes, et centrent leur attention sur ce qui se trouve immédiatement devant eux. Ils doivent se concentrer intensément sur l'action de marcher. Bien sûr, la marche est une activité presque aussi banale que la respiration — il s'agit encore une fois d'une activité physique toute simple que l'on peut accomplir sans y prêter attention, de sorte qu'en centrant son attention sur elle on peut écarter l'esprit de ses modes habituels de conceptualisation et de symbolisation.

Le yoga fournit un autre bon exemple de la façon d'utiliser le corps pour occuper et purifier l'esprit. La concentration sur diverses postures et mouvements physiques est un élément central du yoga. Le yogi apprend à réaliser chaque activité physique de façon consciente et délibérée plutôt que de façon automatique. Il concentre toute son attention sur diverses actions: bouger, manger, respirer, digérer, parler, se taire[43].

On peut aussi, pour méditer, avoir recours à un mantra, c'est-à-dire une syllabe que l'on se répète sans cesse mentalement[44]. Dans le contexte de la méditation transcendantale, par exemple, chacun se fait assigner un mantra par son maître et consacre deux périodes de vingt minutes par jour à répéter mentalement ce mantra. Pendant cette période, la personne doit laisser ses pensées et ses émotions aller et venir sans tenter de les contrôler de quelque façon que ce soit. De même, le soufisme a recours à une syllabe appelée le *zikr*, que la personne inspire et expire au cours de sa respiration[45]. Ici encore, la personne laisse ses pensées, ses émotions, ses fantasmes et toutes ses autres activités mentales se dérouler sans faire l'effort de les contrôler. Le soufisme invite aussi parfois le méditant à centrer son attention sur une partie précise de son corps[46].

Le zen formule peut-être mieux que tout autre l'usage spirituel que font les mystiques de l'activité physique[47]: toute activité y est décrite comme dépourvue d'utilité autre que d'être une forme possible de méditation. Le méditant doit adopter une attitude qui le concentre entièrement sur l'activité en cours — quelle qu'elle soit — plutôt que sur son résultat. Ce principe s'applique tout particulièrement aux travaux manuels que la plupart des monastères exigent des membres de la communauté. En ratissant les feuilles ou en lavant les planchers, il ne faut pas penser au résultat escompté: comme tout sera propre quand on aura fini, ce qu'il y a encore à faire, quelle fierté on en ressentira. Il ne faut pas rêvasser, siffler ou penser à ce qu'on fera plus tard. Au contraire, il faut que l'esprit se laisse entièrement absorber par les activités physiques nécessaires au ratissage ou au lavage du plancher. Lorsque la période de temps réservée à l'activité est écoulée, on interrompt son travail et on passe à l'activité suivante plutôt que de poursuivre jusqu'à ce qu'on ait terminé. Cette façon d'aborder le travail (et toute autre activité) montre bien l'immersion de l'esprit dans l'activité concrète et immédiate par opposition à l'activité rationnelle, à la planification et au désir de réaliser des objectifs.

Le christianisme à ses débuts, on le sait, envisageait le travail de façon péjorative et considérait certaines formes de travail comme des obstacles à l'évolution spirituelle, surtout le travail axé sur les résultats — ou motivé par l'appât du gain[48]. Les ermites et d'autres reconnaissaient toutefois la valeur spirituelle du travail et de l'exercice et cherchaient à accomplir des tâches qui leur permettraient de récolter des avantages tout en se tenant à l'écart du péché. À cette fin, il fallait s'assurer que le travail n'engendre aucun bénéfice matériel. Plusieurs ermites célèbres ont mis au point une sorte de méditation par le travail, celui-ci consistant à déplacer des quantités de sable d'un endroit à l'autre dans le désert. Un autre ermite célèbre tressait des paniers pendant des mois dans un état de concentration absolue et, à la fin de l'année, les brûlait tous pour recommencer[49].

L'horizon temporel

Comme on a pu le voir, la méditation met l'accent sur le moment présent. Dans le cas de la méditation centrée sur la respiration, le sujet tente de se conformer à la directive suivante: «Soyez présent à chaque respiration[50].» La respiration est une activité qui s'inscrit dans le présent immédiat; le passé et le futur n'y jouent aucun rôle. On ne planifie pas ses respirations futures et on ne songe pas à ses respirations passées. Comme le disent les soufis: «Le soufi vit le moment présent et fait un avec lui.» Rumi affirme: «Ami, le soufi est l'enfant du moment. Parler de demain écarte du Chemin[51].» Cette insistance sur le moment présent apparaît aussi dans le titre que Richard Alpert donna au livre où il raconte son histoire d'ex-professeur à Harvard parti en Inde en quête d'illumination après avoir expérimenté des drogues psychédéliques: *Be here now* — phrase qui est devenue en quelque sorte la devise d'un certain mouvement hippie aux États-Unis.

LES CONSÉQUENCES

Les conséquences de l'exercice spirituel ont des points en commun avec ce qui caractérise les autres formes de fuite. D'une part, la fuite est toujours temporaire. La doctrine religieuse promet le salut éternel mais en pratique, les moments d'extase vont et viennent. On peut en acquérir des perspectives nouvelles, un savoir renouvelé, mais l'état de dépossession de soi — du moins dans sa forme la plus intense, la plus extatique et jouissive — se dissipe rapidement. Ce caractère éphémère des états d'extase est signalé par de nombreux chercheurs. Le spécialiste Mohammed Shafii a dit des soufis: «Le sentiment de perte de conscience de soi est fréquemment de courte durée, mais il peut durer quelques jours, quelques mois ou quelques années. Il peut aussi se produire plus d'une fois[52].» L'historien William Clebsch conclut que les mystiques chrétiens du Moyen Âge ne parvenaient pas à «échapper définitivement aux vicissitudes du monde»; ils devaient au contraire réintégrer le monde et choisissaient alors souvent de consacrer leur vie à tenter de l'améliorer[53]. Enfin, la pratique bouddhiste intègre le vœu du Bodhisattva qui est de n'atteindre l'illumination finale qu'au moment où tous les êtres vivants pourront y accéder ensemble. L'aspirant est donc prédisposé à faire l'expérience *temporaire* du satori.

La passivité

La passivité est un des buts de l'exercice spirituel, de même qu'elle constitue l'une de ses méthodes. Une attitude passive contribue, bien que ce ne soit pas indispensable, à faire que le soi cesse de toujours s'emparer des phénomènes, de toujours chercher à les contrôler et à s'imposer à eux[54]. Comme l'explique Thomas Merton dans *Mystique et zen*, le soi est désir et les mystiques aspirent à un état d'absence de désir.

Il ne faudrait toutefois pas exagérer le rôle de la passivité. La spiritualité ne cherche pas à libérer l'individu de la responsabilité de ses actes et la méditation n'est pas motivée par le désir d'échapper aux responsabilités, contrairement à l'alcool et aux autres moyens qui favorisent la fuite. D'ailleurs, l'action ne cesse pas complètement: le Bouddha inscrit l'activité correcte dans le cadre de son «chemin à huit branches[55]».

La passivité sert plutôt d'exercice pour permettre d'échapper au soi. La chose est particulièrement évidente dans le contexte du zen ou d'autres formes de méditation qui insistent sur la nécessité de rester assis, immobile. Dans certains monastères zen, l'été, on ouvre les fenêtres toutes grandes au début de la période de méditation pour laisser entrer des nuées de moustiques qui viennent s'abattre sur la tête et le corps des méditants, lesquels doivent éviter tout mouvement qui pourrait avoir pour but de les chasser. Se laisser dévorer par les moustiques tout en restant immobile et impassible: voilà un extraordinaire exercice d'entraînement à la passivité.

L'absence d'émotion

La spiritualité ne cherche pas à créer des états émotifs. Bien que l'extase et la béatitude soient des états éphémères, la discipline spirituelle vise un état d'esprit profond et stable, très différent des fluctuations intempestives de l'émotion. La spiritualité aspire non pas à un pic émotionnel mais à un état de paix, de tranquillité et de sagesse. Se libérer des émotions ressemble à bien des égards à ce que les mystiques appellent se libérer du désir. À leurs yeux, le soi est un amas de désirs et de besoins auxquels se rattachent des états émotionnels. Les émotions agréables se manifestent lorsque les désirs du soi sont comblés et les émotions pénibles surviennent lorsqu'ils sont frustrés ou menacés. Se dépouiller du soi permet donc de se libérer du désir, de sorte que le fondement des émotions est éliminé. Si l'on cesse de tout évaluer en fonction de l'intérêt personnel, bon nombre d'émotions cessent de se manifester.

Illustrons ce propos par une histoire bien connue qui met en scène un célèbre maître zen[56]. Selon la légende, une jeune fille dans un petit village était enceinte et refusait de nommer le père de son enfant. Pressée par sa famille et ses voisins de révéler l'identité du coupable, elle finit par céder et avoua que le père était Hakuin, un célèbre maître zen qui habitait non loin de là. La chose fit scandale. Après la naissance de l'enfant, les parents allèrent le porter chez

Hakuin en lui disant qu'il devait s'en porter responsable. «Vraiment?» dit-il, laconique. Il accueillit l'enfant et en prit soin du mieux qu'il put. Il va sans dire que sa réputation de maître spirituel fut ruinée par cette fâcheuse histoire de lubricité. Mais peu lui importait: il n'avait cure de la célébrité, de la réputation ou de toute autre forme de promotion de soi.

Au bout d'un certain temps, la jeune fille, accablée par la culpabilité, avoua qu'en réalité, elle n'avait eu aucun rapport avec Hakuin. Le véritable père de l'enfant, dit-elle, était un jeune homme du village qui reconnut sa paternité. Les parents retournèrent alors chez Hakuin pour reprendre possession de l'enfant en lui disant qu'il y avait eu erreur et qu'il n'était pas à blâmer. «Vraiment?» dit-il, et il leur rendit l'enfant.

Que cette histoire soit vraie ou qu'il s'agisse d'une légende est de peu d'importance. Ce qui compte, c'est l'impassibilité de Hakuin qui illustre, dans ce récit, la capacité de se tenir au-dessus du chaos émotionnel. Perdre sa réputation, se faire soudain imposer la responsabilité d'un enfant, puis devoir s'en défaire abruptement: voilà autant d'événements qui, normalement, provoqueraient d'intenses émotions. Or le maître zen était libre de toutes ces manifestations d'émotions.

La levée des inhibitions

La levée des inhibitions qui accompagne souvent la fuite semble jouer un rôle de moindre importance dans le cadre des exercices spirituels: les saints et les aspirants à la sainteté ne sont pas reconnus pour leurs actes débridés et audacieux. Peut-être en est-il ainsi parce qu'ils parviennent à surmonter le désir qui motive la plupart des actes périlleux ou défendus. Nous avons vu, en rapport avec la consommation d'alcool, que les gens adoptent des comportements bizarres uniquement si ces comportements sont pour eux l'objet d'un conflit — c'est-à-dire s'ils veulent à la fois agir et ne pas agir. L'alcool élimine l'obstacle mais laisse le désir intact de sorte que la personne se sent libre d'agir. Le mysticisme, toutefois, cherche à éliminer le désir autant que l'inhibition. La disparition du désir élimine le conflit de sorte qu'aucun comportement répréhensible ne se produit.

Il en est peut-être ainsi également parce que les disciplines spirituelles prônent la morale et la vertu. Elles recommandent essentiellement de faire preuve de responsabilité personnelle et sociale, de penser aux autres, d'agir avec civisme, de se comporter de façon correcte et de cultiver toutes sortes d'autres vertus sociales soit comme moyen de favoriser l'évolution spirituelle ou comme une fin en soi[57].

Il reste toutefois un certain risque de levée des inhibitions. Kapleau signale certaines interprétations fautives de la pensée zen qui peuvent résulter en un certain «libertinage zen», en conséquence duquel on peut se sentir libre de satisfaire ses moindres impulsions et ses moindres désirs, même les plus égoïstes[58]. Le seul fait qu'on puisse imaginer l'existence d'une telle interprétation fautive montre bien que l'on est sensible aux risques d'une levée trop massive des inhibitions. Thomas Merton signale aussi que certains Occidentaux considèrent le zen comme un moyen de satisfaire ses moindres penchants et ses moindres désirs — opinion qui, selon lui, vient du fait que le zen lève en effet certaines inhibitions, mais qui ne tient pas compte de la conscience morale et de la discipline rigoureuse qu'impose l'initiation au zen.

L'irrationalité

L'irrationalité, qui caractérise les autres formes de fuite, trouve son parallèle dans le contexte de la spiritualité. La rationalité y est en effet souvent perçue comme l'ennemi à abattre. Les mystiques chrétiens mettent l'accent sur la foi parce que la raison leur semble impuissante à réaliser leur objectif. La foi, et non l'analyse intellectuelle, est le moyen le plus efficace d'aborder un paradoxe comme celui du mystère de la Trinité ou de l'Immaculée Conception.

Les koans zen et les légendes soufies sont souvent délibérément ésotériques. Ils échappent à l'analyse rationnelle ou intellectuelle et c'est peut-être précisément là leur fonction: interpeller l'esprit d'une façon qui l'obligera à renoncer à ses modes habituels de pensée. Curieusement, certains de ces exercices d'initiation à l'irrationnel semblent avoir pour caractéristique d'envahir complètement le soi de sorte qu'ils permettent de s'en dépouiller. Certains observateurs ont constaté que le novice zen qui s'escrime avec un koan en vient à croire que tout son être s'est transformé en énigme insoluble[59]. Lorsque la pensée rationnelle est épuisée et bat en retraite, la conscience de soi fusionne pour ne plus faire qu'un avec l'énigme. Kapleau raconte que sa première expérience d'illumination a été précédée de quelques jours pendant lesquels il s'est senti entièrement possédé par un koan. Il avait le sentiment que l'énigme agissait à travers lui et le dépossédait complètement de son identité habituelle: «Je ne mangeais pas mon petit déjeuner. Mu le faisait pour moi. Je ne balayais pas le plancher, Mu le faisait[60].»

Dans le contexte des exercices spirituels, donc, l'irrationalité n'est pas le sous-produit d'événements fortuits, mais est au contraire un élément indispensable à la domination du soi. Les Occidentaux ont tendance à assimiler la pensée rationnelle et l'identité personnelle de sorte qu'il devient indispensable de s'en prendre à la rationalité lorsqu'il s'agit de se libérer du soi.

L'évolution spirituelle semble étroitement liée à la possibilité d'échapper au soi. Les disciplines spirituelles promettent une grande mesure de paix intérieure, de bonheur, de sérénité et vont même jusqu'à promettre l'extase. Elles exigent toutefois le renoncement à plusieurs aspects de la personnalité individuelle, un renoncement souvent permanent. Il faut cesser de faire intervenir l'intérêt personnel comme fondement de l'action, de la pensée ou des réactions émotives.

Par conséquent, bon nombre de disciplines spirituelles considèrent le soi comme l'ennemi numéro un. Le degré d'évolution spirituelle peut être plus ou moins évalué en fonction de l'absence d'orgueil, d'égocentrisme ou d'autres comportements centrés sur le soi[61]. Il peut être difficile de se maintenir dans un tel état puisque le progrès spirituel suscite la fierté et peut faire de nous l'objet de l'admiration et même de la vénération des autres, ce qui fournit de nouvelles tentations au chapitre de l'orgueil et de l'égocentrisme. Il ne faut donc pas s'étonner de constater qu'après avoir accompli de réels progrès spirituels, beaucoup de novices cèdent à l'orgueil et à l'égocentrisme.

L'exercice spirituel est un excellent moyen d'échapper au soi, surtout parce qu'il donne lieu à des comportements essentiellement favorables et bénéfiques. Contrairement à des formes de fuite plus dévastatrices comme le suicide, l'alcoolisme, la toxicomanie et les crises de boulimie, la méditation et les exercices spirituels semblent aider les gens à mieux s'adapter, à mieux se sensibiliser aux autres, à se sentir mieux et à penser d'une façon plus claire. En échappant aux excès du soi, on peut ainsi favoriser certaines de nos aspirations à l'épanouissement et à la plus haute réalisation de notre potentiel humain.

X

Autres facteurs, autres voies

Lorsqu'on devient une personne de plein droit, on se dresse seul et on affronte le monde dans tous ses aspects, même les plus périlleux et les plus accablants.

ERICH FROMM, *La peur de la liberté*

Dans le présent ouvrage, nous avons dégagé des éléments communs à tout un ensemble de comportements humains associés au désir de se fuir soi-même. Dans toutes sortes de situations, il arrive que les gens cessent de se promouvoir eux-mêmes et entreprennent de se fuir. Ce désir de fuite peut prendre des formes diverses: de l'autodestruction à l'exaltation spirituelle, toutes ayant en commun trois motivations de base et un procédé uniforme.

Y AURAIT-IL D'AUTRES FACTEURS?

Il serait pour le moins hasardeux de tenter d'expliquer tous les comportements, ou même tous les cas de suicide ou de boulimie, en invoquant le désir de se fuir soi-même. Cette hypothèse peut sans doute s'appliquer à de nombreuses activités humaines, mais il faut absolument éviter les généralisations hâtives. Un cas de suicide, pris isolément, peut avoir tout un ensemble de causes et de motivations et il est tout probable que certains suicides n'entrent pas du tout dans le cadre de ma théorie de la fuite.

La fuite est spontanément associée à certaines activités comme la consommation de drogue, laquelle peut également être attribuée à des facteurs physiologiques. Se pourrait-il qu'il y ait un fondement physiologique aux comportements que nous avons analysés ici sous l'angle de la fuite? Pourrait-on expliquer le masochisme, l'alcoolisme ou le suicide en les associant à un étrange déséquilibre dans la chimie du cerveau? Avant de répondre à ces questions, il faudrait nous demander ce que nous entendons par *expliquer*. Une explication physiologique pourrait montrer que certains processus physiques accompagnent les phénomènes psychologiques, mais pour en arriver à une explication complète et suffisante, il faudrait pouvoir rendre compte de toutes les facettes du phénomène. Dans ce cas, je ne crois pas qu'il soit possible de proposer une explication physiologique au phénomène de la fuite. Il est possible que des éléments physiologiques soient en cause et la recherche découvrira peut-être un jour que des réactions chimiques dans le cerveau ou des réactions hormonales prédisposent certaines personnes à l'alcoolisme, à la boulimie ou à d'autres comportements de ce genre. Mais il faut comprendre que la physiologie n'apporte, dans ces cas, qu'une explication partielle et insuffisante.

Le masochisme illustre bien mon propos. Nous disposons de peu de renseignements sur la dimension physiologique du masochisme, mais il se pourrait que les masochistes possèdent des traits physiologiques qui les distinguent de la population générale. Il se peut que leur seuil de tolérance à la douleur ou leur seuil d'excitation sexuelle soit plus élevé (ce qui les obligerait à recevoir plus de stimulation pour atteindre la satisfaction sexuelle). Il se peut que leur système nerveux relie la douleur et le plaisir sexuel d'une façon inusitée. Certes, d'importantes réactions physiologiques se produisent au cours de l'expérience masochiste qui transforment ce que la personne ressent et désire. Mais même si la recherche parvenait un jour à trouver un fondement physiologique au masochisme, ces constatations ne suffiraient jamais à expliquer le phénomène dans sa totalité. L'expérience individuelle, le conditionnement culturel et la socialisation sont des aspects incontournables du masochisme. Une explication qui n'en tiendrait pas compte passerait à côté d'éléments absolument indispensables.

Pour bien mesurer le rôle de tous ces facteurs non physiques, peut-être faudrait-il surtout s'intéresser à la relativité culturelle du masochisme. Nous pouvons présumer que le corps humain est constitué d'une façon relativement stable depuis plusieurs milliers d'années. Or le masochisme est apparu dans le monde occidental moderne et, contrairement à d'autres pratiques sexuelles, semble n'avoir pas existé aux époques lointaines[1]. L'activité masochiste s'est considérablement accrue dans notre culture vers le XVIIe siècle — mais la physiologie humaine, elle, n'a pas beaucoup évolué. Le cerveau humain était probablement le même en l'an 1800 qu'en l'an 1600.

Aucune explication physiologique ne peut rendre compte de tous les aspects des comportements de fuite ni rivaliser avec l'analyse psychologique à laquelle j'ai tenté de me livrer dans ce livre. Mais l'un et l'autre sont compatibles. Sans doute la détresse émotionnelle, le détournement radical de l'attention et l'atteinte de la félicité ont-ils des aspects physiologiques qu'il serait fort intéressant d'approfondir. Le corps est au cœur même du phénomène de la fuite, mais le but de l'opération, de même que son élément déclenchant et son résultat ultime, fait appel à des réactions psychologiques.

Le suicide illustre également la multitude de facteurs qui entrent en jeu dans certains des comportements que nous avons étudiés ici. Une majorité de cas de suicide semble s'inscrire dans ma théorie de la fuite. Mais d'autres sont attribuables à d'autres causes. Les moines bouddhistes qui se sont immolés par le feu pour protester contre la guerre du Viêt-nam, par exemple, ne tentaient pas d'échapper à eux-mêmes, mais cherchaient plutôt à dénoncer avec vigueur une situation politique jugée inacceptable.

AUTRES FORMES DE FUITE

Des chapitres de ce livre ont été consacrés à cinq des principales formes de fuite: le suicide, le masochisme, la consommation d'alcool, les crises de boulimie et les exercices spirituels. Bien que ces formes de fuite soient très importantes, il en existe d'autres. Toute activité qui exige un effort et une grande mesure de concentration peut, en principe, devenir un bon moyen d'échapper au soi. L'état de rétrécissement mental peut être atteint en centrant l'esprit sur des sensations fortes ou sur une activité musculaire. Le jogging et la natation, par exemple, semblent pouvoir produire un état de transe relative dans lequel l'esprit renonce à la pensée abstraite et significative pour se concentrer sur les mouvements répétitifs qui constituent l'exercice physique. Ces activités entraînent également une fatigue musculaire qui se situe à la limite de la douleur. Comme dans le cas du masochisme, la douleur qui accompagne les exercices physiques vigoureux peut occuper l'esprit et l'empêcher de se laisser distraire par des pensées liées aux définitions plus abstraites du soi.

Les coureurs de fond semblent connaître des états de transe ou d'extase découlant des mouvements répétitifs à accomplir conjugués à la douleur. Dans un numéro récent d'une revue consacrée à la course, un collaborateur décrivait ses sensations pendant une course de fond: «Je me sentais de mieux en mieux, puis je me suis mis à flotter autour de la piste pendant deux ou trois heures, dans une sorte d'expérience si forte que je me sentais parcouru par une spirale d'énergie qui passait directement de mon cœur au cerveau. J'aurais pu ne jamais m'arrêter de courir[2].» Cette incapacité de dire si l'état second a duré deux heures ou trois heures est assez révélatrice. Un autre coureur résumait ainsi sa façon de concevoir la course: «La douleur est inévitable mais la souffrance est facultative»; il enchaînait en parlant des bienfaits spirituels de la course. Après une énumération détaillée des multiples causes de douleur et de traumatismes physiques qui affligent les coureurs de fond, il concluait: «L'esprit tire son énergie de la lente désintégration du corps.» La déconstruction du monde est évidente dans la façon dont ce coureur décrit son état mental: «Faire corps [...] avec l'absolue réalité de la vie[3].»

Un chercheur du domaine médical a dégagé certaines similitudes entre les coureurs et les femmes qui souffrent de troubles de l'alimentation: de très fortes exigences à l'égard de soi-même, une grande préoccupation pour le corps et une tolérance extrême devant l'inconfort physique[4]. Et la comparaison entre la course et le masochisme, surtout lorsqu'on considère le rôle central qu'y joue la douleur, est devenue un lieu commun. Le *high* du coureur a fait l'objet de nombreux malentendus parce que les coureurs le décrivent comme une forme de détente plutôt que comme un sentiment d'euphorie[5]. Cet état second est surtout ressenti par les coureurs chez qui l'état mental permet d'entrer facilement dans des états de transe[6]. Collectivement, les marathoniens se révèlent d'excellents candidats à l'hypnose[7]. Tous ces facteurs indiquent que l'état d'esprit du coureur de fond s'apparente à bien des égards à celui que l'on ressent pendant la méditation ou dans d'autres formes de fuite.

Nous avons également vu que les masochistes ne recouraient pas nécessairement à la douleur proprement dite; il suffit parfois d'une menace pour amener l'esprit à se centrer ici et maintenant. Le danger est un moyen efficace d'empêcher l'esprit de vagabonder de sorte que les amateurs d'évasion cultivent de préférence des passe-temps qui contiennent un élément de danger. L'alpinisme, le deltaplane, l'équitation et la course automobile procurent des sensations très fortes dans un climat de danger, ce qui parvient sans doute à dégager de l'identité ordinaire et symbolique.

Même si l'élément de danger est minime, le risque de chute ou de perte de contrôle contribue à rendre certaines activités très envoûtantes. Le ski aquatique, le ski alpin, le surf, la planche à voile ou d'autres activités de ce genre exigent beaucoup de concentration si l'on veut éviter de perdre le contrôle ou de tomber. Elles sont un moyen de fuite efficace pour ceux qui s'y adonnent, puisque le champ d'attention est nécessairement réduit aux mouvements et aux sensations immédiates.

Peut-on en dire autant de certains jeux? Il semble que oui: certains jeux favoriseraient la fuite parce qu'ils obligent à renoncer à l'identité normale pour se fondre entièrement dans l'activité en cours. Contrairement à la plupart des activités dont il a été question dans ce livre, les jeux exigent souvent une participation active, une planification rationnelle et la prise de décisions stratégiques. Bien sûr, on pourrait dire que les décisions sont sans importance puisqu'il s'agit d'un jeu. Peut-être les jeux réussissent-ils surtout à doter ceux qui s'y adonnent d'une identité auxiliaire temporaire qui leur permet d'échapper à leur identité habituelle. Bien entendu, lorsqu'on a affaire à des professionnels, le jeu cesse d'être un moyen d'échapper au soi pour devenir un élément primordial de définition de soi.

Une autre question se pose en ce qui concerne les amateurs de sport. Est-il possible d'échapper à soi-même en s'investissant dans les faits et gestes d'une équipe sportive ou d'un joueur étoile? La psychologie des amateurs de sport n'en est qu'à ses balbutiements, mais déjà nous constatons chez eux la présence de certains comportements de fuite. L'amateur de sport se concentre sur un domaine d'activité très restreint et très clairement délimité. Contrairement aux joueurs, l'amateur de sport est passif de sorte que son identité personnelle n'entre pas en jeu. L'identification à son équipe favorite peut se substituer au sentiment qu'il a de son identité habituelle, ce qui détournera son attention de ses problèmes courants.

Qui plus est, l'individualité de l'amateur de sport peut se fondre dans la masse des autres amateurs. La perte d'individualité que procure la participation anonyme à un groupe est un important moyen d'échapper au soi. Nous avons déjà parlé de la perte d'individualité qui se produit dans les communautés religieuses où l'on renonce à se vêtir ou à se coiffer de façon distinctive pour avoir la même apparence que les autres — et fusionner ainsi en un soi collectif. Même la sexualité, vécue dans l'anonymat, peut procurer une échappatoire valable. Un rapport sexuel bref, sans grandes conséquences, mais source de plaisir, peut être un excellent moyen de détourner son esprit de ses problèmes. Des sondages réalisés à l'époque où les saunas étaient à leur apogée et où, au cours d'une seule nuit, un homme pouvait avoir des rapports sexuels avec plusieurs inconnus, ont révélé qu'une majorité de ces hommes recouraient «à la baise anonyme comme moyen de soulager la tension[8]». Ils disaient également que le climat du sauna embrumait le jugement et levait les inhibitions de telle sorte qu'ils en venaient à faire des choses qu'en temps normal ils n'auraient pas osé faire.

Les amateurs de sport, on le sait, ont souvent des comportements irrationnels et violents et leurs excès ont plus d'une fois défrayé la manchette. Faut-il rappeler les émeutes qui ont eu lieu récemment après que les Canadiens de Montréal eurent remporté la coupe Stanley. En Italie, le Mundial de soccer donne souvent lieu à des manifestations violentes au cours desquelles des centaines de spectateurs sont arrêtés, emprisonnés ou déportés. Sur une note moins destructrice, des amateurs de football de Cleveland et de Chicago se sont déjà enduits de peinture aux couleurs de leur équipe préférée et ont paradé à moitié nus par des froids sibériens pour marquer la période des éliminatoires.

L'absence d'émotion, toutefois, ne semble pas faire partie des caractéristiques des amateurs de sport. Le rétrécissement mental a souvent pour but de nous permettre d'échapper à des états émotionnels désagréables, mais on sait que les amateurs de sport suivent les matchs avec beaucoup de passion. Mais cet investissement émotif n'a rien à voir avec leur vie personnelle de sorte qu'il peut être compatible avec une certaine forme de fuite de soi.

Pour quelqu'un qui traverse une crise personnelle, il ne suffira sans doute pas de regarder un match à la télévision pour parvenir à fuir. Une personne qui pourrait aller jusqu'à la tentative de suicide ne trouvera pas un substitut adéquat dans cette activité de spectateur. Mais les amateurs de sport s'offrent périodiquement des moments de fuite modérée qui les soulagent du stress inhérent au soi moderne, et il en est sans doute de même pour certains autres plaisirs passifs comme le cinéma et la télévision. Ces activités, en centrant l'attention sur un domaine relativement limité, permettent d'échapper aux préoccupations de la vie quotidienne.

Les formes de fuite provoquées par une catastrophe ou par la nécessité de se soulager du stress qu'engendre le soi ont fait l'objet de beaucoup d'attention, mais l'extase peut aussi prendre des formes très diverses. Les théories esthétiques proposent souvent le thème du spectateur qui renonce à la conscience de soi pour atteindre l'appréciation complète d'une grande œuvre d'art. L'immersion totale dans l'expérience esthétique devient donc la condition d'un plaisir absolu. Or la joie que procure l'expérience de la beauté peut sans doute être considérée comme une forme d'extase.

Cette façon de concevoir le plaisir esthétique est le fruit de plusieurs siècles d'analyse philosophique, mais elle s'appuie aussi sur les résultats de la recherche expérimentale. Dans une étude, on montrait à un ensemble de sujets des diapositives représentant des tableaux de grands maîtres. La moitié des sujets croyaient qu'ils étaient filmés au cours de cette séance de visionnement. En réalité, ils ne l'étaient pas, mais le fait de croire qu'ils l'étaient les mettait quelque peu mal à l'aise. Par conséquent, ce groupe a déclaré avoir pris moins de plaisir au visionnement des tableaux que le groupe témoin qui, lui, n'avait pas été amené à croire qu'une caméra le filmait. L'expérience n'est pas vraiment concluante, mais elle s'accorde avec la théorie qui veut que la perte de la conscience de soi soit une des conditions du plaisir esthétique[9].

Certaines formes de fuite font intervenir des sociétés entières ou du moins de grands pans de population[10]. Dans *La peur de la liberté*, le psychanalyste Erich Fromm avançait, il y a plusieurs années, que le seul fait de participer aux activités d'un groupe peut devenir un moyen de fuite. Pour l'homme moderne, estimait-il, la liberté est une source de désagrément de sorte que la conversion au fascisme, et surtout au nazisme, peut être interprétée comme un désir régressif de se fondre dans un groupe qui force le respect.

Bon nombre de cultures dans l'histoire du monde se sont livrées à ce que l'anthropologue Victor Turner appelle des «rituels de conversion de statut[11]», c'est-à-dire à de grandes fêtes au cours desquelles les participants se dépouillent de leur soi normal et où l'ordre social est complètement chamboulé. Pour un jour ou deux, les plus humbles sont traités comme des aristocrates ou des rois, tandis que les souverains font l'objet d'irrespect et de mauvais traitements. Selon Turner, ces rituels, au cours desquels les gens renoncent à leur identité personnelle et se fondent dans la masse, contribuent à préserver la structure sociale en donnant un exutoire aux frustrations accumulées. Il signale entre autres un rituel Ashanti qui autorise tous les membres d'une société à prendre la parole sur le sujet de leur choix une fois l'an.

Dans l'histoire occidentale, le rituel de conversion de statut le plus spectaculaire est sans doute la Fête des fous[12]. Cette pratique, parvenue à son apogée en Europe à la fin du Moyen Âge, était un pastiche et une parodie des rites chrétiens. Divers comportements blasphématoires et sacrilèges étaient tolérés pendant la fête: brûler de vieilles chaussures au lieu d'encens, remplacer les hymnes latins traditionnels par du jargon, nommer évêque d'un jour un enfant ou l'idiot du village, faire porter aux chantres de la chorale des lunettes dont les lentilles étaient des pelures d'orange, jouer aux dés sur l'autel, déguiser les membres du clergé en femmes ou en animaux courir dans l'église et chanter des chants obscènes. «L'évêque des fous», qui présidait la fête, devait parfois recevoir un faux baptême, lequel consistait à lui déverser sur la tête quatre ou cinq seaux d'eau. La participation à la Fête des fous constituait une façon d'échapper au soi: les participants n'étaient plus tenus responsables d'actes blasphématoires qui, en temps normal, leur auraient valu de dures représailles.

D'autres rituels sociaux sont également fondés sur la fuite de soi. Turner signale que les rituels de passage, comme ceux qui marquent la transition entre l'adolescence et l'âge adulte, ou l'accession au rôle de chef de tribu, commencent par dépouiller le sujet de son identité première et prévoient donc une période au cours de laquelle la personne n'a plus d'identité. Ces étapes «liminaires» imposent aux participants des états de dépersonnalisation qui vont à l'encontre des conditions normales de la vie sociale et des rapports humains. Plusieurs de ces rituels comprennent des éléments que nous avons déjà associés à la fuite de soi, comme l'humiliation symbolique. Des rituels qui auront pour but de porter un grand homme au rang de chef prévoient parfois une étape au cours de laquelle il sera insulté ou même battu par tous les autres membres de la tribu. La passivité est alors souvent exigée de l'initié, qui doit garder le silence pendant un très long moment. Même l'identité sexuelle est parfois niée au cours de ces rituels où l'on traite l'initié comme s'il était dépourvu de sexe.

Le refus de la signification dans ces rituels est on ne peut plus manifeste. Les règles qui régissent d'ordinaire les rapport sociaux sont suspendues et le rituel semble se dérouler hors du temps et de l'espace. Les attributs des participants sont frappés d'ambiguïté et bien des gestes peuvent être accomplis sans les conséquences qui leur seraient normalement rattachées. Les principaux participants sont dépouillés de leurs attributs. Turner parle de ramener symboliquement l'initié au degré zéro en guise de préparation pour sa nouvelle identité[13]. Toutes ces images d'initiés transformés en *tabula rasa* rappellent à bien des égards les étapes qui caractérisent la fuite de soi.

Turner fait surtout ressortir le désir d'extase et celui de trouver un soulagement au stress. D'une part, dit-il, ces rituels permettent aux participants de dire ou de faire des choses qu'ils ont dû réprimer toute l'année et qui sont incompatibles avec leur identité et leur rôle habituels. Ces pratiques, estime-t-il, sont un exutoire aux frustrations, tout comme la libération des affects négatifs et du stress. Par ailleurs, il décrit le fait de se dépouiller de son soi habituel comme une expérience de fusion extatique avec la masse[14]. Le participant renonce à son identité personnelle et se laisse emporter dans le flot des activités et des réjouissances du groupe.

Comme on peut le voir, la fuite de soi n'est pas un phénomène exclusivement moderne. Bien des sociétés ont adopté des pratiques autorisant leurs membres à échapper périodiquement à leur identité personnelle. L'accent que met la vie moderne sur l'identité personnelle et le fardeau qu'est devenu le soi ont peut-être créé un besoin pour les formes de fuite dont il a été question dans ce livre, mais manifestement ces fuites trouvent leurs antécédents dans des formes culturelles qui leur sont bien antérieures.

CONCLUSION

Quelles visions de la vie moderne peut-on dégager de tous ces comportements qui visent à nous faire échapper à nous-mêmes? Sans doute pouvons-nous affirmer que la fascination absolue que voue notre culture au soi et à l'identité personnelle présente des avantages mais aussi des inconvénients. L'être humain semble ne pas pouvoir supporter d'être conscient de lui-même — voire d'*être* lui-même — en tout temps.

L'identité n'est pas un produit de la nature. Nos conceptions de nous-mêmes nous sont en grande partie imposées par la culture et la société. Il en résulte qu'elles sont à bien des égards artificielles et sources de contraintes. Lorsque nous nous définissons comme un courtier en valeurs mobilières, une ménagère, un député ou un avocat, par exemple, nous éliminons de la définition de nous-mêmes une très grande part de ce qui nous est personnel et subjectif. Nous obligeons le soi à se couler dans un moule et nous faisons peser sur lui un grand nombre d'exigences. Il se peut qu'en conséquence, nous ressentions périodiquement le besoin de nous rebeller contre ces exigences, surtout lorsqu'elles suscitent du désarroi ou lorsque nous voulons vivre quelque chose qui ne peut pas s'inscrire dans le moule. Le simple fait de devoir vivre en fonction de ces définitions imposées de l'extérieur peut d'ailleurs se révéler un lourd fardeau à porter.

Le soi peut donc être perçu comme une contrainte culturelle — une chose que la société nous impose, pour notre désagrément, comme les cravates et les talons hauts. Cette façon de voir permet de mieux comprendre les problèmes et le stress qu'engendre le maintien du soi. Plus l'identité personnelle joue un rôle important dans la définition du sens des activités d'une personne, plus cette personne court un risque de catastrophe si quelque chose se détraque, comme lorsqu'un scandale public ou une humiliation a des répercussions négatives sur le soi. Jouir d'une bonne réputation peut présenter de nombreux avantages dans les rapports avec les autres, mais cela oblige aussi à faire sans cesse des efforts pour conserver cette bonne réputation.

Échapper au soi n'est pas la même chose que tenter d'échapper à des conditions de vie difficiles. Les pauvres, les défavorisés ou les opprimés peuvent avoir périodiquement envie de détourner leur esprit de leur vie de malheur, ce qui conduit à taxer de volonté d'évasion leur consommation d'alcool et de drogue. La fuite dont il est question ici, toutefois, semble se produire davantage dans les milieux bien nantis. Lorsque la société exige de nous que nous soyons autonomes, responsables, que nous présentions à tous une image prestigieuse de nous-mêmes, que nous entretenions un soi hypertrophié ou que nous soyons sans cesse à la hauteur de normes exigeantes, elle accroît le fardeau que représente le soi jusqu'à ce que nous en venions à souhaiter y échapper.

Le soi qui accable aujourd'hui l'homme et la femme modernes est le produit de plusieurs siècles de progrès culturels au cours desquels le soi a grandi en complexité et s'est vu accorder une importance sans cesse croissante. À mesure que la religion, les traditions et d'autres valeurs séculaires perdaient leur prestige, nous nous sommes tournés vers le soi et avons entrepris de le cultiver afin de donner un sens à notre vie[15]. Le soi est devenu l'une des valeurs fondamentales qui guident la vie occidentale moderne et qui nous permettent de distinguer le bien du mal. Cet accent mis sur le soi permet à la société de faire face à la pénurie actuelle de valeurs morales et de maintenir un ordre social cohérent. Mais il y a un prix à payer. La spiritualité, par exemple, dans la mesure où elle se fonde sur l'anéantissement du soi, devient de plus en plus difficile. Peut-être n'y a-t-il rien d'étonnant à ce que les aspirants à l'extase se tournent aujourd'hui vers la drogue ou les religions orientales: il faut des techniques éprouvées pour mettre en échec le soi occidental moderne. Et lorsque le sort s'abat sur le soi, l'Occidental moderne a bien peu de ressources morales vers lesquelles se tourner.

L'élévation du soi moderne au rang de valeur morale marque un étonnant retournement du rapport entre le soi et la moralité. La vertu et la morale ont toujours été en position antagoniste par rapport au soi. La morale traditionnelle allait jusqu'à condamner les actes qui étaient motivés par l'intérêt personnel. Le XXe siècle a élaboré une nouvelle morale qui prévoit des obligations à l'égard de soi-même, la nécessité d'agir dans son meilleur intérêt (même au prix d'autres obligations). Les conjoints, les amants, les adolescents, les artistes et même les athlètes et les entraîneurs sportifs justifient leurs actes et leurs choix en invoquant la nécessité d'être soi-même. Après avoir passé l'essentiel de l'histoire à se mener une lutte farouche, le soi et la morale semblent soudain devenus des alliés[16].

Il serait sûrement exagéré et même un peu ridicule de présenter le soi moderne comme une malédiction ou une tare. Bien que j'aie délibérément fait ressortir de nombreux aspects négatifs du soi, celui-ci présente aussi plusieurs qualités et avantages. Mon intention n'était pas d'affirmer que le soi est mauvais, mais plutôt de faire entendre un autre son de cloche en cette époque de déification du soi qui est la nôtre. Le soi n'a pas *que* du bon et la tendance à l'égocentrisme de notre culture moderne produit souvent des effets accablants et dangereux.

Bref, le soi moderne a du bon et du moins bon. Il permet à la société de fonctionner et offre aux individus de nombreuses sources de plaisir et de satisfaction. Mais il exige également beaucoup d'effort et d'énergie, et plus le soi est complexe, plus il nécessite d'entretien. Lorsqu'un malheur survient, ou lorsque la tâche de conserver une image favorable de soi devient trop lourde, ou tout simplement lorsque nous désirons faire l'expérience de l'extase, il devient nécessaire de nous séparer du soi. C'est alors que nous nous mettons à la recherche de moyens d'oublier qui nous sommes.

Il y a vingt-six siècles, le philosophe grec Thalès prononçait cette maxime devenue célèbre: «Connais-toi toi-même.» Il y a quatre cents ans, Shakespeare faisait dire à Polonius s'adressant à son fils: «Et ceci par-dessus tout: à toi-même sois fidèle.» Voilà de nobles idéaux, à la hauteur desquels il n'est malheureusement pas possible de se tenir en tout temps. Ces principes sont particulièrement difficiles à observer lorsque nous traversons une crise personnelle ou subissons un échec. La connaissance de soi peut avoir un effet dévastateur surtout lorsqu'il nous faut reconnaître de pénibles insuffisances. Par ailleurs, les obligations à l'égard du soi peuvent devenir un lourd fardeau lorsque les exigences du soi se transforment en tyrannie. Il faut pouvoir nous libérer par moments des entraves du soi et cesser d'être fidèles à toutes les dimensions symboliques de notre identité. Le soi que nous avons appris à connaître doit pouvoir à l'occasion se faire oublier.

Notes

CHAPITRE I

1. Voir Shoemaker, 1963.
2. Voir Damon et Hart, 1982.
3. Baumeister, 1986.
4. Baumeister et Tice, 1990; Bowlby, 1973.
5. Voir Darley et Goethals, 1980; Taylor et Brown, 1988; Baumeister, 1982; Zuckerman, 1979.
6. Voir Rothbaum *et al.*, 1982; Langer, 1975; Taylor, 1983.
7. Voir Brown, 1968, sur la façon dont les réactions émotionnelles à la défaite varient selon les perceptions du public.
8. Baumeister, 1982; Higgins, 1987; Markus et Nurius, 1965; Rogers, Kniper et Kirker, 1977.
9. Higgins, 1987.
10. Zube, 1972.
11. Bellah *et al.*, 1985.
12. Triandis, 1990.
13. Voir Altick, 1965; Wintraub, 1978.
14. Voir Baumeister, 1986; Weintraub, 1978.
15. Baumeister, 1989.
16. Kiernan, 1989.
17. Voir la recherche sur les comparaisons sociales, surtout Festinger, 1957; Suls et Miller, 1977; Wood, 1989. Pour un exposé plus détaillé du rôle que joue la supériorité relative dans l'estime de soi, voir Baumeister, sous presse.
18. Voir Crocker et Major, 1989.
19. Baumeister, 1989.

CHAPITRE II

1. Duval et Wicklund, 1972; voir aussi Carver et Scheier, 1981.
2. Higgins, 1987.

3. Cela est bien connu. Par exemple, voir Baumeister, 1982; Swann, 1987; Darley et Goethals, 1980; Zuckerman, 1979.
4. Baumeister, Tice et Hutton, 1989.
5. Voir surtout McFarlin et Blascovich, 1981; voir aussi Swann *et al.*, 1987.
6. Crocker et Major, 1989.
7. Duval et Wicklund, 1972.
8. Gibbons et Wicklund, 1976.
9. Greenberg et Musham, 1981.
10. Steenbarger et Aderman, 1979.
11. Dixon et Baumeister, 1991; Linville, 1985, 1987.
12. Baumeister et Tice, 1985.
13. Voir Milkman et Sunderwirth, 1986, p. 15.
14. Lawson, 1988; Pines et Aronson, 1983.
15. Janoff-Bulman, 1989.
16. Taylor, 1983.
17. Stephens, 1985.
18. Brady, 1958.
19. Ce sont là des lieux communs pour la recherche sur le stress. Par exemple, voir Monat, Averill et Lazarus, 1972.
20. Voir Weiss, 1971*a*, 1971*b*; voir aussi Averill et Rosenn, 1972, sur les avantages de l'adaptation vigilante qui permet de savoir où se situent les plages de sécurité.
21. Glass, Singer et Friedman, 1969.
22. Voir Clebsch, 1979.
23. Voir de Rougemont, 1956; Morgenthau, 1962; Fiedler [1966], 1982.
24. Csikszentmihalyi, 1982, 1990.
25. Voir Herrigel [1953], 1971.
26. Baumeister, 1984; Baumeister et Showers, 1986.
27. Sarason, 1981; Wine, 1971.
28. Masters et Johnson, 1970; voir Baumeister, 1989, p. 124-130, pour élaboration.

CHAPITRE III

1. Aronson et Carlsmith, 1962; Brock *et al.*, 1965; Cottrell, 1965; Lowin et Epstein, 1965; Ward et Sandvold, 1963.
2. Maracek et Mettee, 1972.
3. *Ibid.*
4. Baumeister et Tice, 1985.
5. Jones, 1973; McFarlin et Blascovich, 1981.
6. Shrauger, 1975; Swann *et al.*, 1987.
7. Horner, 1972.
8. Hyland, 1989.
9. Zanna et Pack, 1975.
10. Baumeister, Cooper et Skib, 1979.

11. Baumgardner et Brownlee, 1987.
12. Aronson, Carlsmith et Darley, 1963; Comer et Laird, 1975; Foxman et Radtke, 1970; Walster, Aronson et Brown, 1966.
13. Curtis, Reitdorf et Ronell, 1980; Curtis, Smith et Moore, 1984.
14. Voir Eliade, 1983.
15. Jones et Berglas, 1978.
16. Tice et Baumeister, 1990.
17. Baumeister, Hamilton et Tice, 1985.
18. Berglas et Jones, 1978; Jones et Berglas, 1978.
19. Tucker, Vuchinich et Sobell, 1981.
20. Voir McCollam *et al.*, 1980.
21. Hull, 1981.
22. Wicklund, 1975*a*, 1975*b*.
23. Dunbar et Stunkard, 1979.
24. Sackett et Snow, 1979.
25. Meyer, Leventhal et Gutmann, 1975.
26. Becker, Drachman et Kirscht, 1972; Haynes, 1976; Zola, 1973.
27. Kiernan, 1989.
28. Brown, 1968, 1970.
29. Brown et Garland, 1971; aussi Baumeister et Cooper, 1981.
30. Brown, 1968.
31. Trillin, 1984, p. 126-127.
32. Pilkonis, 1977*a*; Pilkonis et Zimbardo, 1979; Zimbardo, 1977.
33. Arkin, 1981; Schlenker et Leary, 1982.
34. Schlenker et Leary, 1982.
35. Arkin, 1981.
36. Carver et Scheier, 1986.
37. Cheek et Busch, 1981; Jones, Freemon et Goswick, 1981; Maroldo, 1982.
38. Maroldo, 1982.
39. Leary et Dobbins, 1983.
40. Mandell et Shrauger, 1980; voir aussi Pilkonis, 1977*b*; Daly, 1978.
41. Schlenker et Leary, 1982.
42. Voir Baumeister et Scher, 1988.

CHAPITRE IV

1. Wegner *et al.*, 1987, sur le balayage partial.
2. Voir Jones *et al.*,1981, sur le balayage partial; voir aussi Markus, 1977, sur la multiplicité des images de soi; Linville, 1985, sur la complexité du soi; Markus et Nurius, 1986, sur les soins virtuels.
3. Voir Linville, 1985.
4. Voir Vallacher et Wegner, 1985.
5. Wegner et Vallacher, 1986.
6. Voir Lifton, 1986.
7. Voir Vallacher et Wegner, 1985, 1987.

8. Voir Gergen et Gergen, 1988, pour un exemple semblable.
9. Surtout Dilthey, 1976.
10. Voir Masters et Johnson, 1970.
11. Baumeister, Stillwell et Wotman, 1990.
12. Voir Vallacher et Wegner, 1985.
13. Schachter, 1971; Schachter et Singer, 1962.
14. Averill, 1980.
15. *Ibid*; voir aussi Izard, 1977.
16. Voir Hochschild, 1983.
17. Averill, 1982.
18. Vallacher et Wegner, 1985.
19. Baumeister et Tice, 1987, p. 182; voir aussi Epstein, 1973.
20. Carver et Scheier, 1990.
21. Carver, 1979; Carver et Scheier, 1981.
22. Higgins, 1987.
23. Keegan, 1976.
24. Diener et Wallbom, 1976.
25. Masters et Johnson, 1970.
26. Vallacher et Wegner, 1985, 1987.
27. *Ibid*.
28. Wegner, 1989.
29. Janoff-Bulman, 1985, 1989.
30. Vallacher et Wegner, 1985.
31. Voir Heidegger [1954], 1968.
32. Voir Janoff-Bulman, 1989.
33. Voir Taylor, 1983.

CHAPITRE V

1. Savage, 1978, p. 87.
2. *Ibid*., p. 87.
3. *Ibid*., p. 88.
4. *Ibid*., p. 89.
5. *Ibid*., p. 91.
6. Cantor, 1976; Farmer, 1987.
7. Rojcewicz, 1970.
8. Voir Trout, 1980.
9. Voir Kushner, 1988, pour une critique passionnée de cette question.
10. Bonnar et McGee, 1977.
11. Buksbazen, 1976.
12. Counts, 1987.
13. Shneidman et Farberow, 1961, 1970; Hendin, 1982.
14. Voir Hendin, 1982, surtout p. 186.
15. Spengler, 1977.
16. Argyle, 1987; Lester, 1984, 1986, 1987; Farberow, 1975; Nayha, 1982; Parker et Walter, 1982; Shneidman et Farberow, 1970.

17. Hendin, 1982.
18. Braaten et Darling, 1962.
19. Baumeister, 1990.
20. *Sports Illustrated*, 16 juin 1986, p. 18-19; *New York Times*, 7 juin 1986, p. 47-48.
21. Backett, 1987; Bunch, 1972; Copas et Robin, 1982; McMahon et Pugh, 1965.
22. Araki et Murata, 1987; Argyle, 1987; Holinger, 1978; Wasserman, 1984.
23. Breed, 1963; Farberow, 1975; Maris, 1969, 1981.
24. Voir Argyle, 1987; Campbell, Converse et Rogers, 1976.
25. Rothberg et Jones, 1987.
26. Bourque, Kraus et Cosand, 1983; Stephens, 1985; Maris, 1981; Hendin, 1982; Loo, 1986; Tishler, McKenry et Morgan, 1981; Berlin, 1987; Conroy et Smith, 1983.
27. Davis, 1983; Hendin, 1982; Ringel, 1976.
28. Douglas, 1967.
29. Stephens, 1985, a constaté la fréquence d'une telle attitude chez les femmes suicidaires; voir aussi les études projectives de Neuringer, 1972, et les données de Cantor, 1976, sur les besoins d'affiliation, de soutien, d'affection.
30. Sur la santé, voir Bourque, Kraus et Cosar, 1983; Motto, 1980; Marshall, Burnett et Brasurel, 1983. Sur le travail, voir Brodsky, 1977; Loo, 1986; Motto, 1980.
31. Phillips et Liu, 1980; Phillips et Wills, 1987.
32. Rothberg et Jones, 1987.
33. Davis, 1983; Hendin, 1982.
34. Maris, 1981.
35. Voir Bonner et Rich, 1987; Stephens, 1987; Tishler, McKenry et Morgan, 1981.
36. Rosen, 1976.
37. Rothberg et Jones, 1987.
38. Palmer, 1971.
39. Gerber *et al.*, 1981; Kaplan et Pokorny, 1976.
40. Crocker et Schwartz, 1985; Brown, 1986.
41. Neuringer, 1974.
42. Hendin, 1982; sur la conscience de soi à l'adolescence, voir Simmons, Rosenberg et Rosenberg, 1973; Tice, Buder et Baumeister, 1985.
43. Hendin, 1982; Maris, 1981; McKenry et Kelley, 1983; Roy et Linnoila, 1986; sur la conscience de soi et l'alcool, voir Hull, 1981.
44. Greenberg et Pyszczynski, 1986.
45. Farberow, 1975.
46. Smith et Hackathorn, 1982.
47. Henken, 1976; Ogilvie, Stone et Shneidman, 1983.
48. Cette méthodologie a été mise au point par Davis et Brock, 1975; voir aussi Carver et Scheier, 1978; Hull *et al.*, 1983; Wegner et Giulano, 1980.

49. Henken, 1976.
50. *Ibid.*
51. Duval et Wicklund, 1972; Carver, 1979; Carver et Scheier, 1981.
52. Hendin, 1982.
53. Voir Bressler, 1976; Blachly, Disher et Roduner, 1968.
54. Résumé dans Baumeister, 1990.
55. Voir Cole, 1988; pour une revue des textes, voir Baumeister, 1990, p. 90.
56. Mehrabian et Weinstein, 1985; Bhagat, 1976.
57. Weissman *et al.*, 1989.
58. Sur les liens sociaux et l'anxiété, voir Bowlby, 1969, 1973; Baumeister et Tice, 1990.
59. Reinhart et Linden, 1982; Berlin, 1987; Wilkinson et Israel, 1984. Bien sûr, ce propos rejoint celui de Durkheim [1897], 1963; voir aussi Trout, 1980.
60. Voir Bancroft, Skzimshire et Simkins, 1976; Birtchnell et Alarcon, 1971; Maris, 1981.
61. Bancroft, Skrimshire et Simkins, 1976; Birtchnell et Alarcon, 1971; Maris, 1981.
62. Ringel, 1976.
63. Schotte et Clum, 1987; voir aussi Asarnow, Carson et Guthrie, 1987.
64. Perrah et Wichman, 1987.
65. Voir Neuringer et Harris, 1974; voir aussi Brockopp et Lester, 1970. Neuringer et Harris ont constaté que les suicidaires estimaient les périodes courtes au double de leur durée et les périodes longues à une fois et demie leur durée.
66. Greaves, 1971; Yufit et Benzies, 1973; Yufit *et al.*, 1970; Iga, 1971.
67. Hendin, 1982, 140.
68. Henken, 1976.
69. *Ibid.*
70. Gottshalk et Gleser, 1960.
71. Hendin, 1982, p. 36.
72. Breed, 1972.
73. Ringel, 1976.
74. Gerber *et al.*, 1981.
75. Neuringer, 1964.
76. Linehan *et al.*, 1987.
77. Spirito *et al.*, 1987.
78. Henken, 1976.
79. Gerber *et al.*, 1981; Topol et Reznikoff, 1982.
80. Mehrabian et Weinstein, 1985.
81. Melges et Weisz, 1971; voir aussi Connor *et al.*, 1973; Maris, 1985; Neuringer, 1974; Ringel, 1976; Stephens, 1985.
82. Bhagat, 1976; Cantor, 1976.
83. Patsiokas, Clum et Luscomb, 1979.

84. Williams et Broadbent, 1986.
85. *Ibid.*
86. Iga, 1971; Bonner et Rich, 1987; Ellis et Ratliff, 1986.
87. Neuringer, 1972.
88. Ringel, 1976.
89. Voir Douglas, 1967.
90. Par Maris, 1981.
91. Voir Taylor, 1978.
92. Adams, Giffen et Garfield, 1973; voir Silberfeld, Streiner et Ciampi, 1985.
93. Allen, 1983; Berman, 1979; Palmer et Humphrey, 1980.
94. Voir Hendin, 1982.
95. Rhine et Mayerson, 1973; Hendin, 1982.
96. Weiss, 1971.
97. Voir Linehan *et al.*, 1983; voir aussi Baumeister, 1990.
98. Hawton *et al.*, 1982.

CHAPITRE VI

1. Voir Baumeister, 1988*a*, 1989, pour la présentation technique de ce matériel.
2. À moins d'indications contraires, cet exemple et tous les autres sont tirés de la base de données ayant servi à Baumeister, 1988*b*, 1989.
3. Pour une biographie de Sacher-Masoch, voir Cleugh, 1951.
4. Baumeister, 1988*b*, 1989.
5. Janus, Bess et Saltus, 1977.
6. Voir Baumeister, 1986; Trilling, 1971; Weintraub, 1978.
7. Voir Baumeister, 1989, p. 54-56, pour revue et commentaire. Voir aussi Gebhard, 1971, pour une conclusion semblable.
8. Spengler, 1977.
9. Baumeister, 1988*b*.
10. Je remercie L. Winklebleck, chroniqueur et éditorialiste du *Spectator*, de m'avoir fourni cette anecdote.
11. Scarry, 1985.
12. Hilbert, 1984.
13. Califia, 1983, p. 134.
14. Scott, 1983.
15. Reik [1941], 1957.
16. Baumeister, 1986.
17. Baumeister, 1988*b*, 1989.
18. Voir Scott, 1983.
19. Patterson, 1982.
20. Baumeister, 1989.
21. Scott, 1983.
22. Weinberg et Kamel, 1983.

23. Reik [1941], 1957.
24. Scott, 1983.
25. Voir Califia, 1982, sur le désenchantement; Scott, 1983; Réage [1954], 1966.
26. Masters et Johnson, 1970; LoPiccolo, 1978.
27. Baumeister, 1989.
28. Également tiré des données utilisées pour Baumeister, 1989.
29. Zoftig, 1982, p. 86-87.

CHAPITRE VII

1. Je remercie la personne qui m'a raconté cet incident. On comprendra qu'elle ait demandé à conserver l'anonymat.
2. D. Williamson, 1990, p. 17.
3. Steele et Josephs, 1990.
4. *Ibid.*
5. Doweiko, 1990.
6. Weil, 1972.
7. Hull, 1981. Je traiterai de cette question plus en détail dans la deuxième partie du chapitre.
8. Voir Baumeister et Placidi, 1983.
9. Les chercheurs doivent obtenir l'autorisation d'administrer les drogues et doivent en faire l'acquisition par des moyens légaux, ce qui représente d'interminables formalités. Un chercheur, excédé par toutes ces tracasseries administratives alors que la drogue, on le sait, est si facilement accessible dans la rue, en concluait que n'importe qui peut faire usage de la drogue sauf un chercheur de bonne foi (Weil, 1972).
10. Hull et Young, 1983*b*.
11. Hull, Young et Jouriles, 1986.
12. Voir Morrissey et Schuckit, 1978; voir aussi Higgins et Marlatt, 1973.
13. Voir surtout Hershenson, 1965.
14. Voir Steele et Josephs, 1990.
15. Voir Eliade, 1976.
16. *Ibid.*, p. 378.
17. *Ibid.*, p. 379.
18. *Ibid.*, p. 380.
19. Steele et Josephs, 1990.
20. Je remercie mon vieil ami E. P. de m'avoir raconté cet incident.
21. Steele et Josephs, 1990.
22. *Ibid.*
23. *Ibid.*
24. Voir Doweiko, 1990.
25. *Ibid.*, p. 30.
26. Jones et Berglas, 1978; Tucker, Vuchinich et Sobell, 1981.
27. Voir Keegan, 1976.

28. Steele et Southwick, 1985; voir aussi Steele et Josephs, 1990.
29. Voir Taylor, Gammon et Capasso, 1976; voir aussi Steele et Southwick, 1985.
30. Steele et Josephs, 1990.
31. Lynn, 1988.
32. Steele et Josephs, 1990.
33. *Ibid.*

CHAPITRE VIII

1. Tice, 1990.
2. Herman et Mack, 1975; voir Ruderman, 1986.
3. Je remercie D. Hutton de m'avoir fourni cet exemple.
4. American Psychiatric Association, 1987.
5. Hawkins, Turell et Jackson, 1983.
6. Jakobovits *et al.*, 1977.
7. Voir Heatherton et Baumeister, 1991.
8. *Ibid.*; voir American Psychiatric Association, 1987; Connors et Johnson, 1987; Schlesier-Stropp, 1984; Thelen *et al.*, 1987.
9. Fairburn et Beglin, 1990.
10. Johnson, Lewis et Hagman, 1984.
11. Herzog *et al.*, 1986.
12. Voir Polivy et Herman, 1985.
13. Nasser, 1986.
14. Voir Herman, Polivy et Heatherton, 1990; Baucom et Aiken, 1981; Ruderman, 1985*b*; Heatherton, Herman et Polivy, 1991; Herman *et al.*, 1987.
15. Herman, Polivy et Heatherton, 1990. Sur la peur, voir Herman et Polivy, 1975; McKenna, 1972; Schachter, Goldman et Gordon, 1968; sur les états d'âme reliés au soi, voir Baucom et Aiken, 1981; Frost *et al.*, 1982; Herman *et al.*, 1987; Ruderman, 1985b; Slochower, 1976, 1983; Slochower et Kaplan, 1980, 1983; Slochower, Kaplan et Mann, 1981. Voir aussi Heatherton et Baumeister, 1991, pour un exposé plus détaillé.
16. Voir Hudson et Pope, 1987; Heatherton et Baumeister, 1991; Johnson, Lewis et Hagman, 1984.
17. Brooks-Gunn, Warren et Hamilton, 1987; Garfinkel, Garner et Goldblum, 1987; Garner *et al.*, 1984; Johnson et Connors, 1987; Lundbolm et Littrell, 1986; Smead, 1988.
18. Powers *et al.*, 1987; voir aussi Striegel-Moore, Silberstein et Rodin, 1986.
19. Barnett, 1986.
20. Herzog *et al.*, 1986.
21. Butterfield et Leclair, 1988; Katzman et Wolchik, 1984; Mizes, 1988; voir aussi Bauer et Anderson, 1989; Heatherton et Baumeister, 1991.
22. Bauer et Anderson, 1989, p. 417.
23. Blanchard et Frost, 1983; voir Heatherton et Baumeister, 1991.

24. Cash et Brown, 1987; Garner, Garfinkel et Bonato, 1987; Powers *et al.*, 1987; D. Williamson 1990; Garfinkel et Garner, 1982; Eldredge, Wilson et Whaley, 1990; Mayhew et Edelmann, 1989; Garner *et al.*, 1984; Gross et Rosen, 1988; Polivy, Herman et Garner, 1988; pour une revue des textes, voir Heatherton et Baumeister, 1991.
25. Heatherton *et al.*, 1990.
26. Keck et Fiebert, 1986.
27. Cattanach et Rodin, 1988; Shatford et Evans, 1986.
28. D. Williamson, 1990.
29. Polivy, 1976.
30. Mizes, 1988.
31. Heatherton et Baumeister, 1991.
32. Abraham et Beumont, 1982; Johnson, Lewis et Hagman, 1984; voir aussi Johnson et Pure, 1986.
33. Johnson, Lewis et Hagman, 1984.
34. Voir Knight et Boland, 1989; Polivy, Herman et Kuleshnyk, 1984.
35. Lindner, 1954.
36. *Ibid.*, p. 82.
37. *Ibid.*
38. American Psychiatric Association, 1987.
39. Spencer et Fremouw, 1979; voir aussi Heatherton *et al.*, 1989; Knight et Boland, 1989.
40. Garfinkel et Garner, 1982.
41. Smith, Hohlstein et Atlas, 1989; Thompson, Berg et Shatford, 1987.
42. Mizes, 1988.
43. Thompson, Berg et Shatford, 1987.
44. Ruderman, 1985*a*.
45. Knight et Boland, 1989.
46. Heatherton et Baumeister, 1991, pour une revue des textes; mais les données à l'appui de cette thèse sont peu nombreuses.
47. Johnson, Lewis et Hagman, 1984.
48. Wilson, 1988.
49. Voir Garfinkel et Garner, 1982; Hatsukami *et al.*, 1984; Hatsukami, Mitchell et Eckert, 1984; Johnson, Connors et Tobin, 1987; Mitchell *et al.*, 1986b; Viessleman et Roig, 1985; Yager *et al.*, 1988.
50. Garfinkel et Garner, 1982; Yager *et al.*, 1988; Mitchell *et al.*, 1986; voir aussi Favazza et Conterio, 1989.
51. Garner, Olmstead et Polivy, 1983.
52. Voir Johnson et Connors, 1987.
53. Bauer et Anderson, 1989; Johnson et Connors, 1987; Baumeister, Kahn et Tice, 1990; Polivy et Herman, 1983.

CHAPITRE IX

1. Eliade, 1982, p. 198.
2. Rosenthal, 1984, p. 18.
3. Rosenthal, 1984.
4. Voir Graham, 1987.
5. Voir Shafii, 1988, p. 143.
6. *Ibid.*, p. 55, 144.
7. Merton [1967], 1989, p. 136.
8. Il s'agit là d'un élément fondamental de la pensée de Nagarjuna et des traitements fondés sur la notion de «vide». Sur la pensée de Nagarjuna, voir Stcherbasky, 1977, par exemple.
9. Kapleau, 1980, p. 211.
10. Merton [1967], 1989, p. 136.
11. Voir Goleman, 1988, p. 31.
12. Kapleau, 1980, p. 19.
13. Voir Odajnyk 1988; aussi Goleman 1988, p. 30-31; Shafii 1988, p. 146.
14. Clebsch, 1979, p. 75-76.
15. Voir Shafii, 1988, p. 60.
16. *Ibid.*, p. 185, sur le soufisme; Eliade, 1982, p. 93-94, sur le bouddhisme.
17. Shafii, 1988, p. 63,185.
18. Eliade, 1978, p. 85.
19. Kiernan, 1989.
20. Dans bien des études, on a recours aux insultes pour provoquer la colère qui semble être un préalable à l'agressivité. Le narcissisme n'a pas été suffisamment étudié comme facteur de l'agressivité (mais voir Baumeister, 1982), mais il ne devrait pas être négligé. Kernis, Granneman et Barclay, 1989, ont montré qu'une forte estime de soi associée à l'insécurité engendrait de fortes tendances à la colère et à l'hostilité.
21. Voir Goleman, 1988.
22. Shafii, 1988, p. 159.
23. Eliade, 1978, p. 48.
24. *Ibid.*, p. 49.
25. Tannahill, 1980.
26. Shafii, 1988, p. 168.
27. Goleman, 1988, p. 28.
28. Eliade, 1978, p. 100, citant les Écritures bouddhistes.
29. Kapleau, 1980, p. 239.
30. Voir Clebsch, 1979, p. 148.
31. Shafii, 1988, p. 154-155.
32. Voir Goleman, 1988; White, 1972.
33. Clebsch, 1979, p. 147.
34. Greven, 1977; Argyle, 1959.
35. Voir Shafii, 1988, p. 146.
36. Voir Goleman, 1988.

37. Shafii, 1988, p. 146-147.
38. Maupin, 1972.
39. *Ibid.*
40. Berger et Luckmann, 1967.
41. Kapleau, 1980.
42. *Ibid.*
43. Eliade, 1978, p. 101.
44. Goleman, 1988.
45. Shafii, 1988, p. 91.
46. Shafii, 1988.
47. Voir Kapleau, 1980, p. 211.
48. Le Goff, 1977.
49. Clebsch, 1979.
50. Goleman, 1988, p. 62.
51. Shafii, 1988, p. 235.
52. *Ibid.* p. 149.
53. Clebsch, 1979, p. 160.
54. Voir Goleman, 1988.
55. Eliade, 1978.
56. Pour cet incident, voir Reps, 1957. Sur la vie de Hakuin, voir Hakuin, 1971. On lui attribue l'invention du koan de «la main unique qui applaudit».
57. Voir Goleman, 1988; Kapleau, 1980, p. 17-18.
58. Kapleau, 1980, p. 18.
59. Voir Merton [1967], 1989, p. 228.
60. Kapleau, 1980, p. 238.
61. De Ropp, 1979.

CHAPITRE X

1. Voir Baumeister, 1989, surtout le chapitre III.
2. Riedel, 1990, p. 13.
3. Bechtel, 1990, p. 35.
4. Yates, Leehey et Shisslak, 1983.
5. Masters, 1990.
6. *Ibid.*
7. *Ibid.*
8. Shilts, 1987, p. 414-415.
9. Hull et Baumeister, 1976.
10. Fromm, 1941.
11. Turner, 1969.
12. Voir Chambers, 1903; Cox, 1969; Dreves, 1894.
13. Turner, 1969, p. 103.
14. *Ibid*, p. 185.
15. Voir Baumeister, sous presse.
16. Voir Baumeister, sous presse, surtout le chapitre 5, pour une étude détaillée.

Références

ABRAHAM, S. F. et BEUMONT, P. J. 1982. How patients describe bulimia or binge eating, *Psychological Medicine*, 12:625-35.

ADAMS, R. L.; Giffen, M. B. et GARFIELD, F. 1973. Risk-taking among suicide attempters, *Journal of Abnormal Psychology*, 82:262-67.

ALLEN, N. H. 1983. Homicide followed by suicide. Los Angeles, 1970-1979, *Suicide and Life-Threatening Behavior*, 13:155-65.

ALTICK, R. 1965. *Lives and letters: A history of literary biography in England and America*, New York: Knopf.

American psychiatric Association. 1987. *Diagnostic and statistical manual of mental disorders*, 3e éd., rév.; Washington, D.C.: American Psychiatric Association.

ARAKI, S. et MURATA, K. 1987. Suicide in Japan: Socioeconomic effects on its secular and seasonal trends, *Suicide and Life-Threatening Behavior*, 17:64-71.

ARGYLE, M. 1959. *Religious behaviour*, Glencoe, IL: Free Press.

ARGYLE, M. 1987. *The psychology of happiness*, London: Methuen.

ARKIN, R. M. 1981. Self-presentation styles, *Impression management theory in social psychological research*, éd. J. T. Tedeschi, 311-33. New York: Academic Press.

ARONSON, E. and CARLSMITH, J. M. 1962. Performance expectancy as a determinant of actual performance, *Journal of Abnormal and Social Psychology*, 65:178-82.

ARONSON, E.; CARLSMITH, J. M. et DARLEY, J. M. 1963. The effects of expectancy on volunteering for an unpleasant experience, *Journal of Abnormal Social Psychology*, 66:220-24.

ASARNOW, J. R.; CARSON, G. A. et GUTHRIE, D. 1987. Coping strategies, self-perceptions, hopelessness, and perceived family environments in depressed and suicidal children, *Journal of Consulting and Clinical Psychology*, 55:361-66.

AVERILL, J. 1980. A constructivist view of emotion, *Theories of emotion*, éd. R. Plutchik et H. Kellerman, 305-39. Orlando, FL: Academic Press.

AVERILL, J. 1982. *Anger and aggression: An essay on emotion*, New York: Springer-Verlag.

AVERILL, J. et ROSENN, M. 1972. Vigilant and nonvigilant coping strategies and psychophysiological stress reactions during the anticipation of electric shock, *Journal of Personality and Social Psychology*, 23:128-41.

BACKETT, S. A. 1987. Suicide in Scottish prisons, *British Journal of Psychiatry*, 151:218-21.

BAECHLER, J. [1975] 1979. *Suicides*, New York: Basic Books.

BAECHLER, J. 1980. A strategic theory, *Suicide and Life-Threatening Behavior*, 10:70-99.

BANCROFT, J.; Skrimshire, A. et Simkins, S. 1976. The reasons people give for taking overdoses, *British Journal of psychiatry*, 128:538-48.

BARNETT, L. R. 1986. Bulimarexia as symptom of sex-role strain in professional women, *Psychotherapy*, 23:311-15.

BAUCOM, D. H. et AIKEN, P. A. 1981. Effect of depressed mood on eating among obese and nonobese dieting persons, *Journal of Personality and Social Psychology*, 41:577-85.

BAUER, B. G. et ANDERSON, W. P. 1989. Bulimic beliefs: Food for thought, *Journal of Counseling and Development*, 67:416-19.

BAUMEISTER, R. F. 1982. A self-presentational view of social phenomena, *Psychological Bulletin*, 91:3-26.

BAUMEISTER, R. F. 1984. Choking under pressure: Self-consciousness and paradoxical effects of incentives on skillful performance, *Journal of Personality and Social Psychology*, 46:610-20.

BAUMEISTER, R. F. 1986. *Identity: Cultural change and the struggle for self*, New York: Oxford University Press.

BAUMEISTER, R. F. 1987. How the self became a problem: A psychological review of historical research, *Journal of Personality and Social Psychology*, 52:163-76.

BAUMEISTER, R. F. 1988a. Masochism as escape from self, *Journal of Sex Research*, 25:28-59.

BAUMEISTER, R. F. 1988b. Gender differences in masochistic scripts, *Journal of Sex Research*, 25:478-99.

BAUMEISTER, R. F. 1989. *Masochism and the self*, Hillsdale NJ: Erlbaum.

BAUMEISTER, R. F. 1990. Suicide as escape from self, *Psychological Review*, 97:90-113.

BAUMEISTER, R. F. *Meaning of life*, New York: Guilford Press.

BAUMEISTER, R. F. et Cooper, J. 1981. Can the public expectation of emotion cause that emotion? *Journal of Personality*, 49:49-59.

BAUMEISTER, R. F.; Cooper, J. et Skib, B. A. 1979. Inferior performance as a selective response to expectancy: Taking a dive to make a point, *Journal of Personality and Social Psychology*, 37:424-32.

BAUMEISTER, R. F.; Hamilton, J. C. et Tice, D. M. 1985. Public versus private expectancy of success: Confidence booster or performance pressure?, *Journal of Personality and Social Psychology*, 48:1447-57.

BAUMEISTER, R. F.; Kahn, J. et Tice, D. M. 1990. Obesity as a self-handicapping strategy: Personality, selective attribution of problems, and weight loss, *Journal of Social Psychology*, 30:121-23.

BAUMEISTER, R. F. and Placidi, K. S. 1983. A social history and analysis of the LSD controversy, *Journal of Humanistic Psychology*, 23:25-58.

BAUMEISTER, R. F. and Scher, S. J. 1988. Self-defeating behavior patterns among normal individuals: Review and analysis of common self-destructive tendencies, *Psychological Bulletin*, 104:3-22.

BAUMEISTER, R. F. and Showers, C. J. 1986. A review of paradoxical performance effects: Choking under pressure in sports and mental tests, *European Journal of Social Psychology*, 16:361-83.

BAUMEISTER, R. F.; Stillwell, A. et Wotman, S. R. 1990. Victim and perpetrator accounts of interpersonal conflict, Autobiographical narratives about anger, *Journal of Personality and Social Psychology*, 59:994-1005.

BAUMEISTER, R. F. et Tice, D. M. 1985. Self-esteem and responses to success and failure: Subsequent performance and intrinsic motivation, *Journal of Personality*, 53:450-67.

BAUMEISTER, R. F. et TICE, D. M. 1987. Emotion and self-presentation, *Perspectives in Personality: Theory, Measurement, and Interpersonal Dynamics*. Vol. 2, éd. R. Hogan et W. H. Jones, 181-99. Greenwich, CT: JAI Press.

BAUMEISTER, R. F. et Tice, D. M. 1990. Anxiety and social exclusion, *Journal of Social and Clinical Psychology*, 9:165-95.

BAUMEISTER, R. F.; Tice, D. M. et HUTTON, D. G. 1989. Self-presentational motivations and personality differences in self-esteem, *Journal of Personality*, 57:547-79.

BAUMGARDNER, A. H. et BROWNLEE, E. A. 1987. Strategic failure in social interaction: Evidence for expectancy disconfirmation processes, *Journal of Personality and Social Psychology*, 52:525-35.

BECHTEL, J. 1990. Pain is inevitable, suffering is optional, *Ultra Running*, Jan.-Fév., 35.

BECKER, M. H.; DRACHMAN, R. H. et KIRSCHT, J. P. 1972. Motivations as predictors of health behavior, *Health Services Reports*, 87:852-61.

BELLAH, R. N.; MADSEN, R.; SULLIVAN, W. M.; SWIDLER, A. et TIPTON, S. M. 1985. *Habits of the heart: Individualism and commitment in American life*, Berkeley: University of California Press.

BERGER, P. et LUCKMANN, T. 1967. *The social construction of reality: A treatise in the sociology of knowledge*, Garden City, NY: Doubleday.

BERGLAS, S. et JONES, E. E. 1978. Drug choice as a self-handicapping strategy in response to non-contingent success, *Journal of Personality and Social Psychology*, 36:405-17.

BERLIN, I. N. 1987. Suicide among American Indian adolescents: An overview, *Suicide and Life-Threatening Behavior*, 17:218-32.

BERMAN, A. L. 1979. Dyadic death: Murder-suicide, *Suicide and Life-Threatening Behavior*, 9:15-23.

BHAGAT, M. 1976. The spouses of attempted suicides: A personality study, *British Journal of Psychiatry*, 128:44-46.

BIRTCHNELL J. et ALARCON, J. 1971. The motivational and emotional state of 91 cases of attempted suicide, *British Journal of Medical Psychology*, 44:42-52.

BLACHLY, P. H.; DISHER, W. et RODUNER, G. 1968. Suicide by physicians, *Bulletin of Suicidology*, 2:1-18.

BLANCHARD, F. A. et FROST, R. O. 1983. Two factors of restraint: Concern for dieting and weight fluctuations, *Behavior Research and Therapy*, 21:259-67.

BONNAR, J. W. et McGee, R. K. 1977. Suicidal behavior as a form of communication in married couples, *Suicide and Life-Threatening Behavior*, 7:7-16.

BONNER, R. L. et RICH, A. R. 1987. Toward a predictive model of suicidal ideation and behavior: Some preliminary data in college students, *Suicide and Life-Threatening Behavior*, 17:50-63.

BOURQUE, L. B.; KRAUS, J. F. et COSAND, B. J. 1983. Attributes of suicide in females, *Suicide and Life-Threatening Behavior*, 13:123-38.

BOWLBY, J. 1969. *Attachment and loss: Vol. 1, Attachment*, New York: Basics Books. Tr. fr., *Attachement et perte*, vol. 1, *L'attachement*, PUF, 1971.

BOWLBY, J. 1973. *Attachment and loss: Vol. 2., Separation anxiety and anger*, New York: Basic Books. Tr. fr., *Attachement et perte*, vol. 2, *La séparation: angoisse et colère*, PUF, 1984.

BRAATEN, L. J. et DARLING, C. D. 1962. Suicidal tendencies among college students, *Psychiatric Quartely*, 36:665-92.

BRADY, J. V. 1958. Ulcers in «executive» monkeys, *Scientific American*, 199:95-100.

BREED, W. 1963. Occupational mobility and suicide among white males, *American Sociological Review*, 28:179-88.

BREED, W. 1972. Five components of a basic suicide syndrome, *Life-Threatening Behavior*, 2:3-18.

BRESSLER, B. 1976. Suicide and drug abuse in the medical community, *Suicide and Life-Threatening Behavior*, 6:169-78.

BROCK, T. C.; EDELMAN, S. K.; EDWARDS, D. C. et SCHUCK, J. R. 1965. Seven studies of performance expectancy as a determinant of actual performance, *Journal of Experimental Social Psychology*, 1:295-310.

BROCKOPP, G. W. et LESTER, D. 1970. Time perception in suicidal and nonsuicidal individuals, *Crisis Intervention*, 2:98-100.

BRODSKY, C. M. 1977. Suicide attributed to work, *Suicide and Life-Threatening Behavior*, 7:216-29.

BROOKS-GUNN, J.; WARREN, M. P. et HAMILTON, L. H. 1987. The relation of eating problems and amenorrhea in ballet dancers, *Medicine and Science in Sports and Exercise*, 19:41-44.

BROWN, B. R. 1968. The effects of need to maintain face on interpersonal bargaining, *Journal of Experimental Social Psychology*, 4:107-22.

BROWN, B. R. 1970. Face-saving following experimentally induced embarrassment, *Journal of Experimental Social Psychology*, 6:255-71.

BROWN, B. R. et GARLAND, H. 1971. The effects of incompetency, audience acquaintanceship, and anticipated evaluative feedback on face-saving behavior, *Journal of Experimental Social Psychology*, 7:490-502.

BROWN, J. D. 1986. Evaluations of self and others: Self-enhancement biases in social judgments, *Social Cognition*, 4:353-76.

BUKSBAZEN, C. 1976. Legacy of a suicide, *Suicide and Life-Threatening Behavior*, 6:106-22.

BUNCH, J. 1972. Recent bereavement in relation to suicide, *Journal of Psychosomatic Research*, 16:361-66.

BUTTERFIELD, P. S. et LECLAIR, S. 1988. Cognitive characteristics of bulimic and drug-abusing women, *Addictive Behaviors*, 13:131-38.

CALIFIA, P. 1982. From Jessie *Coming to power*, éd. Samois, 154-80, Boston: Alyson.

CALIFIA, P. 1983. A secret side of lesbian sexuality, *S and M: Studies in sadomasochism*, éd. T. Weinberg et G. Kamel, 129-36. Buffalo, NY: Prometheus.

CAMPBELL, A.; CONVERSE, P. E. et RODGERS, W. L. 1976. The *quality of American life*, New York: Russell Sage.
CANTOR, P. C. 1976. Personality characteristics found among youthful female suicide attempters, *Journal of Abnormal Psychology*, 85:324-29.
CARVER, C. S. 1979. A cybernetic model of self-attention processes, *Journal of Personality and Social Psychology*, 37:1251-81.
CARVER, C. S. et SHEIER, M. F. 1978. Self-focusing effects of dispositional self-consciousness, mirror presence, and audience presence, *Journal of Personality and Social Psychology*, 36:324-32.
CARVER, C. S. et SCHEIER, M. F. 1981. *Attention and self-regulation: A control theory approach to human behavior*, New York: Springer-Verlag.
CARVER, C. S. et SCHEIER, M. F. 1982. Control theory: A useful conceptual framework for personality-social, clinical and health psychology, *Psychological Bulletin*, 92:111-35.
CARVER, C. S. et SCHEIER, M. F. 1986. Analyzing shyness: A specific application of broader self-regulatory principles, *Shyness: Perspectives on research and treatment*, éd. W. H. Jones, J. M. Cheek et S. R. Briggs, 173-85, New York: Plenum.
CARVER, C. S. et SCHEIER, M. F. 1990. Origins and functions of positive and negative affect: A control-process view, *Psychological Review*, 97:19-35.
CASH, T. F. et BROWN, T. A. 1987. Body image in anorexia nervosa and bulimia nervosa: A review of the literature, *Behavior Modification*, 11:487-521.
CATTANACH, L. et RODIN, J. 1988. Psychosocial components of the stress process in bulimia, *International Journal of Eating Disorders*, 7:75-88.
CHAMBERS, E. K. 1903. *The medieval stage*, Oxford: Clarendon.
CHEEK, J. M. et BUSCH, C. M. 1981. The influence of shyness on loneliness in a new situation, *Personality and Social Psychology Bulletin*, 7:572-77.
CLEBSCH, W. A. 1979. *Christianity in European history*, New York: Oxford University Press.
CLEUGH, J., 1951. *The marquis and the chevalier*, London: Melrose.
COLE, D. 1988. Hopelessness, social desirability, depression and parasuicide in two college student samples, *Journal of Consulting and Clinical Psychology*, 56:1341-36.
COMER, R. et LAIRD, J. D. 1975. Choosing to suffer as a consequence of expecting to suffer: Why do people do it? *Journal of Personality and Social Psychology*, 32:92-101.

CONNOR, H. E.; DAGGET, L.; MARIS, R. W. et WEISS, S. 1973. Comparative psychopathology of suicide attempts and assaults, *Life-Threatening Behavior*, 3:33-50.

CONNORS, M. E. et JOHNSON, C. L. 1987. Epidemiology of bulimia and bulimic behaviors, *Addictive Benaviors*, 12:165-79.

CONROY, R. W. et SMITH, K. 1983. Family loss and hospital suicide. *Suicide and Life-Threatening Behavior*, 13:179-94.

COPAS, J. B. et ROBIN, A. 1982. Suicide in psychiatric inpatients, *British Journal of Psychiatry*, 141:503-11.

COTTRELL, N. B. 1965. Performance expectancy as a determinant of actual performance: A replication with a new design, *Journal of Personality and Social Psychology*, 2:685-91.

COUNTS, D. A. 1987. Female suicide and wife abuse: A cross-cultural perspective, *Suicide and Life-Threatening Behavior*, 17:194-204.

COX, H. 1969. *The feast of fools*, Cambridge, MA: Harvard University Press. Tr. fr., *La fête des fous*, Seuil, 1971.

CROCKER J. et MAJOR, B. 1989. Social stigma and self-esteem: The self-protective properties of stigma, *Psychological Review*, 96:608-30.

CROCKER, J. et SCHWARTZ, I. 1985. Prejudice and ingroup favoritism in a minimal intergroup situation: Effects of self-esteem, *Personality and Social Psychology Bulletin*, 11:379-86.

CSIKSZENTMIHALYI, M. 1982. Toward a psychology of optimal experience. *Review of personality and social psychology*, vol. 2, éd. L. Wheeler, 13-36, Beverly Hills, CA: Sage.

CSIKSZENTMIHALYI, M. 1990. *Flow: The psychology of optimal experience*, New York: Harper & Row.

CURTIS, R.; Rietdorf, P. et Ronell, D. 1980. «Appeasing the gods?» Suffering to reduce probable future suffering, *Personality and Social Psychology Bulletin*, 6:234-41.

CURTIS, R.; SMITH, P. et MOORE, R. 1984. Suffering to improve outcomes determined by both chance and skill, *Journal of Social and Clinical Psychology*, 2:165-73.

DALY, S. 1978. Behavioral correlates of social anxiety, *British Journal of Social and Clinical Psychology*, 17:117-20.

DAMON, W. et HART, D. 1982. The development of self-understanding from infancy through adolescence, *Child Development*, 53:841-64.

DARLEY, J. M. et GOETHALS, G. R. 1980. People's analyses of the causes of ability-linked performances, *Advances in experimental social psychology*, vol. 13, éd. L. Berkowitz, 1-37, New York: Academic Press.

DAVIS, D. et BROCK, T. C. 1975. Use of first-person pronouns as a function of increased objective self-awareness and prior feedback, *Journal of Experimental Social Psychology*, 11: 381-88.

DAVIS, P. A. 1983. *Suicidal adolescents*, Springfield, IL: Thomas.

DE ROPP, R. S. 1979. *Warrio's way: The challenging life games*, New York: Delta-Lawrence.

DE ROUGEMONT, D. 1956. *Love in the western world*, 2e éd., New York: Pantheon.

DESOLE, D. E.; AARONSON, S. et SINGER, 1967. Suicide and role strain among physicians, article présenté lors de la réunion de la American Psychiatric Association, Detroit, MI, mai.

DIENER, E. et WALLBOM, M. 1976. Effets of self-awareness on antinormative behavior, *Journal of Research in Personality*, 10:107-11.

DILTHEY, W. 1976. *Selected writings*, éd. et trad. H. P. Rickman, Cambridge: Cambridge University Press. Tr. fr, *Œuvres*, Cerf.

DIXON, T. et BAUMEISTER, R. F. 1991. Escaping the self: The moderating effect of self-complexity, *Personality and Social Psychology Bulletin*.

DOUGLAS, J. D. 1967. *The social meanings of suicide*, Princeton, NJ: Princeton University Press.

DOWEIKO, H. E. 1990. *Concepts of chemical dependency*, Pacific Grove, CA: Brooks/Cole.

DREVES, G. M. 1894. Zur Geschichte der Fete des Fous (À propos de la fête des fous). *Stimmen aus Maria-Laach*, 47:571-87, Freiburg im Breisgau: Herdersche Verlagshandlung.

DUNBAR, J. M. et STUNKARD, A. J. 1979. Adherence to diet and drug regimen, *Nutrition, lipids, and coronary heart disease*, éd. R. Levy, B. Rifkind, B. Dennis et N. Ernst, 391-423, New York: Raven Press.

DURKHEIM, E. {1897], *Le suicide: étude de sociologie*, PUF, 1991 (6e édition).

DUVAL, S. et WICKLUND, R. A. 1972. *A theory of objective self-awareness*, New York: Academic Press.

ELIADE, M. 1976. *Histoire des croyances et des idées religieuses, vol. 1 De l'âge de la pierre aux mystères d'Éleusis*, Payot.

ELIADE, M. 1978. *Histoire des croyances et des idées religieuses, vol. 2 De Gautama Bouddha au triomphe du christianisme*, Payot.

ELIADE, M. 1983. *Histoire des croyances et des idées religieuses, vol. 3 De Mahomet à l'âge des Réformes*, Payot.

ELLIS, T. E. et Ratliff, K. G. 1986. Cognitive characteristics of suicidal et nonsuicidal psychiatric inpatients, *Cognitive Therapy and Research*, 10:625-34.

ELREDGE, K.; WILSON, G. T. et WHALEY, A. 1990. Failure, self-evaluation, and feeling fat in women, *International Journal of Eating Disorders*, 9:37-50.

EPSTEIN, S. 1973. The self-concept revisited: Or a theory of a theory, *American Psychologist*, 28:404-16.

FAIRBURN, C. G. et BEGLIN, S. J. 1990. Studies of the epidemiology of bulimia nervosa, *American Journal of Psychiatry*, 127:401-8.

FARBEROW, N. L. 1975. Cultural history of suicide, *Suicide in different cultures*, éd. N. L. Farberow, 1-16, Baltimore, MD: University Park Press.

FARMER, R. 1987. Hostility and deliberate self-poisoning: The role of depression, *British Journal of Psychiatry*, 150:609-14.

FAVAZZA, A. R. et CONTERIO, K. 1989. Female habitual self-mutilators, *Acta Psychiatrica Scandinavia*, 79:283-89.

FESTINGER, L. A theory of social comparison processes, *Human Relations*, 7:117-40.

FIEDLER L. A. [1966] 1982. *Love and death in the American novel*, New York: Stein & Day.

FOXMAN, J. et RADTKE, R. 1970. Negative expectancy and the choice of an aversive task, *Journal of Personality and Social Psychology*, 15:253-57.

FREUD, S. 1916. Trauer und Melancholie, *Gesammelte Werke*, Vol. 10, 427-46, London: Imago.

FREUD, S. 1920. Ueber die psychogenese eines Falls von weiblicher Homosexualitaet, *Gesammelte Werke*, Vol 12, 269-302, London: Imago.

FROMM, E. 1941. *Escape from freedom*, New York: Holt, Rinehart & Winston.

FROST, R. O.; GOOLKASIAN G. A.; ELY, R. J. et BLANCHARD, F. A. 1982. Depression, restraint and eating behavior, *Behavior Research and Therapy*, 20:113-21.

GARFINKEL, P. E. et GARNER, D. M. 1982. *Anorexia nervosa: A multidimensional perspective*, New York: Brunne/Mazel.

GARFINKEL, P. E.; GARNER, D. M. et GOLDBLUM, D. S. 1987. Eating disorders: Implications for the 1990's, *Canadian Journal of Psychiatry*, 32:624-30.

GARNER, D. M.; GARFINKEL, P. E. et BONATO, D. P. 1987. Body image measurement in eating disorders, *Advances in psychosomatic Medicine*, 17:119-33.

GARNER, D. M.; OLMSTED, M. P. et POLIVY, J. 1983. Development and validation of a multi-dimensional eating disorder inventory for anorexia nervosa and bulimia, *International Journal of Eating Disorders*, 2:15-34.

GARNER, D. M., OLMSTED, M. P.; POLIVY, J. et GARFINKEL, P. E. 1984. Comparison between weight-preoccupied women and anorexia nervosa, *Psychosomatic Medicine*, 46:255-66.

GEBHARD, P. H. 1971. Human sexual behavior: A summary statement. *Human sexual behavior: Variations in the ethnographic spectrum*, éd. D. Marshall et R. Suggs, 206-17, New York: Basic Books.

GERBER, K. E.; NEHENKIS, A. M.; FARBEROW, N. L. et WILLIAMS, J. 1981. Indirect self-destructive behavior in chronic hemodialysis patients, *Suicide and Life-Threatening Behavior*, 11:31-42.

GERGEN, K. J. et GERGEN, M. 1988. Narrative and the self as relationship, *Advances in experimental social psychology*, vol. 21, éd. L. Berkowitz, 17-56, San Diego, CA: Academic Press.

GIBBONS, F. X. et WICKLUND, R. A. 1976. Selective exposure to self. *Journal of Research in Personality*, 10:98-106.

GLASS, D. C.; SINGER, J. E. et FRIEDMAN, L. N. 1969. Psychic cost of adaptation to an environmental stressor, *Journal of Personality and Social Psychology*, 12:200-210.

GOLEMAN, D. 1988. *The meditative mind: The varieties of meditative experience*, New York: St. Martin's Press.

GOTTSCHALK, L. A. et GLESER, G. C. 1960. An analysis of the verbal content of suicide notes, *British Journal of Medical Psychology*, 33:195-204.

GRAHAM, B. 1987. *Facing death and the life after*, Waco TX: Word Books.

GREAVES, G. 1971. Temporal orientation in suicidals, *Perceptual and Motor Skills*, 33:1020.

GREENBERG, J. et MUSHAM, C. 1981. Avoiding and seeking self-focused attention, *Journal of Research in Personality*, 15:191-200.

GREENBERG, J. et PYSZCZYNSKI, T. 1986. Persistent high self-focus after failure and low self-focus after success: The depressive self-focusing style, *Journal of Personality and Social Psychology*, 50:1039-44.

GREVEN, P. 1977. *The Protestant temperament*, New York: Knopf.

GROSS, J. et ROSEN, J. C. 1988. Bulimia in adolescents: Prevalence and psychosocial correlates, *International Journal of Eating Disorders*, 7:51-61.

HAKUIN. 1971. *The Zen master Hakuin: Selected writing*, éd. et trad. par P. B. Yampolsky, New York: Columbia University Press.

HATSUKAMI, D.; ECKERT, E. D.; MITCHELL, J. E. et PYLE, R. L. 1984. Affective disorder and substance abuse in women with bulimia, *Psychological Medicine*, 14:701-4.

HATSUKAMI, D. K.; MITCHELL, J. E. et ECKERT, E. D. 1984. Eating disorders: A variant of mood disorders? *Psychiatric Clinics of North America*, 7:349-65.

HAWKINS, R. C.; TURELL, S. et JACKSON, L. J. 1983. Desirable and undesirable masculine and feminine traits in relation to student's dietary tendencies and body image dissatisfaction, *Sex Roles*, 9:705-24.

HAWTON, K.; COLE, D.; O'GRADY, J. et OSBORN, M. 1982. Motivational aspects of deliberate self-poisoning in adolescents, *British Journal of Psychiatry*, 141:286-91.

HAYNES, R. B. 1976. A critical review of the «determinants» of patient compliance with therapeutic regimens, *Compliance with therapeutic regimens*, éd. D. L. Sackett et R. B. Haynes, 26-39, Baltimore, MD: Johns Hopkins University Press.

HEATHERTON, T. F. et BAUMEISTER, R. F. In press. Binge eating as escape from self-awareness, *Psychological Bulletin*.

HEATHERTON, T. F.; BAUMEISTER, R. F.; Polivy, J. et Herman, C. P. 1990. Self-awareness, failure, and dieting.

HEATHERTON, T. F.; HERMAN, C. P. et Polivy, J. 1991. Effects of physical threat and ego threat on eating behavior, *Journal of Personality and Social Psychology*, 60:138-143.

HEATHERTON, T. F.; POLIVY, J. et Herman, C. P. 1989. Restraint and internal responsiveness: Effects of placebo manipulations of hunger state on eating, *Journal of Abnormal Psychology*, 98:89-92.

HEATHERTON, T. F.; POLIVY, J. et HERMAN, C. P. Restrained eating: Some current findings and speculations. *Psychology of Addictive Behaviors*.

HEIGEGGER, M. [1954] *Qu'appelle-t-on penser?* PUF, 1992.

HENDIN, H. 1982. *Suicide in America*, New York: Norton.

HENKEN, V. J. 1976. Banality reinvestigated: A computer-based content analysis of suicidal and forced-death documents, *Suicide and Life-Threatening Behavior*, 6:36-43.

HERMAN, C. P. et MACK, D. 1975. Restrained and unrestrained eating, *Journal of Personality*, 43:647-60.

HERMAN, C. P. et POLIVY, J. 1975. Anxiety, restraint and eating behavior, *Journal of Abnormal Psychology*, 84:666-72.

HERMAN, C. P.; POLIVY, J. et HEATHERTON, T. F. 1990. The effects of distress on eating: A review of the experimental literature.

HERMAN, C. P.; POLIVY, J.; LANK, C. L. et HEATHERTON, T. F. 1987. Anxiety, hunger and eating, *Journal of Abnormal Psychology*, 96:264-69.

HERRIGEL, E. [1953] *Le Zen dans l'art chevaleresque du tir à l'arc*, Dervy-Livres, 1978.

HERSHENSON, D. B. 1965. Stress-induced use of alcohol by problem drinkers as a function of their sense of identity, *Quarterly Journal of Studies on Alcohol*, 26:213-22.

HERZOG, D. B.; NORMAN, D. K.; RIGOTTI, N. A. et PEPOSE, M. 1986. Frequency of bulimic behaviors and associated social maladjustment in female graduate students, *Journal of Psychiatric Research*, 20:355-61.

HIGGINS, E T. 1987. Self-discrepancy: A theory relating self and affect, *Psychological Review*, 94:319-40.

HIGGINS, R. L. et Marlatt, G. A. 1973. Effects of anxiety arousal on the consumption of alcohol by alcoholics and social drinkers, *Journal of Consulting and Clinical Psychology*, 41:426-33.

HILBERT, R. A. 1984. The acultural dimensions of chronic pain: Flawed reality construction and the problem of meaning, *Social problems*, 31:365-78.

HOCHSCHILD, A. 1983. *The managed heart: Commercialization of human feeling*, Berkeley: University of California Press.

HOLINGER, P. C. 1978. Adolescent suicide: An epidemiological study of recent trends, *American Journal of Psychiatry*, 135:754-56.

HORNER, M. 1972. Toward an understanding of achievement-related conficts in women, *Journal of Social Issues*, 28:157-76.

HUDSON, J. I. et POPE, H. G. 1987. Depression and eating disorders, *Presentations of depression*, éd. O. G. Cameron, 33-36, New York: John Wiley & Sons.

HULL, J. G. 1981. A self-awareness model of the causes and effects of alcohol consumption, *Journal of Abnormal Psychology*, 90:586-600.

HULL, J. G. et BAUMEISTER, R. F. 1976. Self-awareness and aesthetic pleasure, Manuscrit, Duke University, Durham, NC.

HULL, J. G.; Levenson, R. W.; YOUNG, R. D., et SCHER, K. J. 1983. Self-awareness-reducing effects of alcohol consumption, *Journal of Personality and Social Psychology*, 44:461-73.

HULL, J. G. et YOUNG, R. D. 1983a. The self-awareness-reducing effects of alcohol: Evidence and implications, *Psychological perspectives on the self*, Vol. 2, éd. J. Suls et A. G. Greenwald, 159-90, Hillsdale, NJ: Erlbaum.

HULL, J.G. et YOUNG, R. D. 1983b. Self-consciousness, self-esteem, and success-failure as determinants of alcohol consumption in male social drinkers, *Journal of Personality and Social Psychology*, 44:1097-1109.

HULL, J. G.; YOUNG, R. D. et JOURILES, E. 1986. Applications of the self-awareness model of alcohol consumption: Predicting patterns of use and abuse, *Journal of Personality and Social Psychology*, 51:790-96.

HYLAND, M. E. 1989. There is no motive to avoid success: The compromise explanation for success-avoiding behavior, *Journal of Personality*, 57:665-93.

IGA, M. 1971. A concept of anomie and suicide of Japanese college students, *Life-Threatening Behavior*, 1:232-44.

IZARD, C. 1977. *Human emotions*, New York: Plenum.

JAKOBOVITS, C.; HALSTEAD, P.; KELLEY, L.; ROE, D. et YOUNG, C. 1977. Eating habits and nutrient intake of college women over a thirty-year period, *Journal of the American Dietetic Association*, 71:405-11.

JANOFF-BULMAN, R. 1985. The aftermath of victimization: Rebuilding shattered assumptions, *Trauma and its wake*, éd. C. R. Figley, 15-35, New York: Brunner/Mazel.

JANOFF-BULMAN, R. 1989. Assumptive worlds and the stress of traumatic events: Applications of the schema construct, *Social Cognition*, 7:113-36.

JANUS, S.; BESS, B. et SALTUS, C. 1977. *A sexual profile of men in power*, Englewood Cliffs, NJ: Prentice-Hall.

JOHNSON, C. et CONNORS, M. E. 1987. *The etiology and treatment of bulimia nervosa*, New York: Basic Books.

JOHNSON, C.; CONNORS, M. E. et TOBIN, D. L. 1987. Symptom management of bulimia, *Journal of Consulting and Clinical Psychology*, 55:668-76.

JOHNSON, C.; LEWIS, C. et HAGMAN, J. 1984. The syndrome of bulimia: Review and synthesis, *Psychiatric Clinics of North America*, 7:247-73.

JOHNSON, C. et PURE, D. L. 1986. Assessment of bulimia: A multidimensional model, *Handbook of eating disorders*, éd. K. D. Brownell et J. P. Foreyt, 405-49, New York: Basic Books.

JONES, E. E. et BERGLAS, S. C. 1978. Control of attributions about the self through self-handicapping strategies: The appeal of alcohol and the role of underachievement, *Personality and Social Psychology Bulletin*, 4:200-206.

JONES, E. E.; RHODEWALT, F. T.; BERGLAS, S. C. et SKELTON, J. A. 1981. Effects of strategic self-presentation on subsequent self-esteem, *Journal of Personality and Social Psychology*, 41:407-21.

JONES, S. C. 1973. Self- and interpersonal evaluations: Esteem theories versus consistency theories, *Psychological Bulletin*, 79:185-99.

JONES, W. H.; FREEMON, J. E. et GOSWICK, R. A. 1981. The persistence of loneliness: Self and other determinants, *Journal of Personality*, 49:27-48.

KAPLAN, H. B. et POKORNY, A. D. 1976. Self-attitudes and suicidal behavior, *Suicide and Life-Threatening Behavior*, 6:23-35.

KAPLEAU, P. 1980. *The three pillars of Zen*, Garden City, NY: Doubleday Anchor.

KATZMAN, M. A. et WOLCHIK, S. A. 1984. Bulimia and binge eating in college women: A comparison of personality and behavioral characteristics, *Journal of Consulting and Clinical Psychology*, 52:423-28.

KECK, J. N. et FIEBERT, M. S. 1986. Avoidance of anxiety and eating disorders, *Psychological Reports*, 58:432-34.

KEEGAN, J. 1976. *The face of battle*, New York: Military Heritage Press.

KERNIS, M. H.; GRANNEMAN, B. D. et BARCLAY, L. C. 1989. Stability and level of self-esteem as predictors of anger arousal and hostility. *Journal of Personality and Social Psychology*, 56:1013-22.

KIERNAN, V. G. 1989. *The duel in European history*, Oxford: Oxford University Press.

KNIGHT, L. et BOLAND, F. 1989. Restrained eating: An experimental disentanglement of the disinhibiting variables of calories and food type, *Journal of Abnormal Psychology*, 98:412-20.

KUSHNER, H. 1988. *Self-destruction in the promised land*, New Brunswick, NJ: Rutgers University Press.

LANGER, E. 1975. The illusion of control, *Journal of Personality and Social Psychology*, 29:253-64.

LAWSON, A. 1988. *Adultery: An analysis of love and betrayal*, New York: Basic Books.

LEARY, M. R. et DOBBINS, S. E. 1983. Social anxiety, sexual behavior, and contraceptive use, *Journal of Personality and Social Psychology*, 45:1347-54.

LE GOFF, J. [1977]. *Pour un autre Moyen Âge: temps, travail et culture en Occident*, Gallimard, 1991.

LESTER, D. 1984. The association between the quality of life and suicide and homicide rates, *Journal of Social Psychology*, 124:247-48.

LESTER, D. 1986. Suicide and homicide rates: Their relationship to latitude and longitude and to the weather, *Suicide and Life-Threatening Behavior*, 16:356-59.

LESTER, D. 1987. Suicide, homicide, and the quality of life: An archival study, *Suicide and Life-Threatening Behavior*, 16:389-92.

LEVENSON, M. et NEURINGER, C. 1970. Intropunitiveness in suicidal adolescents, *Journal of Projective Techniques and Personality Assessment*, 34:409-11.

LIFTON, R. J. 1986. *The Nazi doctors: Medical killing and the psychology of genocide*, New York: Basic Books.

LINDNER, R. 1954. *The fifty-minute hour*, New York: Bantam Books.

LINEHAN, M. M.; CAMPER, P.; CHILES, J.A.; STROSAHL, K. et SHEARIN, E. 1987. Interpersonal problem solving and parasuicide, *Cognitive Therapy and Research*, 11:1-12.

LINEHAN, M. M.; GOODSTEIN, J. L.; NIELSEN, S. L. et CHILES, J. A. 1983. Reasons for staying alive when you are thinking of killing yourself: The Reasons for Living Inventory, *Journal of Consulting and Clinical Psychology*, 51:276-86.

LINVILLE, P. W. 1985. Self-complexity and affective extremity: Don't put all your eggs in one cognitive basket, *Social Cognition*, 3:94-120.

LINVILLE, P. W. 1987. Self-complexity as a cognitive buffer against stress-related illness and depression, *Journal of Personality and Social Psychology*, 52:663-76.

LOO, R. 1986. Suicide among police in a federal force, *Suicide and Life-Threatening Behavior*, 16:379-88.

LOPICCOLO, J. et LOPICCOLO, L., éd. 1978. *Handbook of sex therapy*, New York: Plenum.

LOWIN, A. et EPSTEIN, G. F. 1965. Does expectancy determine performance? *Journal of Experimental Social Psychology*, 1:244-55.

LUNDHOLM, J. K. LITTRELL, J. M. 1986. Desire for thinness among high school cheerleaders: Relationship to disordered eating and weight control behaviors, *Adolescence*, 21: 573-79.

LYNN, M. 1988. The effects of alcohol consumption on restaurant tipping, *Personality and Social Psychology Bulletin*, 14:87-91.

MANDELL, N. M. et SHRAUGER, J. S. 1980. The effects of self-evaluative statements on heterosocial approach in shy and nonshy males, *Cognitive Therapy and Research*, 4:369-81.

MARACEK, J. et METTEE, D. R. 1972. Avoidance of continued success as a function of self-esteem, level of esteem certainty, and responsibility for success, *Journal of Personality and Social Psychology*, 22:98-107.

MARIS, R. 1969. *Social forces in urban suicide*, Homewood, IL: Dorsey.

MARIS, R. 1981. *Pathways to suicide: A survey of self-destructive behaviors*, Baltimore, MD: Johns Hopkins University Press.

MARIS, R. 1985. The adolescent suicide problem, *Suicide and Life-Threatening Behavior*, 15:91-100.

MARKUS, H. 1977. Self-schemata and processing information about the self, *Journal of Personality and social Psychology*, 35:63-78.

MARKUS, H. et NURIUS, P. S. 1986. Possible selves, *American Psychologist*, 41:954-69.

MAROLDO, G. K. 1982. Shyness and love on the college campus, *Perceptual and Motor Skills*, 55:819-24.

MARSHALL, J. R.; BURNETT, W. et BRASUREL, J. 1983. On precipitating factors: Cancer as a cause of suicide, *Suicide and Life-Threatening Behavior*, 13:15-27.

MASTERS, K. S. 1990. Hypnotic susceptibility, cognitive dissociation, and runner's high in a sample of marathon runners, article présenté à la réunion de la Midwesters Psychological Association, Chicago, IL, mai.

MASTERS, W. H. et JOHNSON, V. E. 1970. *Human sexual inadequacy*, Boston: Little, Brown. Tr. fr, *Les mésententes sexuelles et leur traitement*, Laffont, 1971.

MAUPIN, E W. 1972. Zen Buddhism: A psychological review, *Highest state of consciousness*, éd J. White, 204-24, Garden City, NY: Doubleday Anchor.

MAYER, W. 1983. Alcohol abuse and alcoholism: The psychologist's role in prevention, research, and treatment, *American Psychologist*, 38:1116-21.

MAYHEW, R. et EDELMANN, R. J. 1989. Self-esteem, irrational beliefs and coping strategies in relation to eating problems in a non-clinical population, *Personality and Individual Differences*, 10:581-84.

MCCOLLAM, J. B.; BURISH, T. G.; MAISTO, S. A. et SOBELL, M. B. 1980. Alcohol's effects on physiological arousal and self-reported affect and sensations, *Journal of Abnormal Psychology*, 89:224-33.

MCFARLIN, D. B. et BLASCOVICH, J. 1981. Effects of self-esteem and performance feedback on future affective preferences and cognitive expectations, *Journal of Personality and Social Psychology*, 40:521-31.

MCKENNA, R. J. 1972. Some effects of anxiety level and food cues on the eating behavior of obese and normal subjects: A comparison of the Schachterian and psychosomatic conceptions, *Journal of Personality and Social Psychology*, 22:311-19.

MCKENRY, P. C. et KELLEY, C. 1983. The role of drugs in adolescent suicide attempts, *Suicide and Life-Threatening Behavior*, 13:166-75.

MCMAHON, B. et PUGH, T. F. 1965. Suicide in the widowed, *American Journal of Epidemiology*, 81:23-31.

MEHRABIAN, A. et WEINSTEIN, L. 1985. Temperament characteristics and suicide attempters, *Journal of Consulting and Clinical Psychology*, 53:544-46.

MELGES, F. T. et WEISZ, A. E. 1971. The personal future and suicidal ideation, *Journal of Nervous and Mental Disease*, 153:244-50.

MENNINGER, K. [1938] 1966. *Man against himself*, New York: Harcourt, Brace & World.

MERTON, T. [1967] 1989. *Mystics and Zen masters*, New York: Noonday Press. Tr. fr., *Mystique et Zen*, Cerf 1972.

MEYER, D.; LEVENTHAL, H. et GUTMANN, M. 1985. Common-sense models of illness, The example of hypertension, *Health psychology*, 4:115-35.

MILKMAN, H. B. et SUNDERWIRTH, S. 1986. *Craving for ecstasy: The consciousness and chemistry of escape*, Lexington, MA: Lexington Books.

MITCHELL, J. E.; HATSUKAMI, D. K.; PYLE, R. L. et ECKERT, E. D. 1986. The bulimia syndrome: Course of the illness and associated problems, *Comprehensive Psychiatry*, 27:165-70.

MITCHEL, J. E.; HATSUKAMI, D. K.; PYLE, R. L. et ECKERT, E. D. 1988. Bulimia with and without a family history of drug abuse, *Addictive Behaviors*, 13:245-61.

MIZES, J. S. 1988. Personality characteristics of bulimic and non-eating-disordered female controls: A cognitive behavioral perspective, *International Journal of Eating Disorders*, 7:541-50.

MONAT, A.; AVERILL, J. R. et LAZARUS, R. S. 1972. Anticipatory stress and coping reactions under various conditions of uncertainty, *Journal of Personality and Social Psychology*, 24:237-53.

MORGENTHAU, H. 1962. Love and power, *Commentary*, 33:247-53.

MORRISSEY, R. E. et SCHUCKIT, M. A. 1978. Stressful life events and alcohol problems among women seen at a detoxification center, *Journal of Studies on Alcohol*, 39:1559-76.

MOTTO, J. A. 1980. Suicide risk factors in alcohol abuse, *Suicide and Life-Threatening Behavior*, 10:230-38.

NASSER, M. 1986. Comparative study of the prevalence of abnormal eating attitudes among Arab female students of both London and Cairo Universities, *Psychological Medicine*, 16:621-25.

NAYHA, S. 1982. Autumn incidence of suicides re-examined: Data from Finland by sex, age, and occupation, *British Journal of Psychiatry*, 141:512-17.

NEURINGER, C. 1964. Rigid thinking in suicidal individuals, *Journal of Consulting Psychology*, 28:54-58.

NEURINGER, C. 1972. Suicide attempt and social isolation on the MAPS test, *Life-Threatening Behavior*, 2:139-44.

NEURINGER, C. 1974. Attitudes toward self in suicidal individuals, *Life-Threatening Behavior*, 4:96-106.

NEURINGER, C. et HARRIS, R. M. 1974. The perception of the passage of time among death-involved hospital patients, *Life-Threatening Behavior*, 4:240-54.

ODAJNYK, V. W. 1988. Gathering the light: A Jungian exploration of the psychology of meditation, *Quadrant*, 21(1):35-51.

OGILVIE, D. M.; STONE, P. J. et SHNEIDMAN, E. S. 1983. A computer analysis of suicide notes, *The psychology of suicide*, éd. E. Sehneidman, N. Farberow et R. Litman, 249-56, New York: Aronson.

PALMER, S. 1971. Characteristics of suicide in 54 nonliterate societies, *Life-Threatening Behavior*, 1:178-83.

PALMER, S. et HUMPHREY, J. A. 1980. Offender-victim relationships in criminal homicide followed by offender's suicide, North Carolina, 1972-1977, *Suicide and Life-Threatening Behavior*, 10:106-18.

PARKER, G. et WALTER S. 1982. Seasonal variation in depressive disorders and suicidal deaths in New South Wales, *British Journal of Psychiatry*, 140:626-32.

PATSIOKAS, A.; CLUM, G. et LUSCOMB, R. 1979. Cognitive characteristics of suicide attempters, *Journal of Consulting and Clinical Psychology*, 47:478-84.

PATTERSON, O. 1982. *Slavery and social death*, Cambridge, MA: Harvard University Press.

PENNEBAKER, J. W. 1989. Stream of consciousness and stress: Levels of thinking, *The direction of thought: Limits of awareness, intention and control*, éd. J. S. Uleman et J. A. Bargh, 327-50, New York: Guilford Press.

PERRAH, M. et WICHMAN, H. 1987. Cognitive rigidity in suicide attempters, *Suicide and Life-Threatening Behavior*, 17:251-62.

PHILLIPS, D. P. et LIU, J. 1980. The frequency of suicides around major public holidays: Some surprising findings, *Suicide and Life-Threatening Behavior*, 10:41-50.

PHILLIPS, D. P. et WILLS, J. S. 1987. A drop in suicides around major national holidays, *Suicide and Life-Threatening Behavior*, 17:1-12.

PILKONIS, P. A. 1977a. Shyness, public and private, and its relationship to other measures of social behavior, *Journal of Personality*, 45:585-95.

PILKONIS, P. A. 1977b. The behavorial consequences of shyness, *Journal of Personality*, 45:596-611.

PILKONIS, P. A. et ZIMBARDO, P. G. 1979. The personal and social dynamics of shyness, *Emotions in personality and psychopathology*, éd. C. E. Izard, 133-60, New York: Plenum.

PINES, M. et ARONSON, E. 1983. Antecedents, correlates, and consequences of sexual jealousy, *Journal of Personality*, 51:108-35.

PLATT, S. 1986. Pasasuicide and unemployment, *British Journal of Psychiatry*, 149:401-5.

POLIVY, J. 1976. Perception of calories and regulation of intake in restrained and unrestrained subjects, *Addictive Behaviors*, 1:237-43.

POLIVY, J. et HERMAN, C. P. 1983. *Breaking the diet habit: The natural weight alternative*, New York: Basic Books.

POLIVY, J. et HERMAN, C. P. 1985. Dieting and bingeing: A casual analysis, *American Psychologist*, 40:193-201.

POLIVY, J.; HERMAN, C. P. et GARNER, D. M. 1988. Cognitive assessment, *Assessment of addictive behaviors*, éd. D. M. Donovan et G. A. Marlatt, 274-95. New York: Guilford Press.

POLIVY, J.; HERMAN, C. P. et KULESHNYK, I. 1984. More on the effects of perceived calories on dieters and nondieters: Salad as a «magical» food. Manuscrit.

POWERS, P. S.; SCHULMAN, R. G.; GLEGHORN, A. A. et PRANGE, M. E. 1987. Perceptual and cognitive abnormalities in bulimia, *American Journal of Psychiatry*, 144:1456-60.

REAGE, P. [1954]. *Histoire d'O*, Livre de Poche 4873, 1991.

REIK, T. [1941]. *Le Masochisme*, Payot, 1953.

REINHART, G. et LINDEN, L. L. 1982. Suicide by industry and organization: A structural-change approach, *Suicide and Life-Threatening Behavior*, 12:34-45.

REPS, P., éd. 1957. *Zen flesh, Zen bones: A collection of Zen and pre-Zen writings*, Rutland, VT: Tuttle. Tr. fr., *Le zen en chair et en os: Zen flesh, Zen bones*, Arista, 1988.

RHINE, M. W. et MAYERSON, P. 1973. A serious suicidal syndrome masked by homicidals threats, *Life-Threatening Behavior*, 3:3-10.

RIEDEL, R. 1990. Life at a 24-hour run turns out to be far from boring, *Ultra Running*, 9(8):13-14 (Jan.-fév.).

RINGEL, E. 1976. The presuicidal syndrome, *Suicide and Life-Threatening Behavior*, 6:131-49.

ROGERS, T. B.; KUIPER, N. A. et KIRKER, W. S. 1977. Self-reference and the encoding of personal information, *Journal of Personality and Social Psychology*, 35:677-88.

ROJCEWICZ, S. J. 1970. War and suicide, *Life-Threatening Behavior*, 1:46-54.

ROSEN, D. H. 1976. Suicide survivors: Psychotherapeutic implications of egocide, *Suicide and Life-Threatening Behavior*, 6:209-15.

ROSENTHAL, P. 1984. *Words and values: Some leading words and where they lead us*, New York: Oxford University Press.

ROTHBAUM, F.; WEISZ, J. R. et SNYDER, S. S. 1982. Changing the world and changing the self: A two-process model of perceived control, *Journal of Personality and Social Psychology*, 42:5-37.

ROTHBERG, J. M. and JONES, F. D. 1987. Suicide in the U.S. Army: Epidemiological and periodic aspects, *Suicide and Life-Threatening Behavior*, 17:119-32.

ROY, A. et LINNOILA, M. 1986. Alcoholism and suicide, *Suicide and Life-Threatening Behavior*, 16:244-73.

RUDERMAN, A. J. 1985a. Restraint and irrational cognitions, *Behavior Research and Therapy*, 23:557-61.

RUDERMAN, A. J. 1985b. Dysphoric mood and overeating: A test of restraint theory's disinhibition hypothesis, *Journal of Abnormal Psychology*, 94:78-85.

RUDERMAN, A. J. 1986. Dietary restraint: A theoretical and empirical review, *Psychological Bulletin*, 99:247-62.

SACKETT, D. L. et SNOW, J. C. The magnitude of compliance and noncompliance, *Compliance in health care*, éd. R. B. Haynes, D. W. Taylor et D. L. Sackett, 11-22, Baltimore, MD: Johns Hopkins University Press.

SARASON, I. 1981. Test anxiety, stress, and social support, *Journal of Personality*, 49:101-14.

SAVAGE, M. 1975. *Addicted to Suicide*, Cambridge, MA: Schenkman. Tr. fr., *Suicides*, Denoël, 1978.

SCARRY, E. 1985. *The body in pain: The making and unmaking of the world*, New York: Oxford University Press.

SCHACTER, S. 1971. *Emotion, obesity, and crime*, New York: Academic Press.

SCHACHTER, S.; GOLDMAN, R. et GORDON, A. 1968. Effects of fear, food, deprivation, and obesity on eating, *Journal of Personality and Social Psychology*, 10:91-97.

SCHACHTER, S. et SINGER, J. E. 1962. Cognitive, social and physiological determinants of emotional state, *Psychological Review*, 69:379-99.

SCHLENKER, B. R. et LEARY, M. R. 1982. Social anxiety and self-presentation: A conceptualization and model, *Psychological Bulletin*, 92:641-69.

SCHLESIER-STROPP, B. 1984. Bulimia: A review of the literature, *Psychological Bulletin*, 95:247-57.

SCHOTTE, D. E. et CLUM, G. A. 1982. Suicide ideation in a college population: A test of a model, *Journal of Consulting and Clinical Psychology*, 50:690-96.

SCHOTTE, D. E. et CLUM, G. A. 1987. Problem-solving skills in suicidal psychiatric patients, *Journal of Consulting and Clinical Psychology*, 55:49-54.

SCOTT, G. G. 1983. *Erotic power: An exploration of dominance and submission*, Secaucus, NJ: Citadel Press.

SHAFII, M. 1988. *Freedom from the self: Sufism, meditation, and psychotherapy*, New York: Human Sciences Press.

SHATFORD, L. A. et EVANS, D. R. 1986. Bulimia as a manifestation of the stress process: A LISREL causal modelling analysis, *International Journal of Eating Disorders*, 5:451-73.

SHILT, R. 1987. *And the band played on: Politics, people, and the AIDS epidemic*, New York: Viking Penguin.

SHNEIDMAN, E. S. et FARBEROW, N. L. 1961. Statistical comparisons between attempted and committed suicides, *The cry for help*, éd. N. L. Farberow et E. S. Shneidman, 19-47, New York: McGraw-Hill.

SHNEIDMAN, E. S. et FARBEROW, N. L. 1970. Attempted and committed suicides, *The psychology of suicide*, éd. E. S. Shneidman, N. L. Farberow et R. E. Litman, 199-225. New York: Science House.

SHOEMAKER, S. 1963. *Self-knowledge and self-identity*, Ithaca, NY: Cornell University Press.

SHRAUGER, J. S. 1975. Responses to evaluation as a function of initial self-perception, *Psychological Bulletin*, 82:581-96.

SILBERFELD, M.; STREINER, B. et CIAMPI, A. 1985. Suicide attempters, ideators, and risk-taking propensity, *Canadian Journal of Psychiatry*, 30:274-77.

SIMMONS, R.; ROSENBERG, F. et ROSENBERG, M. 1973. Disturbance in the self-image at adolescence, *American Sociological Review*, 38:553-68.

SLOCHOWER, J. 1976. Emotional labelling and overeating in obese and normal weight individuals, *Psychosomatic Medicine*, 38:131-39.

SLOCHOWER, J. 1983. Life stress, weight, and cue salience, *Excessive eating*, éd J. Slochower, 75-87, New York: Human Sciences Press.

SLOCHOWER, J. et KAPLAN, S. P. 1980. Anxiety, perceived control and eating in obese and normal-weight persons, *Appetite*, 1:75-83.

SLOCHOWER, J. et KAPLAN, S. P. 1983. Effects of cue salience and weight on responsiveness to uncontrollable anxiety, *Excessive eating*, éd. J. Slochower, 68-74, New York: Human Sciences Press.

SLOCHOWER, J.; KAPLAN, S. P. et MANN, L. 1981. The effects of life stress and weight on mood and eating, *Appetite*, 2:115-25.

SMEAD, V. S. 1988. Trying too hard: A correlate of eating-related difficulties, *Addictive Behaviors*, 13:307-10.

SMITH, D. H. et HACKATHORN, L. 1982. Some social and psychological factors related to suicide in primitive societies: A cross-cultural comparative study, *Suicide and Life-Threatening Behavior*, 12:195-211.

SMITH, G. T.; HOHLSTEIN, L. A. et Atlas, J. G. 1989. Race differences in eating-disordered behavior and eating-related expectancies, article présenté à la American Psychological Association, New Orleans, 11 au 15 août.

SPENCER, J. A. et FREMOUW, W. J. 1979. Binge eating as a function of restraint and weight classification, *Journal of Abnormal Psychology*, 88:262-67.

SPENGLER, A. 1977. Manifest sadomasochism of males: Results of an empirical study, *Archives of sexual behavior*, 6:441-56.

SPIRITO, A.; STARK, L. J.; WILLIAMS, C. A. et GUEVREMONT, D. C. 1987. Common problems and coping strategies reported by normal adolescents and adolescent suicide attempters, article présenté à la Association for the Adancement of Behavior Therapy, Boston, novembre.

STCHERBATSKY, T. 1977. *The conception of Buddhist nirvana*, Delhi, India: Motilal Banarsidass.

STEELE, C. M. et JOSEPHS, R. A. 1990. Alcohol myopia: Its prized and dangerous effects, *American Psychologist*, 45:921-33.

STEELE, C. M. et SOUTHWICK, L. 1985. Alcohol and social behavior I: The psychology of drunken excess, *Journal of Personality and Social Psychology*, 48:18-34.

STEENBARGER, B. N. et ADERMAN, D. 1979. Objective self-awareness as a nonaversive state: Effect of anticipating discrepancy reduction, *Journal of Personality*, 47:330-39.

STEPHENS, B. J. 1985. Suicidal women and their relationships with husbands, boyfriends, and lovers, *Suicide and Life-Threatening Behavior*, 15:77-89.

STEPHENS, B. J. 1987. Cheap thrills and humble pie: The adolescence of female suicide attempters, *Suicide and Life-Threatening Behavior*, 17:107-18.

STIEGEL-MOORE, R.; SILBERSTEIN, L. R. et RODIN, J. 1986. Toward an understanding of risk factors for bulimia, *American Psychologist*, 41:246-63.

SULS, J. M. et MILLER, R. L., éd. 1977. *Social comparison processes: Theoretical and empirical perspectives*, Washington, D.C.: Halstead-Wiley.

SWANN, W. B. 1987. Identity negotiation: Where two roads meet, *Journal of Personality and Social Psychology*, 53:1038-51.

SWANN, W. B.; GRIFFIN, J. J.; PREDMORE, S. C. et Gaines, B. 1987. The cognitive-affective crossfire: When self-consistency confronts self-enhancement, *Journal of Personality and Social Psychology*, 52:881-89.

TANNAHILL, R. 1980. *Sex in history*, New York: Stein & Day.

TAYLOR, S. 1978. The confrontation with death and the renewal of life, *Suicide and Life-Threatening Behavior*, 8:89-98.

TAYLOR, S. E. 1983. Adjustment to threatening events: A theory of cognitive adaptation, *American Psychologist*, 38:1161-73.

TAYLOR, S. E. 1989. *Positive illusions: Creative self-deception and the healthy mind*, New York: Basic Books.

TAYLOR, S. E. et BROWN, J. D. 1988. Illusion and well-being: A social psychological perspective on mental health, *Psychological Bulletin*, 103:193-210.

TAYLOR, S. P.; GAMMON, C. B. et CAPASSO, D. R. 1976. Aggression as a function of the interaction of alcohol and threat, *Journal of Personality and Social Psychology*, 34:938-41.

THELEN, M. H.; MANN, L. M.; PRUITT, J. et SMITH, M. 1987. Bulimia: Prevalence and component factors in college women, *Journal of Psychosomatic Research*, 31:73-78.

THOMSPSON, D. A.; BERG, K. M. et SHATFORD, L. A. 1987. The heterogeneity of bulimic symptomatology: Cognitive and behavioral dimensions, *International Journal of Eating Disorders*, 6:215-34.

TICE, D. M. 1990. Strategies of affect regulation. Présenté lors de la Nags Head Conference on Emotion and Motivation, Nags Head NC, Juin.

TICE, D. M. et BAUMEISTER, R. F. 1990. Self-esteem, self-handicapping, and self-presentation: The strategy of inadequate practice, *Journal of Personality*, 58:443-64.

TICE, D. M.; BUDER, J. et BAUMEISTER, R. F. 1985. Development of self-consciousness: At what age does audience pressure disrupt performance? *Adolescence*, 20:301-5.

TISHLER, C. L.; MCKENRY, P. C. et MORGAN, K. C. 1981. Adolescent suicide attempts: Some significant factors, *Suicide and Life-Threatening Behavior*, 11:86-92.

TOPOL, P. et REZNIKOFF, M. 1982. Perceived peer and family relationships, hopelessness, and locus of control as factors in adolescent suicide attempts, *Suicide and Life-Threatening Behavior*, 12:141-50.

TRIANDIS, H. C. 1989. The self and social behavior in differing cultural contexts, *Psychological Review*, 96:506-20.

TRILLIN, C. 1984. *Killings*, New York: Viking Penguin.

TRILLING, L. 1971. *Sincerity and authenticity*, Cambridge, MA: Harvard University Press.

TROUT, D. L. 1980. The role of social isolation in suicide, *Suicide and Life-Threatening Behavior*, 10:10-23.

TUCKER, J. A.; VUCHINICH, R. E. et SOBELL, M. B. 1981. Alcohol consumption as a self-handicapping strategy, *Journal of Abnormal Psychology*, 90:220-30.

TURNER, V. 1969. *The ritual process*, Chicago: Aldine.

VALLACHER, R. R. et WEGNER, D. M. 1985. *A theory of action identification*, Hillsdale, NJ: Erlbaum.

VALLACHER, R. R. et WEGNER, D. M. 1987. What do people think they're doing: Action identification and human behavior, *Psychological Review*, 94:3-15.

WALSTER, E.; ARONSON, E. et BROWN, Z. 1966. Choosing to suffer as a consequence of expecting to suffer: An unexpected finding, *Journal of Experimental Social Psychology*, 2:400-406.

WARD, W. D. et SANDVOLD, K. D. 1963. Performance expectancy as a determinant of actual performance: A partial replication, *Journal of Abnormal and Social Psychology*, 67:293-95.

WASSERMAN, I. M. 1984. The influence of economic business cycles on United States suicide rates, *Suicide and Life-Threatening Behavior*, 14:143-56.

WEGNER, D. M. 1989. *White bears and other unwanted thoughts*, New York: Vintage.

WEGNER, D. M. et GIULANO, T. 1980. Arousal-induced attention to self, *Journal of Personality and Social Psychology*, 38:719-26.

WEGNER, D. M.; SCHNEIDER, D. J.; CARTER, S. R. et WHITE, T. L. 1987. Paradoxical effects of thought suppression, *Journal of Personality and Social Psychology*, 53:5-13.

WEGNER, D. M. et VALLACHER, R. R. 1986. Action identification, *Handbook of cognition and motivation*, éd. R. M. Sorrentino et E. T. Higgins, 550-82, New York: Guilford Press.

WEIL, A. 1972. *The natural mind*, Boston: Houghton Mifflin.

WEINGERG, T. et KAMEL, W. L., éd. 1983. *S and M: Studies in sadomasochism*, Buffalo, NY: Prometheus.

WEINTRAUB, K. J. 1978. *The value of the individual: Self and circumstance in autobiography*, Chicago: University of Chicago Press.

WEISS, J. M. 1971a. Effects of coping behavior in different warning signal conditions on stress pathology in rats, *Journal of Comparative and Physiological Psychology*, 77:1-13.

WEISS, J. M. 1971b. Effects of coping behavior with and without a feedback signal on stress pathology in rats, *Journal of Comparative and Physiological Psychology*, 77:22-30.

WEISS, J. M. 1971c. Effects of punishing the coping response (conflict) on stress pathology in rats, *Journal of Comparative and Physiological Psychology*, 77:14-21.

WEISSMAN, M. M.; KLERMAN, G. L.; MARKOWITZ, J. S. et OUELLETE, R. 1989. Suicidal ideation and suicide attempts in panic disorder and attacks, *New England Journal of Medicine*, 321:1209-14.

WHITE, J. 1972. *Highest state of consciousness*, Garden City, NY: Doubleday Anchor.

WICKLUND, R. A. 1975a. Objective self-awareness, *Advances in experimental social psychology*, vol. 8, éd. L. Berkowitz, 233-75, New York: Academic Press.

WICKLUND, R. A. 1975b. Discrepancy reduction or attempted distraction? A reply to Liebling and Shaver, *Journal of Experimental Social Psychology*, 11:78-81.

WILKINSON, K. O. et ISRAEL, G. D. 1984. Suicide and rurality in urban society, *Suicide and Life-Threatening Behavior*, 14:187-200.

WILLIAMS, J. M. et BROADBENT, K. 1986. Autobiographical memory in suicide attempters, *Journal of Abnormal Psychology*, 95:144-49

WILLIAMSON, D. 1990. Drinking: A sobering look at an enduring Princeton pastime, *Princeton Alumni Weekly*, 90(12):14-19 (21 mars).

WILLIAMSON, D. A. 1990. *Assessment of eating disorders: Obesity, anorexia, and bulimia nervosa*, Elmsford, NY: Pergamon Press.

WILSON, G. T. 1988. Alcohol and anxiety, *Behavior Research and Therapy*, 26:369-81.

WINE, J. 1971. Test anxiety and direction of attention, *Psychological Bulletin*, 76:92-104.

WOOD, J. V. 1989. Theory and research concerning social comparisons of personal attributes, *Psychological Bulletin*, 106:231-48.

YAGER, J.; LANDSVERK, J.; EDELSTEIN, C. K. et JARVIK, M. 1988. A 20-month follow-up study of 628 women with eating disorders: II. Course of associated symptoms and related clinical features, *International Journal of Eating Disorders*, 7:503-13.

YATES, A.; LEEHEY, K. et SHISSLAK, C. M. 1983. Running — an analogue of anorexia? *New England Journal of Medicine*, 308:251-55.

YUFIT, R. I. et BENZIES, B. 1973. Assessing suicidal potential by time perspective, *Life-Threatening Behavior*, 3:270-82.

YUFIT, R. I.; BENZIES, B.; FOUTE, M. D. et FAWCETT, J. A. 1970. Suicide potential and time perspective, *Archives of General Psychiatry*, 23:158-63.

ZANNA, M. P. et PACK, S. J. 1975. On the self-fulfilling nature of apparent sex differences in behavior, *Journal of Experimental Social Psychology*, 11:583-91.

ZIMBARDO, P. G. 1977. *Shyness: What it is, what to do about it*, New York: Jove.

ZOFTIG, S. 1982. Coming out, *Coming to Power*, éd. Samois, 86-96. Boston: Alyson.

ZOLA, I. K. 1973. Pathways to the doctor — from person to patient. *Social Science and Medicine*, 7:677-89.

ZUBE, M. J. 1972. Changing concepts of morality: 1948-1969, *Social Forces*, 50:385-93.

ZUCKERMAN, M. 1979. Attribution of success and failure revisited, or: The motivational bias is alive and well in attribution theory, *Journal of Personality*, 47:245-87.

Index

Table des matières

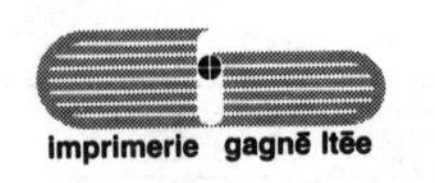
imprimerie gagné ltée

IMPRIMÉ AU CANADA